POUR QUE JE SOIS
LA DERNIÈRE

Nadia Murad
avec Jenna Krajeski

Pour que je sois la dernière

Traduit par Odile Demange

Fayard

Afin de préserver l'identité de personnes mentionnées dans l'ouvrage, certains noms et caractéristiques personnelles ont été modifiés. Toute ressemblance avec des personnes, des lieux ou des situations existants ou ayant existé serait purement fortuite.

Couverture :
Création graphique : © Christopher Brand
Adaptation du design de couverture : © Atelier Didier Thimonier
Photographie : © Fred R. Conrad / Redux
Cartes à l'intérieur du texte : Mapping Specialists, Ltd.
Photographies du cahier hors-texte :
© avec l'autorisation de l'auteur

Cet ouvrage est la traduction intégrale, publiée pour la première fois en France, du livre de langue anglaise :
THE LAST GIRL
Édité par Tim Duggan Books, New York

Cette traduction est publiée en accord avec Tim Duggan Books, marque de Random House, division de Penguin Random House LLC, New York

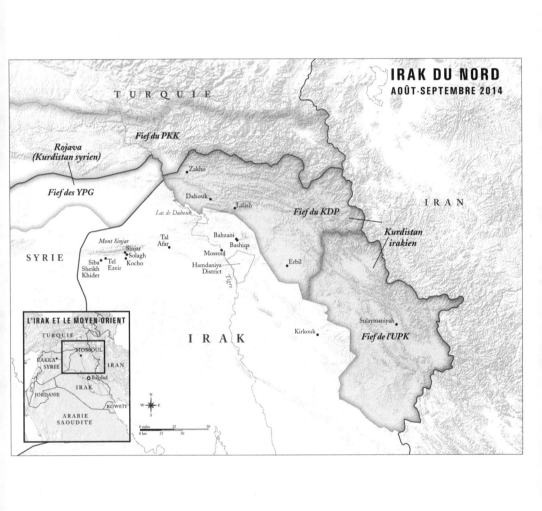

IRAK DU NORD
AOÛT-SEPTEMBRE 2014

T U R Q U I E

Fief du PKK

Rojava
(Kurdistan syrien)

Fief des YPG

Zakho

Dahouk
Lalish
Lac de Dahouk

Fief du KDP

I R A N

Kurdistan
irakien

S Y R I E

Tal
Afar
Mont Sinjar
Sinjar
Solagh
Siba   Tel   Kocho
Sheikh Ezeir
Khider

Bahzani
Bashiqa
Mossoul
Hamdaniya
District

Erbil

Tigre

Sulaymaniyah

Kirkouk

Fief de l'UPK

I R A K

L'IRAK ET LE MOYEN-ORIENT

TURQUIE
MOSSOUL
RAKKA
SYRIE   IRAN
Bagdad
IRAK
JORDANIE
KOWEÏT
ARABIE
SAOUDITE

N
W   E
S

0 miles   25   50
0 km   25   50

À tous les Yézidis

Préface

Nadia Murad n'est pas seulement ma cliente, c'est aussi mon amie. Lorsque nous nous sommes rencontrées à Londres, elle m'a demandé si je voulais bien être son avocate. Elle ne m'a pas caché qu'elle n'avait pas de quoi me payer, que l'affaire risquait d'être longue et n'aboutirait peut-être jamais. « Mais avant de prendre une décision, a-t-elle ajouté, écoutez mon histoire. »

En 2014, l'EIIL a attaqué le village de Nadia, en Irak, brisant la vie de cette jeune fille de vingt et un ans. Elle fut contrainte de voir sa mère et ses frères conduits à la mort. Quant à Nadia elle-même, elle passa d'un combattant de l'EIIL à un autre. Elle fut obligée de prier, d'enfiler des tenues aguichantes et de se maquiller avant d'être violée. Une nuit, elle fut violemment agressée par plusieurs hommes qui abusèrent d'elle avant de la laisser inconsciente. Elle m'a montré les cicatrices de brûlures de cigarettes et les marques de coups. Et elle a ajouté que, pendant qu'ils la torturaient, les combattants de l'EIIL la traitaient de « sale mécréante » et se vantaient qu'ils allaient s'emparer de toutes les Yézidies et effacer leur religion de la surface de la terre.

Nadia a fait partie des milliers de Yézidies enlevées par l'EIIL pour être vendues sur des marchés et sur Facebook, pour, parfois, vingt dollars à peine. La mère de Nadia fut l'une des quatre-vingts femmes plus âgées exécutées et enterrées dans une fosse anonyme. Six de ses frères comptèrent parmi les centaines d'hommes que l'on assassina en un seul jour.

Ce que m'a raconté Nadia s'appelle un génocide. Et un tel massacre n'est pas le fruit du hasard. Il se prépare. Avant le début de ce génocide, le Département de la recherche et de la fatwa de l'État islamique a «étudié» les Yézidis, concluant que les membres de ce groupe kurdophone qui ne possède pas de livre sacré sont des mécréants dont l'asservissement est «un aspect fermement établi de la charia». En vertu de la moralité pervertie de l'EIIL, les Yézidies – contrairement aux chrétiennes, aux chiites et à d'autres – peuvent ainsi être systématiquement violées. Il s'agirait même d'une des méthodes les plus efficaces pour les détruire.

C'est ainsi que s'institutionnalisa une bureaucratie du mal à l'échelle industrielle. L'EIIL alla même jusqu'à publier une brochure, *Questions et Réponses sur l'emprisonnement et les esclaves*, destinée à livrer des directives précises. «Question : Est-il permis d'avoir des rapports sexuels avec une femme esclave qui n'a pas atteint la puberté? Réponse : Il est permis d'avoir des rapports sexuels avec une femme esclave non encore pubère si elle est capable de rapports. Question : Est-il permis de vendre une captive? Réponse : Il est permis d'acheter, de vendre ou d'offrir en cadeau les captives et esclaves, parce qu'elles sont simple propriété.»

Quand Nadia m'a raconté son histoire à Londres, presque deux années s'étaient écoulées depuis le début du génocide perpétré par l'EIIL contre son peuple. Plusieurs centaines de femmes et d'enfants yézidis étaient encore prisonniers de l'EIIL, mais aucun membre de ce mouvement n'avait été déféré devant un tribunal pour ses crimes, où que ce soit au monde. Les preuves commençaient à disparaître, perdues ou détruites. Et les perspectives de pouvoir juger les criminels étaient incertaines.

J'ai évidemment accepté de me charger de l'affaire. Et nous avons passé plus d'une année, Nadia et moi, à faire campagne pour que justice soit faite. Nous avons rencontré à plusieurs reprises des membres du gouvernement irakien, des représentants des Nations Unies, des membres du Conseil de sécurité et des victimes de l'EIIL. J'ai préparé des rapports, rédigé des avant-projets et des analyses juridiques, et prononcé des discours suppliant l'ONU d'intervenir. La plupart de nos interlocuteurs nous répondaient que c'était impossible : le Conseil de sécurité n'avait pris aucune mesure sur des questions de justice internationale depuis des années.

Pourtant, à l'instant même où j'écris cette préface, le Conseil de sécurité des Nations Unies a adopté une résolution déterminante, instituant un groupe d'enquête chargé de rassembler les preuves des crimes commis par l'EIIL en Irak. C'est une immense victoire pour Nadia et pour toutes les victimes de cette organisation terroriste : les preuves seront conservées et les membres de l'EIIL pourront être déférés en justice à titre individuel.

J'étais assise à côté de Nadia au Conseil de sécurité au moment où cette résolution a été adoptée à l'unanimité. Et quand nous avons vu quinze mains se lever, nous nous sommes regardées, Nadia et moi, et nous nous sommes souri.

Mon travail d'avocate spécialisée dans les droits de l'homme me conduit souvent à être la voix de ceux qui ont été réduits au silence : le journaliste qui est derrière les barreaux, ou la victime de crimes de guerre qui se bat pour avoir droit à la parole. Il est indéniable que l'EIIL a voulu empêcher Nadia de parler quand ses hommes l'ont kidnappée et réduite en esclavage, violée et torturée, quand ils ont tué sept membres de sa famille en un seul jour.

Mais Nadia a refusé de se taire. Elle a rejeté toutes les étiquettes que la vie lui avait imposées : orpheline, victime de viol, esclave, réfugiée. Et les a remplacées par d'autres : survivante, leader yézidie, défenseure des droits des femmes, nominée au prix Nobel, ambassadrice de bonne volonté des Nations Unies. Et, aujourd'hui, écrivain.

Depuis que je la connais, Nadia ne s'est pas contentée de trouver sa voix. Elle est aussi devenue celle de tous les Yézidis victimes de génocide, de toutes les femmes violées, de tous les réfugiés livrés à leur sort.

Ceux qui ont cru que leur cruauté la réduirait au silence se sont trompés. Le courage de Nadia Murad n'est pas brisé, sa voix ne se taira pas. Au contraire, grâce à ce livre, elle résonne plus fort que jamais.

Amal Clooney,
avocate,
septembre 2017

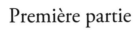

Première partie

1

Au début de l'été 2014, alors que je m'apprêtais à commencer ma dernière année de lycée, deux fermiers ont disparu de leurs champs tout près de Kocho, le petit village yézidi du nord de l'Irak où je suis née et où, jusqu'à une date récente, je pensais finir mes jours. Ces hommes se reposaient paisiblement à l'ombre de bâches en grosse toile artisanale et, d'un instant à l'autre, ils se sont retrouvés prisonniers dans une petite pièce d'un village voisin, essentiellement peuplé d'Arabes sunnites. Les ravisseurs avaient également emporté une poule et quelques-uns de ses poussins, ce qui nous a déconcertés. « Peut-être avaient-ils faim, tout simplement », avons-nous supposé, cherchant vainement à nous rassurer.

Bien avant ma naissance déjà, Kocho était un village yézidi où s'étaient fixés des agriculteurs et des bergers nomades qui étaient arrivés un beau jour dans ce coin perdu et avaient décidé de construire des maisons pour abriter leurs épouses de la chaleur torride pendant qu'ils conduisaient leurs moutons vers des pâturages plus gras. Ils avaient choisi une terre certes favorable à l'agriculture, mais dangereuse, car située aux confins méridionaux de la région irakienne du Sinjar où sont établis la plupart des Yézidis du pays, et tout près de l'Irak non yézidi.

Au milieu des années 1950, quand les trente-cinq premières familles yézidies sont arrivées, Kocho était habité par des fermiers arabes sunnites qui travaillaient pour des propriétaires de Mossoul. Mais les familles yézidies firent appel à un avocat pour acquérir ces terres – cet avocat, lui-même musulman, est toujours considéré comme un héros – et, au moment de ma naissance, Kocho s'était développé et abritait près de deux cents familles, toutes yézidies et aussi soudées que si elles formaient une unique grande famille, ce que nous sommes presque.

La terre qui faisait notre singularité nous rendait en même temps vulnérables. Depuis des siècles, notre peuple est persécuté à cause de ses convictions religieuses ; or Kocho est situé à bonne distance du mont Sinjar, la haute et étroite chaîne montagneuse qui a servi d'asile à de nombreuses générations de Yézidis. Pendant longtemps, nous avons été écartelés entre les forces rivales irakiennes des Arabes sunnites et des Kurdes sunnites, on a voulu nous faire renier notre identité yézidie pour nous couler dans le moule kurde ou arabe. Jusqu'en 2013, où la route entre Kocho et la montagne a enfin été goudronnée, il nous fallait presque une heure dans notre pick-up Datsun blanc pour rejoindre la ville de Sinjar sur des pistes de terre et arriver ensuite au pied de la montagne. J'ai grandi plus près de la Syrie que de nos temples les plus sacrés, plus près de Mossoul que de la sécurité.

Nous étions toujours heureux d'aller à la montagne. Dans la ville de Sinjar, on trouvait des bonbons et une sorte de sandwiches à l'agneau qu'il n'y avait pas à Kocho, et mon père s'arrêtait presque toujours pour nous acheter ce que nous voulions. Malgré les nuages de poussière que soulevait notre pick-up, je préférais voyager à l'air libre, allongée sur la plateforme arrière jusqu'à ce que nous ayons quitté le village, laissant derrière nous nos voisins curieux. Je me redressais alors pour sentir le vent fouetter mes cheveux et regarder le bétail qui paissait le long de la route et que la vitesse transformait en une tache confuse. Oubliant toute prudence, je me relevais de plus en plus à l'arrière du pick-up jusqu'à ce que mon père ou mon frère aîné, Elias, me crient de faire attention à ne pas basculer par-dessus bord.

Dans l'autre direction, à l'opposé des sandwiches à l'agneau et de la sécurité de la montagne, s'étendait le reste de l'Irak. En temps de paix et s'il n'était pas pressé, un marchand yézidi mettait un quart d'heure pour se rendre en voiture de Kocho au village sunnite le plus proche où il vendait ses céréales ou son lait. Dans tous ces villages, nous avions des amis – des filles que je retrouvais à l'occasion de noces, des professeurs qui pendant tout le trimestre logeaient dans l'école de Kocho, des hommes qui étaient invités à tenir nos bébés dans leurs bras pour la circoncision rituelle et restaient liés à la famille yézidie en qualité de *kiriv*, un genre de parrain. Quand nous étions malades, des médecins musulmans venaient à Kocho ou à Sinjar pour nous soigner et, parfois, des marchands musulmans traversaient notre bourgade, proposant des robes et des sucreries qu'on ne trouvait pas dans les rares boutiques du village, qui vendaient surtout des produits de première nécessité. Quand ils ont été assez grands, mes frères se rendaient souvent dans des bourgades non yézidies pour faire de petits boulots et gagner un peu d'argent. Si le poids de plusieurs siècles de méfiance pesait sur nos relations – il était difficile de ne pas se vexer quand un musulman invité à un mariage refusait, si poliment que ce fût, de partager notre nourriture –, cela n'empêchait pas une véritable amitié. Ces liens remontaient à plusieurs générations et avaient persisté pendant toute la période de domination ottomane et de colonisation britannique, sous le régime de Saddam Hussein et sous l'occupation américaine. À Kocho, nous étions particulièrement connus pour nos échanges amicaux avec des villages sunnites.

Cependant, chaque fois qu'on se battait en Irak – et, apparemment, on s'y battait constamment –, ces villages sunnites semblaient nous menacer, nous, leur petit voisin yézidi, et les préjugés d'autrefois entraînaient des crispations qui pouvaient déboucher sur la haine. Et la haine engendrait souvent la violence.

Depuis une bonne dizaine d'années, à partir du moment où, en 2003, les Irakiens avaient été précipités dans une guerre contre les Américains qui avait dégénéré en luttes locales encore plus meurtrières et, pour finir, en terrorisme à part entière, la distance entre nos demeures s'était considérablement accrue. Des villages voisins avaient commencé à héberger des extrémistes qui dénonçaient les chrétiens et les musulmans non sunnites, et qui, pis encore, considéraient les Yézidis comme des *kouffar* (*kafir*, au singulier), des mécréants qui méritaient la mort. En 2007, quelques-uns de ces extrémistes avaient conduit un camion-citerne et trois voitures jusqu'au centre animé de deux bourgs yézidis, à une quinzaine de kilomètres de Kocho, où ils avaient fait sauter leurs véhicules, tuant les centaines de personnes qui s'étaient précipitées vers eux en croyant qu'ils apportaient des denrées à vendre au marché.

Le yézidisme est une religion monothéiste très ancienne, transmise oralement par de saints hommes dépositaires de nos histoires. Malgré quelques points communs avec de nombreuses religions du Proche-Orient, du mithraïsme et du zoroastrisme à l'islam et au judaïsme, il est unique et parfois difficile à expliquer, même pour les saints hommes qui conservent la mémoire de nos récits. Je considère ma religion comme un très vieil arbre dont le tronc compte plusieurs milliers de cernes, chacun racontant un épisode de la longue histoire des Yézidis. Un grand nombre d'entre eux, malheureusement, sont des tragédies.

Aujourd'hui, on ne compte environ qu'un million de Yézidis dans le monde entier. Depuis que je suis en vie – et bien avant ma naissance, je le sais –, c'est notre religion qui nous a constitués en communauté et a assuré notre cohésion. Mais elle a également fait de nous la cible de persécutions de la part de groupes plus importants, des Ottomans aux baasistes de Saddam Hussein, qui nous ont attaqués ou ont cherché à nous obliger à leur prêter allégeance. Ils ont dénigré nos croyances, prétendant que nous adorions le diable ou nous accusant d'être sales, et ont exigé que nous abjurions notre foi.

Plusieurs générations de Yézidis ont résisté à d'innombrables campagnes d'extermination, qui ont pris différentes formes : massacres, conversions forcées ou, simplement, expulsion du pays et confiscation de tous leurs biens. Avant 2014, nous avions subi soixante-treize tentatives de destruction de la part de puissances extérieures. Avant d'apprendre le terme de génocide, nous appelions *firman* ces agressions contre les Yézidis, un mot ottoman.

Quand la demande de rançon des deux fermiers nous a été transmise, tout le village a été pris de panique. « Quarante mille dollars », avaient réclamé par téléphone les ravisseurs aux épouses des fermiers. « Ou alors, venez ici avec vos enfants pour que toutes vos familles puissent se convertir à l'islam. » Faute de quoi, avaient-ils ajouté, les deux hommes seraient tués. Ce n'était pas à cause de l'argent exigé que leurs femmes ont fondu en larmes devant Ahmed Jasso, notre *mukhtar*, le chef du village ; c'était une somme colossale, mais, après tout, ce n'était que de l'argent. Nous savions tous que les fermiers préféreraient la mort à la conversion, si bien que les villageois ont pleuré de soulagement la nuit où, à une heure tardive, les deux hommes se sont enfuis par une fenêtre brisée et ont traversé les champs d'orge ventre à terre avant d'arriver chez eux, couverts de poussière jusqu'aux genoux et haletants de peur, mais vivants. Les enlèvements n'ont pas cessé pour autant.

Peu après, Dishan, un employé de ma famille, les Taha, a disparu du champ où il gardait nos moutons près du mont Sinjar. Il avait fallu à ma mère et à mes frères plusieurs années pour acheter et élever nos bêtes, et chacune d'elles représentait une victoire. Nous étions fiers de nos moutons, que nous gardions dans notre cour quand elles ne se promenaient pas à l'extérieur du village, et nous les traitions presque comme des animaux domestiques. La tonte annuelle était une vraie fête. J'adorais ce rituel : la laine moelleuse qui tombait par terre en nuages, l'odeur musquée qui envahissait notre maison, les bêlements tranquilles, passifs des moutons. J'adorais dormir sous les gros édredons que ma mère, Shami, confectionnait avec leur laine, rembourrant des housses d'étoffes colorées. Il m'arrivait de m'attacher si profondément à un agneau que je préférais partir de chez nous quand il fallait l'abattre. Au moment où Dishan a été enlevé, nous avions plus de cent moutons – une petite fortune pour des gens comme nous.

Se rappelant la poule et les poussins emportés en même temps que les fermiers, mon frère Saeed, inquiet pour notre troupeau, a filé dans le pick-up familial jusqu'au pied du mont Sinjar, à une vingtaine de minutes depuis que la route avait été asphaltée. « Ils nous ont sûrement pris nos moutons, gémissions-nous. Ils sont tout ce que nous avons. »

Plus tard, quand Saeed a appelé ma mère, il avait l'air perplexe. « Ils n'en ont pris que deux », a-t-il annoncé – un vieux bélier qui se déplaçait lentement et une agnelle. Les autres broutaient paisiblement l'herbe vert-brun et allaient suivre mon frère jusqu'à la maison. Notre soulagement a été tel que nous avons tous éclaté de rire. Mais Elias, mon frère aîné, était soucieux. « Je ne comprends pas, murmurait-il. Ces villageois ne sont pas riches. Pourquoi ont-ils laissé les moutons ? » Il était certain que cela cachait quelque chose.

Le lendemain de l'enlèvement de Dishan, tout notre village était sens dessus dessous. Tapis sur leurs seuils, les villageois, à l'image de ceux qui se relayaient pour occuper un nouveau checkpoint hors de l'enceinte du village, s'assuraient qu'aucune voiture inconnue ne traversait Kocho. Hezni, un de mes frères, est rentré de son travail de policier à Sinjar et a rejoint les autres hommes, tous très remontés. L'oncle de Dishan criait vengeance et a décidé de lancer une opération contre un village situé à l'est de Kocho, dirigé par une tribu sunnite conservatrice. « Nous allons enlever deux de leurs bergers, s'est-il exclamé, furieux. Comme ça, ils seront bien obligés de nous rendre mon neveu ! »

Le plan était risqué et tous ne se sont pas rangés derrière l'oncle de Dishan. Mes frères eux-mêmes, qui avaient tous hérité de la bravoure et de la pugnacité de notre père, étaient divisés. Saeed, qui n'avait que deux ans de plus que moi, passait une grande partie de son temps à rêver du jour où il pourrait enfin prouver son héroïsme. Il était favorable à des représailles, tandis que Hezni, de plus de dix ans mon aîné et le plus empathique de nous tous, considérait que c'était trop dangereux. L'oncle de Dishan parvint malgré tout à réunir un certain nombre de partisans et ils enlevèrent deux bergers arabes sunnites qu'ils ramenèrent à Kocho, où il les enferma chez lui. Puis il attendit.

La plupart des querelles villageoises étaient réglées par Ahmed Jasso, notre mukhtar, un homme pragmatique et diplomate, qui approuva l'attitude de Hezni. « Nos relations avec nos voisins sunnites sont déjà tendues, a-t-il fait remarquer. Qui sait comment ils réagiront si nous cherchons la bagarre?» De plus, a-t-il ajouté, soucieux, la situation à l'extérieur de Kocho était bien plus grave et plus complexe que nous ne le pensions. Un groupe qui se faisait appeler l'État islamique, ou EIIL, et qui avait essentiellement pris naissance ici, en Irak, avant de se développer en Syrie au cours des dernières années, s'était emparé de villages si proches du nôtre que nous pouvions dénombrer les silhouettes vêtues de noir dans leurs camions quand ils circulaient dans les parages. C'étaient eux qui détenaient notre berger, a affirmé notre mukhtar. «Vous ne ferez qu'envenimer les choses», a-t-il expliqué à l'oncle de Dishan. Une demi-journée à peine après l'enlèvement des bergers sunnites, ils furent libérés. Dishan, en revanche, demeura captif.

Ahmed Jasso était un homme intelligent et la famille Jasso pouvait s'appuyer sur plusieurs dizaines d'années d'expérience de négociations avec les tribus arabes sunnites. Tout le monde au village s'adressait à eux au moindre problème et, même en dehors de Kocho, ils étaient connus pour être d'habiles diplomates. Quelques-uns d'entre nous, pourtant, se demandaient si, cette fois-ci, il ne se montrait pas trop accommodant. Les terroristes ne risquaient-ils pas d'en déduire que les Yézidis ne se défendraient pas? En l'occurrence, nous n'étions séparés de l'EIIL que par les combattants kurdes de l'Irak, les *peshmergas*, qui avaient été envoyés depuis la région kurde autonome pour protéger Kocho au moment de la chute de Mossoul, presque deux mois auparavant. Nous traitions les peshmergas comme des invités d'honneur. Ils dormaient à l'école, sur des paillasses, et, chaque semaine, une famille différente tuait un agneau pour les nourrir – un gros sacrifice pour de modestes villageois. Moi aussi, j'admirais ces combattants. J'avais entendu parler de femmes kurdes de Syrie et de Turquie qui se battaient contre les terroristes, armes à la main, et cette pensée m'avait enhardie.

24

Certains, dont plusieurs de mes frères, estimaient que nous devions être autorisés à assurer nous-mêmes notre protection. Ils voulaient occuper les checkpoints, et Naif, le frère d'Ahmed Jasso, a cherché à convaincre les autorités kurdes de l'autoriser à constituer une unité yézidie de peshmergas, mais elles n'ont pas donné suite. Personne n'a proposé d'entraîner les hommes yézidis, personne ne les a encouragés à participer à la lutte contre les terroristes. Les peshmergas nous assuraient que, tant qu'ils seraient là, nous n'avions aucune inquiétude à avoir, et qu'ils étaient aussi résolus à protéger les Yézidis que si c'était la capitale du Kurdistan irakien. «Nous préférerions assister à la chute d'Erbil qu'à celle du Sinjar», affirmaient-ils. On nous disait d'avoir confiance en eux, et c'est ce que nous avons fait.

Il n'empêche que la plupart des familles de Kocho gardaient des armes chez elles – de grosses kalachnikovs, un ou deux grands coutelas utilisés habituellement pour égorger les animaux les jours de fête. De nombreux Yézidis, parmi lesquels ceux de mes frères qui étaient suffisamment âgés, s'étaient fait embaucher dans la patrouille frontalière ou dans la police après 2003, quand ces emplois avaient été créés, et nous étions convaincus que, aussi longtemps que des combattants de métier surveilleraient les limites de Kocho, nos hommes sauraient protéger leurs familles. Après tout, c'étaient eux, et non les peshmergas, qui avaient édifié de leurs propres mains une barrière de terre autour du village après les agressions de 2007, et c'étaient eux qui avaient patrouillé le long de ce rempart jour et nuit pendant toute une année, arrêtant les voitures à des checkpoints improvisés pour repérer d'éventuels inconnus, jusqu'à ce que nous nous sentions suffisamment en sécurité pour reprendre une vie normale.

L'enlèvement de Dishan nous avait tous affolés. Mais les peshmergas n'ont rien fait pour nous aider. Peut-être n'y voyaient-ils qu'une querelle ordinaire entre villages et se disaient-ils que ce n'était pas pour régler ce genre d'affaires que Massoud Barzani, président du Gouvernement régional du Kurdistan, leur avait fait quitter la sécurité de leur région et se rendre dans les zones non protégées de l'Irak. Ou peut-être avaient-ils aussi peur que nous.

Quelques-uns de ces soldats ne paraissaient pas beaucoup plus âgés que Saeed, le plus jeune de mes frères. Il est vrai que la guerre changeait les gens, les hommes surtout. Cela ne faisait pas si longtemps que Saeed jouait encore avec moi et avec notre nièce Kathrine dans notre cour et qu'il était encore trop petit pour savoir que les garçons n'étaient pas censés aimer les poupées. Ces derniers temps, pourtant, Saeed avait été littéralement obsédé par la violence qui balayait l'Irak et la Syrie. Récemment, je l'avais surpris en train de regarder des vidéos de décapitations de l'État islamique sur son téléphone portable, les images tremblant dans sa main, et j'avais été étonnée qu'il brandisse l'appareil pour que je puisse regarder, moi aussi. Quand notre grand frère Massoud était entré dans la pièce, ça l'avait rendu furieux. « Comment peux-tu faire voir ça à Nadia ? » avait-il hurlé à Saeed, tout penaud. Il était désolé, mais je le comprenais. Il était difficile de se détourner des scènes abominables qui se déroulaient si près de notre maison.

L'image de cette vidéo m'est revenue à l'esprit quand j'ai songé à notre pauvre berger prisonnier. *Si les peshmergas ne nous aident pas à récupérer Dishan, il faudra que je fasse quelque chose*, ai-je pensé, et j'ai couru chez nous. J'étais le bébé de la famille, la plus jeune de onze enfants, une fille de surcroît. Il n'empêche que je ne mâchais pas mes mots et que j'avais l'habitude de me faire entendre. Et la colère me donnait des ailes.

Notre maison était proche de la limite nord du village. Cette construction de plain-pied se composait d'une enfilade de pièces en briques de terre crue alignées comme les perles d'un collier, reliées par des passages sans portes et donnant toutes sur une grande cour de terre battue qui contenait un potager, un four à pain appelé *tandoor* et, souvent, des moutons et des poules. J'y habitais avec ma mère, six de mes neuf frères et mes deux sœurs, auxquels s'ajoutaient deux belles-sœurs et leurs enfants. Nous pouvions nous rendre à pied chez mes autres frères, mes demi-frères et demi-sœurs, et chez la plupart de mes tantes, oncles et cousins. Le toit fuyait en hiver quand il pleuvait et, à l'intérieur, la chaleur pouvait être étouffante pendant l'été, ce qui nous obligeait à monter sur le toit pour dormir. Quand une partie de celui-ci s'est effondré, nous l'avons réparé avec des plaques de métal récupérées dans l'atelier de mécanique de Massoud et, quand nous avons eu besoin de plus d'espace, nous avons construit une pièce supplémentaire. Nous mettions de l'argent de côté pour pouvoir avoir une nouvelle maison, plus solide, en parpaings de ciment – une perspective qui se rapprochait tous les jours.

J'ai franchi la porte d'entrée et j'ai couru jusqu'à la chambre que je partageais avec les autres filles et où il y avait un miroir. M'enveloppant la tête d'un foulard clair que je portais habituellement pour éviter que les cheveux ne me tombent dans les yeux quand je me penchais sur les rangées de légumes, j'ai essayé d'imaginer comment un combattant pouvait se préparer à une bataille. Des années de travail à la ferme m'avaient rendue plus robuste que je n'en avais l'air, mais je n'avais aucune idée de ce que je ferais si je voyais les ravisseurs ou d'autres habitants de leur village traverser Kocho en voiture. Que leur dirais-je ? « Des terroristes ont pris notre berger et ils sont allés dans votre village, me suis-je exercée à dire devant la glace, l'air sévère. Vous auriez dû les en empêcher. Vous pourriez au moins nous dire où ils l'ont emmené. » Dans un coin de la cour, j'ai ramassé un bâton comme ceux qu'utilisent les bergers, puis je suis retournée à la porte d'entrée, où plusieurs de mes frères étaient en grande conversation avec ma mère. Ils m'ont à peine remarquée.

Quelques minutes plus tard, un pick-up blanc venant du village des ravisseurs a descendu la rue principale, deux hommes devant, deux à l'arrière. C'étaient des Arabes que j'ai vaguement reconnus, appartenant à la tribu sunnite qui avait enlevé Dishan. Nous avons regardé leur camion longer la rue de terre battue qui serpentait à travers le village, lentement, comme s'ils ne craignaient absolument rien. Ils n'avaient aucune raison de traverser Kocho – des routes contournant le village reliaient des villes comme Sinjar et Mossoul – et leur présence avait tout d'une provocation. Échappant à ma famille, j'ai couru au milieu de la rue et je me suis plantée sur le passage du camion. «Arrêtez-vous! ai-je crié en agitant mon bâton au-dessus de ma tête, cherchant à me grandir. Dites-nous où est Dishan!»

Il a fallu la moitié de ma famille pour me retenir. «Qu'est-ce que tu avais l'intention de faire? m'a réprimandée Elias. Les attaquer? Casser leur pare-brise?» Il venait de rentrer des champs avec plusieurs de mes frères et sœurs et ils étaient tous épuisés, puant les oignons dont ils faisaient la récolte. Ma tentative pour venger Dishan n'était à leurs yeux qu'une comédie puérile. Ma mère était furieuse contre moi, elle aussi, parce que j'avais couru dans la rue. En général, elle tolérait mon caractère impétueux et s'en amusait même; mais, ces derniers temps, tout le monde était à cran. Il était dangereux d'attirer l'attention, surtout pour une jeune fille célibataire. «Viens t'asseoir ici, m'a-t-elle dit sévèrement. Ce que tu viens de faire est honteux, Nadia. Cette affaire ne te regarde pas. C'est aux hommes de s'en charger.» La vie a suivi son cours. Les Irakiens, et plus particulièrement les Yézidis et les autres minorités, ont appris à s'adapter aux nouvelles menaces. Il le faut si l'on veut essayer de vivre à peu près normalement dans un pays où tout semble se désagréger. Certains ajustements étaient minimes. Nous révisions nos ambitions à la baisse

– nous renoncions à finir nos études, à abandonner le travail des champs pour exercer un métier moins éreintant, à organiser un mariage à la date prévue – et nous n'avions aucun mal à nous convaincre qu'elles avaient toujours été inaccessibles. D'autres changements se faisaient progressivement, presque à notre insu. Nous cessions de parler aux élèves musulmans en classe, ou rentrions craintivement dans les maisons quand un inconnu traversait le village. Nous voyions à la télévision des images d'attentats et commencions à nous intéresser à la politique d'un peu plus près. Ou alors nous refusions complètement d'y penser, estimant plus sûr de ne rien dire. Après chaque attaque, les hommes renforçaient la barrière de terre en commençant par le côté ouest, celui qui donnait sur la Syrie, jusqu'au jour où, à notre réveil, nous avons constaté qu'elle nous entourait entièrement. Puis, parce que nous nous sentions toujours en danger, les hommes ont creusé un fossé autour du village.

Au fil des générations, nous nous étions habitués à de petites souffrances, de petites injustices, jusqu'à ce qu'elles soient devenues suffisamment banales pour que nous n'y fassions plus attention. Je pense que c'est ainsi que nous avons fini par accepter certains comportements offensants, comme le fait de refuser de partager notre nourriture, qui avaient probablement été un véritable crime aux yeux du premier qui les avait remarqués. Les Yézidis s'étaient même habitués à la menace d'un nouveau firman, une adaptation qui exigeait pourtant une plus grande acrobatie mentale. Ce n'était pas facile.

Dishan étant toujours prisonnier, je suis retournée aux champs d'oignons avec mes frères et sœurs. Rien n'avait changé. Les légumes que nous avions plantés plusieurs mois auparavant avaient poussé ; si nous ne les récoltions pas, personne ne le ferait à notre place. Si nous ne les vendions pas, nous n'aurions pas d'argent. Accroupis en rang à côté des pousses vertes, nous arrachions plusieurs bulbes à la fois, les rassemblant dans des filets de plastique où ils continueraient à mûrir jusqu'à ce qu'il soit temps de les porter au marché. « En vendrons-nous dans les villages musulmans cette année ? » nous demandions-nous. Nous n'avions pas de réponse à cette question. Quand l'un de nous arrachait la masse noire visqueuse et malodorante d'un oignon pourri, nous poussions un gémissement, nous pincions le nez et continuions notre travail.

Comme toujours, nous échangions des ragots, nous nous taquinions, nous racontions des histoires que chacun avait déjà entendues des milliers de fois. Ce jour-là, Adkee, ma sœur, le clown de la famille, s'est amusée à m'imiter en train d'essayer de poursuivre la voiture, petite paysanne maigrichonne, mon foulard me tombant sur les yeux, agitant mon bâton au-dessus de ma tête, et nous avons tellement ri que nous avons failli nous écrouler par terre. Nous transformions le travail en jeu, rivalisant pour ramasser le plus d'oignons, exactement comme, quelques mois plus tôt, nous avions joué à qui sèmerait le plus de graines. Quand le soleil commençait à décliner, nous rejoignions ma mère à la maison pour dîner dans notre cour, puis nous dormions, épaule contre épaule, sur des matelas étalés sur le toit de notre maison, regardant la lune et chuchotant jusqu'à ce que l'épuisement réduise toute la famille au silence.

Nous ne découvririons pourquoi les ravisseurs avaient volé les animaux – la poule, les poussins et nos deux moutons – que près de quinze jours plus tard, après que l'EIIL eut pris Kocho et la plus grande partie du Sinjar. Un combattant qui avait contribué à parquer tous les habitants de Kocho dans l'école secondaire a expliqué plus tard ces enlèvements à plusieurs femmes du village. « Vous dites que nous sommes arrivés de nulle part, mais nous vous avons adressé des messages, a-t-il exposé, son fusil en bandoulière. Quand nous avons pris la poule et les poussins, c'était pour vous avertir que nous allions prendre vos femmes et vos enfants. Quand nous avons pris le bélier, c'était comme si nous prenions vos chefs de tribu et, quand nous l'avons tué, cela voulait dire que nous avions l'intention de tuer ces chefs. Quant à l'agnelle, elle représentait vos filles. »

2

Ma mère m'aimait, mais elle ne m'avait pas désirée. Plusieurs mois avant ma conception, elle avait commencé à mettre de côté tout l'argent qu'elle pouvait – un dinar par-ci, par-là, la monnaie des courses quand elle allait au marché ou le prix d'une livre de tomates vendue à la sauvette – pour avoir accès aux moyens de contraception qu'elle n'osait pas demander à mon père. Les Yézidis ne se marient pas avec des membres d'autres religions et la conversion au yézidisme n'est pas autorisée. Les familles nombreuses sont donc le meilleur moyen d'éviter notre complète extinction. Par ailleurs, plus on avait d'enfants, plus on avait de bras pour travailler la terre. Ma mère a réussi à avoir de quoi acheter la pilule pendant trois mois, mais ensuite, faute d'argent, elle a dû arrêter et a presque immédiatement été enceinte de moi, son onzième et dernier enfant.

Elle était la deuxième épouse de mon père. La première était morte prématurément, le laissant avec quatre enfants qui avaient besoin d'une femme pour les élever. Ma mère, qui était très belle, était issue d'une famille pauvre et profondément religieuse de Kocho, et son père avait été ravi de la donner pour épouse à mon père. Celui-ci avait déjà des terres et des bêtes, et était riche par rapport à la plupart des habitants de

Kocho. C'est ainsi qu'avant vingt ans, alors qu'elle n'avait même pas encore appris à faire la cuisine, ma mère est devenue tout à la fois une épouse et la belle-mère de quatre enfants. Elle n'a pas tardé à être enceinte. Elle n'est jamais allée à l'école et ne savait ni lire ni écrire. Comme beaucoup de Yézidis dont la langue maternelle est le kurde, elle ne parlait pas bien arabe et avait du mal à communiquer avec les villageois sunnites qui venaient chez nous pour assister à des mariages ou faire du commerce. Les histoires religieuses elles-mêmes dépassaient son entendement. Mais elle travaillait dur, assumant toutes les tâches d'une femme d'agriculteur. Comme s'il n'était pas suffisant d'enfanter à onze reprises – chacun de ces accouchements, sauf celui, plus délicat, de ses jumeaux, Saoud et Massoud, a eu lieu à la maison –, on attendait également d'une Yézidie qu'elle porte du bois, veille sur les plantations et conduise le tracteur jusqu'aux premières contractions. Une fois le bébé né, elle le portait constamment pendant qu'elle vaquait à ses occupations.

Mon père était connu dans tout Kocho pour être un Yézidi très traditionaliste, extrêmement dévot. Il portait ses cheveux rassemblés en quatre longues tresses et se couvrait la tête d'une étoffe blanche. Quand les *qawwals* – des chefs religieux itinérants qui jouent de la flûte, du tambour, et récitent des cantiques religieux – venaient à Kocho, mon père faisait partie de ceux qui les accueillaient. Sa voix était essentielle au *djevat*, ou maison des réunions, où les hommes du village pouvaient se réunir pour poser au mukhtar des questions sur la religion ou sur des problèmes de la communauté.

L'injustice faisait souffrir mon père davantage que les blessures physiques, et sa fierté nourrissait sa force. Les villageois proches de lui parlaient volontiers de son héroïsme, racontant des anecdotes comme celle où il avait sauvé notre mukhtar, Ahmed Jasso, d'une tribu voisine décidée à le tuer, ou celle où les précieux chevaux arabes appartenant au chef d'une tribu arabe sunnite s'étaient échappés de leur écurie et où mon père avait brandi son pistolet pour défendre Khalaf, un pauvre paysan de Kocho, que l'on avait surpris dans un champ des environs sur le dos d'une de ces bêtes.

«Votre père a toujours voulu agir justement», nous ont rappelé ses amis après sa mort. «Un jour, il a laissé un rebelle kurde qui fuyait l'armée irakienne dormir sous son toit, bien que le rebelle ait conduit la police jusque sur son seuil.» Il paraît que, quand le rebelle a été découvert, la police a voulu emprisonner les deux hommes, mais que mon père a réussi à se justifier. «Je ne l'ai pas aidé pour des raisons politiques, a-t-il expliqué. Je l'ai aidé parce que c'est un homme et moi aussi.» Ils l'ont laissé repartir. «Et il se trouve que ce rebelle était un ami de Massoud Barzani!» s'étonnaient encore ses amis bien des années plus tard.

Mon père n'était pas un homme violent, mais il n'hésitait pas à se battre en cas de force majeure. Il avait perdu un œil dans un accident agricole, et la petite boule laiteuse restée dans l'orbite – qui ressemblait beaucoup aux billes avec lesquelles je jouais petite – pouvait lui donner l'air menaçant. J'ai souvent pensé depuis que, si mon père avait encore été de ce monde quand l'EIIL est entré à Kocho, il aurait pris la tête d'un soulèvement armé contre les terroristes.

En 1993, l'année de ma naissance, la relation entre mes parents avait commencé à se détériorer et ma mère en souffrait. Le fils aîné de mon père, celui de sa première épouse, était mort quelques années plus tôt au cours de la guerre Iran-Irak, et ensuite, m'a raconté ma mère, rien n'avait plus jamais été comme avant. En outre, mon père avait fait venir à la maison une autre femme, Sara, qu'il avait épousée et qui vivait désormais avec leurs enfants dans une partie de la maison que ma mère avait longtemps considérée comme la sienne.

La polygamie n'est pas illégale chez les Yézidis, mais tout le monde à Kocho n'aurait pas pu se permettre cela. Pourtant, personne n'a contesté la conduite de mon père. Au moment où il a épousé Sara, il possédait beaucoup de terres et de moutons, et, en un temps où les sanctions et la guerre contre l'Iran rendaient la vie difficile pour tous en Irak, il avait besoin d'une grande famille pour l'aider, plus nombreuse que celle que ma mère pouvait lui offrir.

Je n'en veux pas vraiment à mon père d'avoir épousé Sara. Tous ceux dont la survie est directement liée au nombre de tomates qu'ils cultivent chaque année ou au temps passé à conduire leur troupeau de moutons vers des pâtures plus riches peuvent comprendre qu'il ait voulu une femme de plus et des enfants plus nombreux. Les questions personnelles n'entrent pas en ligne de compte. Plus tard, en revanche, quand il a officiellement quitté ma mère et nous a tous envoyés vivre, presque sans un sou, dans un petit bâtiment à l'arrière de notre maison, j'ai compris que des considérations pratiques n'avaient pas seules pesé sur sa décision de prendre une nouvelle épouse. Il aimait Sara davantage que notre mère. Je l'ai admis, de même que j'ai admis qu'il ait brisé le cœur de ma mère le jour où il est venu avec cette nouvelle épouse. Après qu'il nous a quittés, elle nous disait, à mes sœurs Dimal et Adkee ainsi qu'à moi : « Que Dieu fasse qu'il ne vous arrive pas ce qui m'est arrivé ! » Je voulais ressembler en tout à ma mère, sauf que je ne voulais pas être abandonnée.

Mes frères n'étaient pas tous aussi compréhensifs. « Le Seigneur te le fera payer ! » a crié un jour Massoud, furieux, à notre père. Mais ils reconnaissaient, eux aussi, que la vie était devenue un peu plus facile à partir du moment où ma mère et Sara n'ont plus vécu ensemble et passé leur temps à rivaliser pour retenir l'attention de notre père ; et, au bout de quelques années, nous avons appris à coexister pacifiquement. Kocho était une petite bourgade, et nous les voyions souvent, Sara et lui. Je passais tous les jours devant leur maison, celle où j'étais née, pour me rendre à l'école primaire ; sur le trajet, leur chien était le seul à me connaître assez bien pour ne pas aboyer à mon passage. Nous passions les jours de fête ensemble, et il arrivait à notre père de nous emmener dans la ville de Sinjar, ou à la montagne. En 2003, il a eu un infarctus et nous avons tous vu cet homme si fort se transformer du jour au lendemain en vieillard malade, condamné à la chaise roulante dans un hôpital. Quand il est mort quelques jours plus tard, on aurait dit que c'était autant de honte devant sa fragilité qu'en raison de ses problèmes cardiaques. Massoud a regretté ce qu'il lui avait dit. Il avait cru son père assez solide pour tout encaisser.

Ma mère était une femme très pieuse, qui croyait aux signes et aux rêves, dont de nombreux Yézidis s'inspirent pour interpréter le présent ou prédire l'avenir. Au premier croissant de lune, elle allumait des bougies dans la cour. «C'est le moment où les enfants sont le plus vulnérables à la maladie et aux accidents, m'expliquait-elle. Je prie pour qu'il ne vous arrive rien. »

Comme j'avais souvent mal au ventre, ma mère me conduisait chez des guérisseurs yézidis qui me donnaient des herbes et des tisanes, qu'elle m'exhortait à boire alors que je les trouvais infectes ; quand quelqu'un mourait, elle allait voir un *kochek*, un mystique yézidi, qui confirmait que le défunt avait été admis dans l'au-delà. De nombreux pèlerins yézidis ramassent un peu de terre avant de quitter Lalish, une vallée du nord de l'Irak où se situent nos temples les plus sacrés, et l'enveloppent dans un petit morceau d'étoffe plié en triangle qu'ils conservent dans leur poche ou dans leur portefeuille en guise de talisman. Ma mère n'aurait pas pu se passer de cette terre sacrée, surtout lorsque mes frères ont commencé à quitter la maison pour aller travailler pour l'armée. «Ils ont besoin de toute la protection possible, Nadia, me disait-elle. C'est dangereux, ce qu'ils font. »

C'était aussi une femme pragmatique et travailleuse, qui cherchait à améliorer notre existence en dépit de tous les obstacles. Les Yézidis font partie des communautés les plus pauvres d'Irak et ma famille l'était encore plus que beaucoup d'autres à Kocho, surtout après la séparation de mes parents. Pendant des années, mes frères ont creusé des puits à la main, s'enfonçant prudemment centimètre par centimètre dans la terre humide et sulfureuse, veillant à ne pas se rompre les os. Avec ma mère et mes sœurs, ils cultivaient aussi les terres d'autrui, ne touchant qu'un modeste pourcentage des bénéfices de leurs récoltes de tomates et d'oignons. Pendant les dix premières années de ma vie, j'ai rarement mangé de la viande au dîner, nous vivions de légumes bouillis et mes frères disaient souvent qu'ils ne s'achetaient un nouveau pantalon que lorsqu'on commençait à voir leurs jambes à travers le vieux.

Peu à peu, grâce au labeur de ma mère et à l'essor économique du nord de l'Irak après 2003, notre situation s'est améliorée, comme celle de la plupart des Yézidis. Mes frères ont pris des emplois de gardes-frontières et de policiers quand le gouvernement central et le gouvernement kurde ont ouvert ces postes aux Yézidis. C'était un travail dangereux – mon frère Jalo est entré dans une unité de police chargée de garder l'aéroport de Tal Afar qui a perdu un grand nombre de ses hommes au combat au cours de la première année –, mais bien payé. Et nous avons enfin pu quitter la propriété de mon père pour nous installer dans une maison à nous.

Les gens qui ne connaissaient ma mère que pour ses profondes convictions religieuses et son éthique de travail étaient surpris de découvrir sa drôlerie et l'humour avec lequel elle savait prendre les épreuves. Elle aimait blaguer et aucun sujet, pas même le célibat qui serait sans doute son lot jusqu'à la fin de ses jours, n'était tabou. Quelques années après sa séparation avec mon père, un homme est venu à Kocho dans l'espoir d'éveiller l'intérêt de ma mère. Quand elle a appris qu'il était sur son seuil, elle est sortie avec un bâton et l'a pourchassé, lui criant qu'il ferait mieux de partir et qu'elle ne se remarierait jamais. Puis elle est rentrée, riant aux larmes. « Si vous aviez vu la peur qu'il a eue ! nous a-t-elle dit, l'imitant jusqu'à ce que nous soyons tous, nous aussi, écroulés de rire. Si j'avais l'intention de me remarier, ce ne serait sûrement pas avec un homme qui se sauve devant une vieille armée d'un bâton ! »

Tout était pour elle matière à plaisanterie – son abandon par mon père, ma passion pour la coiffure et le maquillage, ses propres échecs. Quelque temps avant ma naissance, elle avait commencé à suivre des cours d'alphabétisation et, quand j'ai été assez grande, je lui ai servi de professeur. Elle apprenait vite, en partie, ai-je toujours pensé, parce qu'elle était capable de rire de ses erreurs.

Lorsqu'elle parlait de sa volonté d'obtenir un moyen de contraception avant ma naissance, c'était comme si elle racontait une histoire tirée d'un livre lu très longtemps auparavant et exclusivement apprécié pour ses aspects comiques. Elle s'amusait de n'avoir pas voulu être enceinte de moi parce que, à présent, elle était incapable d'imaginer la vie en mon absence. Elle riait parce qu'elle m'avait aimée dès que j'étais née, et parce que, tous les matins, je restais à me réchauffer et à bavarder avec elle à côté de notre four d'argile, pendant qu'elle faisait cuire le pain. Nous riions parce que j'étais jalouse quand elle câlinait mes sœurs ou mes nièces et pas moi, parce que j'avais juré de ne jamais quitter la maison et parce que nous avons dormi dans le même lit depuis le jour de ma naissance jusqu'à celui où l'EIIL est arrivé à Kocho et nous a séparées. Elle nous servait à la fois de mère et de père, et nous l'avons aimée encore plus fort quand nous avons été assez grands pour comprendre l'étendue de ses souffrances.

Pendant mon enfance, j'étais très attachée à notre foyer et n'imaginais pas pouvoir vivre ailleurs. Les étrangers peuvent se figurer que Kocho est trop pauvre pour qu'on y soit heureux, trop isolé et dénué de tout pour qu'on n'y souffre pas de la misère. Les soldats américains ont certainement eu cette impression en voyant tous les enfants se précipiter vers eux, mendiant des stylos et des bonbons, quand ils passaient dans le village. J'ai fait partie de ces enfants.

Il est arrivé que des hommes politiques kurdes se rendent à Kocho, mais seulement dans les années récentes et surtout à la veille des élections. Un des partis kurdes, le Parti démocratique du Kurdistan (PDK), a ouvert un petit bureau de deux pièces à Kocho après 2003, mais c'était avant tout un club réservé aux villageois qui y avaient adhéré. Beaucoup se plaignaient des pressions que le PDK exerçait sur eux pour obtenir leur soutien et leur faire dire que les Yézidis étaient des Kurdes et que le Sinjar faisait partie du Kurdistan. Les politiciens irakiens nous ignoraient, et Saddam Hussein avait voulu nous obliger à nous déclarer arabes, comme si l'on pouvait nous convaincre de renoncer à notre identité sous la menace et de ne jamais nous rebeller ensuite.

Le simple fait de vivre à Kocho était, en un sens, une provocation. Au milieu des années 1970, Saddam avait entrepris de déplacer de force les Kurdes et les Yézidis de leurs villages situés autour du mont Sinjar pour les installer dans des maisons en parpaings au sein de lotissements où ils seraient plus faciles à contrôler – une campagne qu'on a appelée l'« arabisation » du Nord. Mais Kocho était suffisamment éloigné de la montagne pour que nous soyons épargnés par ces mesures. Certaines traditions yézidies devenues désuètes dans ces nouvelles communautés étaient encore respectées dans mon village. Les femmes portaient les robes blanches vaporeuses et les foulards blancs de leurs grand-mères, les noces étaient accompagnées de musique et de danses traditionnelles et nous jeûnions en expiation de nos péchés tandis que de nombreux Yézidis avaient renoncé à cette coutume. Nous vivions en sécurité, soudés, et les querelles pour les terres ou les mariages finissaient elles-mêmes par paraître insignifiantes. En tout cas, elles n'avaient aucune incidence sur l'amour réciproque que nous nous portions. Les villageois se rendaient les uns chez les autres jusqu'à une heure tardive et se promenaient dans la rue sans crainte. Des visiteurs disaient que la nuit, de loin, on voyait Kocho briller dans les ténèbres. Adkee jurait avoir entendu quelqu'un parler du « Paris du Sinjar ».

Kocho était un village jeune, rempli d'enfants. Comme peu de ceux qui y vivaient étaient assez âgés pour avoir assisté eux-mêmes à des firmans, nous étions nombreux à penser que ces jours-là étaient définitivement révolus, que le monde était désormais trop moderne et trop civilisé pour que tout un groupe d'êtres humains puisse se faire tuer à cause de sa religion. C'était en tout cas ce que je pensais. Durant notre enfance, les récits des massacres d'autrefois nous faisaient l'effet de légendes et renforçaient notre cohésion. Une amie de ma mère racontait ainsi que, avec sa mère et sa sœur, elle avait fui l'oppression ottomane et s'était réfugiée en Turquie, où vivaient jadis de nombreux Yézidis. Alors qu'elles étaient restées plusieurs jours dans une grotte sans rien à manger, sa mère avait fait bouillir du cuir pour les maintenir en vie. J'avais entendu cette histoire mainte et mainte fois, et elle me donnait la nausée. Je n'imaginais pas pouvoir manger du cuir, même si je mourais de faim. Mais ce n'était qu'une histoire.

Je dois reconnaître que la vie à Kocho pouvait être très difficile. Tous ces enfants, si aimés qu'ils aient été, étaient un

40

fardeau pour leurs parents, qui devaient travailler jour et nuit pour nourrir leur famille. Quand nous tombions malades et qu'il était impossible de nous soigner à l'aide de plantes, il fallait aller jusqu'à Sinjar ou Mossoul pour consulter un médecin. Ma mère nous confectionnait les vêtements dont nous avions besoin ; un peu plus tard, quand nous avons eu un peu plus d'argent, elle les achetait une fois par an au marché d'une ville. Pendant les années où les Nations Unies ont imposé des sanctions à l'Irak dans l'espoir d'obliger Saddam Hussein à quitter le pouvoir, nous avons pleuré parce qu'il était impossible de trouver du sucre. Lorsqu'on a fini par construire des écoles au village, d'abord une école primaire puis, bien des années plus tard, une école secondaire, les parents ont dû peser le pour et le contre : permettre à leurs enfants de s'instruire ou les garder à la maison pour qu'ils participent aux travaux de la famille. Les Yézidis moyens avaient longtemps été privés d'instruction – non seulement par le gouvernement irakien, mais aussi par les chefs religieux, inquiets à l'idée que l'éducation dispensée par l'État n'encourage les intermariages et, donc, la conversion et la perte de l'identité yézidie –, mais renoncer à une main-d'œuvre gratuite était un gros sacrifice. Et pour quel avenir, s'interrogeaient les parents, pour quels emplois, et où ? Il n'y avait pas de travail à Kocho et la perspective de quitter définitivement le village et d'aller vivre loin d'autres Yézidis ne séduisait que les plus désespérés ou les plus ambitieux.

L'amour parental pouvait facilement devenir source de souffrance. La vie à la ferme était dangereuse, et les accidents n'étaient pas rares. Ma mère situait le moment de son accession à l'âge adulte au jour où sa sœur aînée s'est fait tuer, éjectée d'un tracteur qui roulait trop vite et qui l'avait écrasée au milieu du champ de blé familial. Les soins médicaux étaient parfois inaccessibles. Mon frère Jalo et sa femme Jenan ont perdu un nouveau-né après l'autre d'une mystérieuse maladie transmise par la famille de Jenan. Ils étaient trop pauvres pour acheter des médicaments ou conduire les bébés chez le médecin, et, sur huit naissances, quatre sont morts.

Les enfants de ma sœur Dimal lui ont été pris, eux, par le divorce. Dans la société yézidie comme dans le reste de l'Irak, les femmes ont peu de droits lorsqu'une union est rompue, quelles qu'en soient les raisons. Enfin, d'autres enfants sont morts pendant les guerres. Je suis née deux ans exactement après la première guerre du Golfe et cinq ans après la fin de la guerre Iran-Irak, un conflit absurde qui a duré huit ans et semblait servir le désir de Saddam Hussein de torturer son peuple plus que toute autre cause. L'ombre du souvenir de ces enfants que nous ne reverrions plus rôdait dans notre maison. Mon père a coupé ses tresses quand son fils aîné s'est fait tuer et, bien qu'un de mes frères ait porté le nom de ce fils, mon père ne pouvait pas supporter de l'appeler autrement que par un surnom, « Hezni », qui veut dire « tristesse » en kurde.

Nos vies étaient rythmées par les moissons et par les fêtes yézidies. Les saisons pouvaient être rudes. En hiver, les ruelles de Kocho se remplissaient d'une boue compacte comme du ciment qui collait aux chaussures et vous les arrachait des pieds, alors que, en été, la chaleur était si torride et le soleil tellement ardent que nous allions aux champs en soirée, car nous n'aurions pas pu y travailler de jour sans nous effondrer. Parfois, les récoltes étaient médiocres et la tristesse durait des mois, jusqu'aux semailles suivantes. D'autres années, malgré de bonnes récoltes, nos rentrées d'argent restaient insuffisantes. Nous apprenions à nos dépens ce qui se vendait bien ou mal – en traînant des sacs de légumes au marché et en voyant les acheteurs les tourner et les retourner avant de repartir les mains vides. Le blé et l'orge étaient les plus rentables. Les oignons se vendaient bien, mais pas très cher. Certaines années, nous nourrissions notre bétail de tomates trop mûres, simplement pour nous débarrasser des excédents.

Et pourtant, en dépit des épreuves, je n'avais jamais eu envie de vivre ailleurs qu'à Kocho. Même si les ruelles étaient boueuses en hiver, personne n'avait à faire de long trajet pour aller voir ceux qu'il aimait. En été, la chaleur était suffocante, mais cela nous obligeait à dormir tous sur le toit, les uns à côté des autres, ce qui nous permettait de bavarder et de rire avec les voisins, eux aussi réfugiés sur leurs toits. Le travail à la ferme était dur, mais nous gagnions suffisamment d'argent pour mener une vie simple et heureuse. J'aimais tant mon village que, lorsque j'étais petite, mon jeu favori était de créer un Kocho miniature à partir de vieux cartons et d'objets de bric et de broc. Kathrine et moi remplissions ces maquettes de maisons de poupées de laine que nous fabriquions nous-mêmes, puis nous célébrions des mariages entre nos jouets. Bien sûr, avant chaque union, les poupées se rendaient dans l'élégant salon de coiffure que j'avais fabriqué avec un cageot de tomates.

Mais, surtout, j'aimais Kocho parce que c'était là que vivait ma famille. Nous formions un petit village en soi. J'avais mes huit frères. Elias, l'aîné, était comme un père pour moi. Khairy a été le premier à risquer sa vie comme garde-frontière pour nous aider à avoir de quoi manger. Pise, obstiné et loyal, nous protégeait constamment. Il y avait Massoud, qui est devenu le meilleur mécanicien de Kocho, et son jumeau Saoud, qui tenait un commerce de proximité au village. Jalo ouvrait son cœur à tous, même aux inconnus. Saeed, espiègle et plein de vie, aspirait à être un héros. Quant à Hezni, le rêveur, nous cherchions tous à gagner son affection. Mes deux sœurs – Dimal la calme, toujours maternelle, et Adkee qui, un jour, se disputait avec nos frères pour qu'ils la laissent, elle, une fille, conduire notre pick-up et, le lendemain, fondait en larmes à cause d'un agneau mort subitement dans notre cour – vivaient toujours à la maison tandis que mes demi-frères, Khaled, Walid, Hajji et Nawaf, et mes deux demi-sœurs, Halam et Haiam, habitaient tous à proximité.

C'était à Kocho que ma mère, comme toutes les bonnes mères du monde entier, vouait sa vie à s'assurer que nous mangions à notre faim et que nous conservions notre joie de vivre. Ce n'est pas le dernier endroit où je l'ai vue, mais quand je pense à elle, c'est-à-dire tous les jours, c'est dans ce cadre. Même au cours des pires années de sanctions, elle a veillé à ce que nous ne manquions de rien. Quand elle n'avait pas d'argent pour acheter des friandises, elle nous donnait de l'orge à troquer contre des chewing-gums à la boutique locale. Quand un marchand passait par Kocho avec une robe que nous ne pouvions pas nous payer, elle le harcelait pour qu'il nous fasse crédit. «Au moins, maintenant, quand ils viennent à Kocho, c'est chez nous qu'ils s'arrêtent en premier», plaisantait-elle si l'un de mes frères protestait contre cette dette.

Ayant grandi dans la pauvreté, elle refusait que nous donnions l'impression d'être dans le besoin, ce qui n'empêchait pas les villageois d'insister pour nous aider et de nous offrir de petites quantités de farine ou de couscous quand ils le pouvaient. Un jour, quand j'étais toute petite, ma mère rentrait du moulin avec juste un peu de farine dans son sac et elle a croisé son oncle Sulaiman. «Je sais que tu as besoin d'aide. Pourquoi ne viens-tu jamais chez moi?» lui a-t-il demandé.

Elle a commencé par secouer la tête. «Tout va bien, oncle. Nous avons tout ce qu'il nous faut.» Mais Sulaiman a insisté. «J'ai beaucoup de blé en trop, il faut que tu en prennes.» Quatre gros barils de pétrole remplis de blé ont été déposés devant chez nous, ce qui nous a permis de faire du pain pendant deux mois. Ma mère avait tellement honte d'avoir besoin d'aide que, quand elle nous a raconté ce qui s'était passé, elle avait les larmes aux yeux et a juré de rendre notre vie plus facile. C'est ce qu'elle a fait, jour après jour. Sa présence était un réconfort malgré la proximité des terroristes. «Dieu protégera les Yézidis», nous disait-elle quotidiennement.

Il y a tant de choses qui me rappellent ma mère. Le blanc. Les plaisanteries, pas forcément du meilleur goût. Le paon, symbole religieux pour les Yézidis, et les petites prières que je dis dans ma tête quand je vois une image de cet oiseau. Pendant vingt et un ans, ma mère a été au centre de chacun de mes jours. Tous les matins, elle se levait très tôt pour faire le pain, assise sur un tabouret bas devant le tandoor de la cour, aplatissant des boules de pâte et les frappant contre les parois du four jusqu'à ce qu'elles soient gonflées et boursouflées, prêtes à être plongées dans des bols de beurre de brebis fondu et doré.

Tous les matins pendant vingt et un ans, je me suis réveillée au son de ce *slap, slap, slap* régulier contre les murs du four et dans l'odeur herbeuse du beurre, sachant que ma mère était tout près de moi. Encore ensommeillée, je la rejoignais devant le tandoor, réchauffant mes mains près du feu en hiver, et je lui parlais de tout – de l'école, des mariages, de mes disputes avec mes frères et sœurs. Pendant des années, j'ai été convaincue que des serpents couvaient leurs œufs sur le toit de tôle de notre douche extérieure. «Je les ai entendus!» m'obstinais-je, imitant leurs bruits de reptation. Mais ma mère se contentait de me sourire, à moi, sa benjamine. «Nadia a trop peur pour prendre sa douche toute seule!» se moquaient mes frères et sœurs, et même quand un bébé serpent m'est tombé sur la tête, nous obligeant finalement à reconstruire la douche, je n'ai pu que leur donner raison : je ne supportais pas d'être seule.

J'arrachais les bords brûlés du pain frais et confiais à ma mère mes toutes dernières ambitions. Je ne me contenterais pas d'être coiffeuse dans le salon que je comptais ouvrir chez nous. Comme nous avions désormais suffisamment d'argent pour acheter du khôl et des ombres à paupières si populaires dans les villes voisines de Kocho, j'avais décidé d'être aussi esthéticienne quand j'aurais fini de donner des cours d'histoire à l'école secondaire où je serais professeur. Ma mère m'approuvait d'un hochement de tête. « Pourvu que tu ne me quittes jamais, Nadia », disait-elle en enveloppant le pain chaud dans une étoffe. « Ne t'en fais pas, répondais-je invariablement. Je ne te quitterai jamais. »

3

Les Yézidis croient que, avant d'avoir créé l'homme, Dieu avait créé sept êtres divins, des anges comme on les appelle, qui étaient des émanations de lui-même. Après avoir façonné l'univers à partir des fragments d'une sphère brisée ressemblant à une perle, Dieu a envoyé son premier ange, Tawusi Melek, sur la terre, où il a pris la forme d'un paon et a peint le monde des couleurs vives de ses plumes. L'histoire dit que, sur terre, Tawusi Melek voit Adam, le premier homme, que Dieu a rendu immortel et parfait. L'ange conteste alors la décision de Dieu. Si Adam doit se reproduire, explique Tawusi Melek, il ne peut être ni immortel ni parfait. Il doit manger du blé, ce que Dieu lui a interdit de faire. Dieu dit alors à son ange que c'est à lui de décider, plaçant ainsi la destinée du monde entre les mains de Tawusi Melek. Adam mange du blé, il est chassé du paradis, et la deuxième génération de Yézidis naît dans le monde.

Prouvant sa valeur à Dieu, l'ange Paon devient le lien entre Dieu et la terre, et entre l'homme et les cieux. Quand nous prions, nous prions souvent Tawusi Melek, et notre Nouvel An célèbre le jour où il est descendu sur terre. Des images multicolores de paon décorent de nombreuses demeures yézidies, pour nous rappeler que c'est à sa sagesse divine que nous devons l'existence. Les Yézidis aiment Tawusi Melek pour sa dévotion infinie et parce qu'il nous relie à notre Dieu unique. En revanche, les Irakiens musulmans, pour des raisons qui n'ont pas de racines concrètes dans nos histoires, détestent l'ange Paon et nous calomnient parce que nous le prions.

Il m'en coûte de le dire, et les Yézidis ne sont même pas censés prononcer ces mots, mais quand ils entendent l'histoire de l'ange Paon, bien des gens en Irak nous traitent d'adorateurs du démon. Tawusi Melek, prétendent-ils, est le premier ange de Dieu, à l'image d'Iblis, la figure démoniaque du Coran. Ils prétendent que notre ange a défié Adam, et donc Dieu. Certains citent des textes – généralement écrits par des érudits étrangers du début du xxᵉ siècle qui ne connaissaient pas bien la tradition orale yézidie – affirmant que Tawusi Melek a été envoyé en enfer pour avoir refusé de s'incliner devant Adam, ce qui n'est pas exact. Cette interprétation erronée a eu de terribles conséquences. L'histoire par laquelle nous expliquons ce qui est au cœur de notre foi et tout ce que nous tenons pour bon dans la religion yézidie est exploitée par d'autres pour justifier le génocide dont nous sommes victimes.

C'est le pire des mensonges qu'on raconte sur les Yézidis, mais ce n'est pas le seul. Certains soutiennent que le yézidisme n'est pas une « vraie » religion, parce qu'il ne repose pas sur des écritures officielles comme la Bible ou le Coran. Parce que certains d'entre nous ne prennent pas de douche le mercredi – jour où Tawusi Melek est descendu sur terre pour la première fois, et notre jour de repos et de prière –, ils nous accusent d'être sales. Parce que nous prions tournés vers le soleil, ils nous traitent de païens. Notre foi dans la réincarnation, qui nous aide à affronter la mort et à préserver la cohésion de notre communauté, est rejetée par les musulmans parce qu'aucune des religions abrahamiques n'y croit. Certains Yézidis s'abstiennent de consommer plusieurs aliments, comme la laitue et les citrouilles, et ces étranges habitudes sont tournées en dérision. D'autres ne portent pas de bleu parce que c'est la couleur de Tawusi Melek et qu'elle est trop sacrée pour des humains, et l'on se moque de ce choix.

Quand j'étais enfant à Kocho, je ne savais pas grand-chose de ma propre religion. Une petite partie seulement de la population yézidie appartient aux castes religieuses, les cheikhs et les aînés qui dispensent l'enseignement du divin à tous les autres Yézidis. J'étais adolescente au moment où ma famille a eu suffisamment d'argent pour me faire baptiser à Lalish, et je n'ai pas pu faire ce voyage assez régulièrement pour suivre l'enseignement des cheikhs qui y vivaient. Les attaques et les persécutions nous ont dispersés et ont réduit nos effectifs, entravant la transmission orale de nos histoires. Nous n'en étions pas moins heureux que nos chefs religieux assurent la préservation du yézidisme – nous n'ignorions pas que, entre de mauvaises mains, notre religion pouvait aisément être exploitée contre nous.

Il y a certains savoirs qu'on enseigne à tous les Yézidis à un âge précoce. Je connaissais les jours saints, mais j'en savais plus long sur leur célébration que sur la doctrine théologique qui les sous-tend. Je savais que, à l'occasion du Nouvel An yézidi, nous peignons des œufs, nous nous recueillons sur les tombes de nos défunts et nous allumons des bougies dans nos temples. Je savais que le mois d'octobre était le plus propice pour se rendre à Lalish, la vallée sacrée du district de Sheikhan où le Baba Cheikh, notre plus grand chef spirituel, et le Baba Chawish, le gardien des sanctuaires locaux, accueillent les pèlerins. En décembre, nous observons trois jours de jeûne pour expier nos péchés. Le mariage en dehors de notre religion n'est pas autorisé, la conversion non plus. On nous parlait des soixante-treize firmans prononcés contre les Yézidis, et ces récits de persécutions étaient si étroitement imbriqués dans

49

notre identité qu'il aurait pu s'agir d'histoires saintes. Je savais que la religion vivait dans les hommes et dans les femmes nés pour la préserver, et que j'en faisais partie.

Ma mère nous a appris à prier – en direction du soleil le matin, de Lalish dans la journée, de la lune le soir. Ce sont des règles, mais la plupart sont souples. La prière est censée être une expression personnelle, et certainement pas une corvée ni un rituel creux. On peut prier en silence, pour soi, et on peut prier seul ou collectivement, pourvu que tous les membres du groupe soient yézidis. Les prières s'accompagnent de quelques gestes : embrasser le bracelet rouge et blanc que beaucoup de femmes et d'hommes portent au poignet ou, pour un homme, embrasser l'encolure de son maillot de corps blanc traditionnel.

La plupart des Yézidis avec lesquels j'ai grandi prient trois fois par jour, où qu'ils soient. Plus souvent que dans les temples, j'ai prié dans les champs, sur le toit de notre maison, ou même à la cuisine, en aidant ma mère à préparer le repas. Après avoir récité quelques phrases conventionnelles à la louange de Dieu et de Tawusi Melek, vous pouvez dire ce que vous voulez. « Confiez vos soucis à Tawusi Melek », nous recommandait notre mère en nous indiquant les gestes à faire. « Si vous vous inquiétez pour une personne que vous aimez, ou si vous avez peur de quelque chose, dites-le-lui. Tawusi Melek peut vous aider. » Je priais souvent pour mon avenir – finir le lycée et ouvrir mon salon de coiffure – et pour celui de mes frères et sœurs, et de ma mère. Aujourd'hui, je prie pour la survie de ma religion et de mon peuple.

Les Yézidis ont longtemps vécu ainsi, fiers de leurs croyances et satisfaits de se tenir à l'écart des autres communautés. Nous n'ambitionnions pas d'avoir plus de terres ni de pouvoir, et rien dans notre religion ne nous commande de conquérir les populations non yézidies et de répandre notre foi. De toute façon, personne ne peut se convertir au yézidisme. Cependant, au cours de mon enfance, notre communauté a évolué. Les villageois ont acheté des téléviseurs et ont regardé les chaînes gouvernementales avant que les paraboles ne nous permettent de voir les séries turques et les informations kurdes. Nous avons acheté nos premiers lave-linge électriques, une innovation presque magique à nos yeux, bien que ma mère ait continué à laver à la main ses robes et ses voiles blancs traditionnels. Un certain nombre de Yézidis ont émigré aux États-Unis, en Allemagne et au Canada, nouant ainsi des liens avec l'Occident. Et, bien sûr, ma génération a pu faire quelque chose dont nos parents n'auraient même pas rêvé : aller à l'école.

La première école de Kocho a été construite dans les années 1970, sous Saddam Hussein. Elle n'assurait l'enseignement que jusqu'à la fin du CM2 et les cours, donnés en arabe et non en kurde, étaient franchement nationalistes. Le programme scolaire défini par l'État ne laissait planer aucun doute sur l'identité des personnalités importantes d'Irak et sur leur religion. Les Yézidis n'avaient aucune place dans les manuels d'histoire irakiens que je lisais à l'école, et les Kurdes y apparaissaient comme une menace contre l'État. L'histoire de l'Irak s'y déroulait sous forme d'une succession de batailles, dressant des soldats irakiens arabes contre des peuples déterminés à leur prendre leur pays. C'était une histoire sanglante, destinée à nous inspirer de la fierté à l'égard de notre pays et des puissants dirigeants qui avaient chassé les colons britanniques et renversé le roi ; et, pourtant, elle a exercé sur moi l'effet inverse. J'ai pensé plus tard que ces livres avaient certainement été l'une des raisons qui ont poussé nos voisins à rejoindre l'EIIL ou à ne pas intervenir quand les terroristes ont attaqué les Yézidis. Aucun de ceux qui avaient fréquenté une école irakienne ne pouvait estimer que notre religion méritait d'être protégée ni qu'une guerre interminable était répréhensible,

voire simplement anormale. On nous avait enseigné la violence depuis notre tout premier jour de classe.

Quand j'étais petite, mon pays me déroutait. On aurait
dit une planète à part, composée de différentes terres où des
décennies de sanctions, de guerre, de politiques malencon-
treuses et d'occupation éloignaient les voisins les uns des
autres. Tout au nord de l'Irak se trouvaient les Kurdes, qui
aspiraient à l'indépendance. Le Sud hébergeait principalement
des musulmans chiites, la majorité religieuse, et désormais
politique, du pays. Et, enclavés au milieu, les Arabes sunnites
qui, sous la présidence de Saddam Hussein, dominaient l'État
contre lequel ils se battent aujourd'hui.

Cette carte très simple comprend trois bandes continues
de couleurs différentes, traversant le pays plus ou moins hori-
zontalement. Elle exclut les Yézidis ou les désigne comme
«autres». La réalité de l'Irak est plus difficile à représenter et
peut dépasser l'entendement même de ceux qui y sont nés.
Dans mon enfance, les villageois de Kocho ne parlaient pas
beaucoup de politique. Nous nous souciions du cycle des
cultures, des mariages, de la production de lait de nos moutons – le genre de préoccupations familières à tous ceux qui
ont vécu dans une petite bourgade. Le gouvernement central
paraissait complètement indifférent à notre égard, sauf quand
il cherchait à recruter des Yézidis pour ses guerres ou à les faire
adhérer au parti Baas. Mais nous réfléchissions beaucoup à la
place de notre minorité en Irak, au milieu de tous les groupes
catégorisés comme «autres» et qui, s'ils avaient figuré sur la
carte, auraient transformé ces bandes horizontales en mar-
brures multicolores.

Au nord-est de Kocho, une ligne de points proche des
confins méridionaux du Kurdistan irakien indique les endroits
où vivent des Turkmènes, des musulmans aussi bien chiites
que sunnites. Les chrétiens – parmi lesquels des Assyriens,

des Chaldéens et des Arméniens – constituent de nombreuses communautés dispersées dans le pays, mais elles sont particulièrement présentes dans la plaine de Ninive. Ailleurs, des taches représentent les foyers de petits groupes comme les Kakaïs, les Shabaks, les Roms et les Mandéens, sans parler d'Africains et d'Arabes des Marais. J'ai entendu dire qu'on trouve encore près de Bagdad une petite communauté de Juifs irakiens. Appartenances religieuse et ethnique se fondent. La majorité des Kurdes, par exemple, sont des musulmans sunnites, mais pour eux l'identité kurde passe avant tout le reste. Beaucoup de Yézidis considèrent le yézidisme comme une identité tout à la fois ethnique et religieuse. La plupart des Arabes d'Irak sont musulmans chiites ou sunnites – une division qui a été à l'origine de nombreux conflits au fil des ans. Mais peu de ces détails figuraient dans nos manuels d'histoire irakiens.

Pour aller à l'école depuis chez moi, je devais emprunter la rue poussiéreuse qui faisait le tour de la localité et passer devant la maison de Bashar, dont le père avait été tué par al-Qaida, devant la maison où j'étais née et où mon père et Sara vivaient toujours, et devant la maison de mon amie Walaa. Walaa était jolie, avec un visage rond et pâle, et son attitude paisible contrebalançait mon tempérament chahuteur. Tous les matins, elle courait me rejoindre sur le chemin de l'école. C'était plus agréable que de faire le trajet toute seule. De nombreuses familles avaient des chiens de berger dans leurs cours et ces énormes bêtes aboyaient et grognaient après tous les passants. Pour peu que la grille soit restée ouverte, les chiens se précipitaient sur nous, claquant des mâchoires. Ce n'étaient pas des animaux de compagnie ; ils étaient gros et dangereux, et Walaa et moi prenions nos jambes à notre cou pour leur échapper, arrivant à l'école haletantes, en nage. Seul le chien de mon père, qui me connaissait, nous laissait tranquilles.

Notre école était un bâtiment terne, en béton couleur sable, décoré d'affiches fanées et entouré d'un muret et d'une petite cour aride. Malgré sa triste apparence, pouvoir y étudier et y retrouver des amis tenait du miracle. Dans la cour, Walaa, Kathrine et moi jouions avec quelques autres filles à un jeu qui s'appelait *bin akhy*, ce qui veut dire en kurde « dans la terre ». Toutes en même temps, nous cachions un objet – une bille, une pièce de monnaie ou même simplement une capsule de boisson gazeuse – dans le sol, puis nous courions en rond comme des folles, creusant des trous dans le jardin jusqu'à ce que l'instituteur nous gronde et que nos ongles soient recouverts d'une croûte de poussière qui faisait le malheur de nos mères. Celle qui trouvait un objet pouvait le garder, ce qui se terminait presque toujours par des larmes. C'était un jeu très ancien ; ma mère elle-même se rappelait y avoir joué.

L'histoire, malgré les lacunes et la partialité des cours, était ma matière préférée, celle aussi où j'étais la meilleure. J'étais en revanche très mauvaise en anglais. Je faisais de gros efforts pour être bonne élève, sachant que, pendant que j'étais en classe, mes frères et sœurs travaillaient à la ferme. Ma mère était trop pauvre pour m'acheter un sac à dos comme celui de la plupart des autres élèves, mais je ne me plaignais pas. Je n'aimais pas lui réclamer des choses. Quand elle a été incapable de payer le taxi pour me conduire au collège dans un autre village pendant que le nôtre était encore en construction, j'ai recommencé à travailler à la ferme, tout en priant pour que le chantier soit bientôt terminé. Il ne servait à rien de se plaindre : l'argent ne tomberait pas du ciel et j'étais loin d'être la seule enfant de Kocho dont les parents n'étaient pas assez riches pour les envoyer étudier ailleurs.

Après l'invasion du Koweït par Saddam Hussein en 1991, les Nations Unies ont imposé des sanctions à l'Irak, espérant limiter ainsi le pouvoir de notre président. Quand j'étais petite, je ne comprenais pas le sens de ces sanctions. Les seuls à parler de Saddam chez nous étaient mes frères Massoud et Hezni, et c'était uniquement pour faire taire ceux d'entre nous qui protestaient pendant les discours télévisés ou qui levaient les yeux au ciel en entendant la propagande que diffusait la chaîne gouvernementale. Saddam avait cherché à attirer les Yézidis dans son camp parce qu'il voulait qu'ils fassent cause commune avec lui contre les Kurdes et se battent dans ses guerres, mais il avait exigé qu'en contrepartie nous entrions dans son parti, le parti Baas, et que nous nous disions arabes et non yézidis.

Parfois, tout ce qu'on pouvait voir à la télévision, c'était Saddam en personne, assis à un bureau en train de fumer et de raconter des histoires sur l'Iran, un garde moustachu à son côté, se gargarisant de récits de batailles et de sa propre gloire. « De quoi parle-t-il ? » nous demandions-nous mutuellement avant de hausser les épaules. Les Yézidis n'étaient pas mentionnés dans la Constitution, et le moindre signe de rébellion était promptement réprimé. Ce que je voyais à la télé me donnait parfois envie de rire – le dictateur avec son drôle de chapeau –, mais mes frères me mettaient en garde. « Ils nous surveillent, me grondait Massoud. Fais attention à ce que tu dis. » Le tentaculaire ministère du Renseignement de Saddam avait des yeux et des oreilles partout.

Tout ce que j'ai su pendant cette période, c'est que ceux qui souffraient le plus des sanctions n'étaient pas l'élite politique, et moins encore Saddam lui-même, mais les Irakiens ordinaires. Nos hôpitaux en ont pâti et nos marchés se sont effondrés. Se faire soigner est devenu plus cher et la farine était désormais coupée avec du gypse, plus fréquemment utilisé pour fabriquer du ciment. Personnellement, j'ai surtout perçu cette détérioration dans le système scolaire. Autrefois, l'enseignement irakien attirait des étudiants de tout le Proche et le

Moyen-Orient, mais le poids des sanctions a été flagrant. Les salaires des enseignants ont été réduits à trois fois rien, de sorte qu'on s'est mis à manquer de professeurs, tandis que cinquante pour cent des Irakiens de sexe masculin étaient au chômage. Les quelques enseignants venus à Kocho quand j'ai commencé à aller en classe – des musulmans arabes qui vivaient au sein de l'établissement, rejoignant ainsi les quelques instituteurs yézidis – étaient des héros à mes yeux, et je faisais de gros efforts pour les impressionner.

Quand Saddam Hussein était au pouvoir, l'école répondait à un objectif évident : il espérait, grâce à l'éducation, effacer notre identité de Yézidis. Cette volonté était manifeste dans toutes les leçons et dans tous les manuels, où l'on aurait vainement cherché un seul mot à notre sujet, au sujet de nos familles, de notre religion ou des firmans prononcés contre nous. Alors que la plupart des enfants yézidis parlaient kurde, nos cours avaient lieu en arabe. Le kurde était la langue de la rébellion et, dans la bouche des Yézidis, il pouvait paraître encore plus menaçant aux yeux de l'État. Cela ne m'empêchait pas d'aller à l'école avec joie tous les jours où c'était possible, et j'ai appris l'arabe rapidement. Je n'avais pas l'impression de me soumettre à Saddam ni de trahir les Yézidis en apprenant l'arabe ou en étudiant l'histoire incomplète de l'Irak ; je me sentais plus forte et plus intelligente. Je continuais à parler et à prier en kurde à la maison. Quand j'écrivais de petits billets à Walaa ou à Kathrine, mes deux meilleures amies, c'était en kurde et je n'aurais jamais eu l'idée de ne pas me dire yézidie. Je savais que, quoi que nous apprenions, il était important d'aller en classe. Grâce à la scolarisation de tous les enfants de Kocho, nos liens avec notre pays et l'extérieur évoluaient déjà, et notre société s'ouvrait. Les jeunes Yézidis aimaient notre religion, mais ils voulaient aussi s'intégrer dans le monde, et j'étais sûre que, une fois adultes, nous deviendrions nous-mêmes enseignants et que nous rendrions aux Yézidis la place qui leur revenait dans les cours d'histoire. Peut-être même irions-nous jusqu'à nous présenter aux élections législatives pour aller défendre les droits des Yézidis à Bagdad. En ce temps-là, j'étais convaincue que les plans de Saddam Hussein pour nous faire disparaître se retourneraient contre lui.

4

En 2003, quelques mois après la mort de mon père, les Américains ont envahi Bagdad. Nous n'avions ni télévision par satellite pour suivre le déroulement des combats, ni téléphones portables pour rester connectés au reste du pays ; aussi est-ce lentement, progressivement, que nous avons appris la rapidité de la chute de Saddam. Les forces de la coalition survolaient bruyamment Kocho en se dirigeant vers la capitale, nous réveillant brusquement de notre sommeil. À l'époque, nous étions loin d'imaginer à quel point cette guerre serait longue et quelles immenses conséquences elle aurait pour l'Irak ; nous espérions tout simplement que, après Saddam, il serait plus facile d'acheter du gaz pour faire la cuisine.

Mon souvenir le plus vivace des premiers mois qui ont suivi l'invasion a été la disparition de mon père. Dans la culture yézidie, quand quelqu'un meurt – surtout si le décès est brutal et prématuré –, le deuil dure longtemps et touche tout le village. Les voisins renoncent à leur vie habituelle au même titre que la famille et les amis du mort. Le deuil affecte toutes les maisons, toutes les boutiques, et se répand dans les rues, comme si chacun était tombé malade après avoir bu le même lait suri. On annule tous les mariages, la célébration des fêtes religieuses se fait exclusivement à l'intérieur des maisons et les femmes retirent leurs vêtements blancs pour s'habiller de noir.

Nous considérons le bonheur comme un voleur contre lequel il faut se prémunir, sachant avec quelle facilité il peut effacer le souvenir de nos proches ou nous inciter à céder à un instant de joie, alors que nous devrions être tristes. Voilà pourquoi nous limitons les sources de distraction. Les téléviseurs et les radios restent éteints, quoi qu'il puisse advenir à Bagdad.

Quelques années avant sa mort, mon père nous avait emmenées au mont Sinjar, Kathrine et moi, pour célébrer le Nouvel An yézidi. C'était la dernière fois que j'allais à la montagne avec lui. Notre Nouvel An a lieu en avril, au moment précis où les montagnes du nord de l'Irak se couvrent d'un léger duvet d'un vert étincelant et où le froid mordant cède la place à une agréable fraîcheur, et avant que la chaleur de l'été ne se précipite sur vous comme une locomotive emballée. Le mois d'avril recèle la promesse d'une moisson abondante et lucrative, et nous conduit vers les mois que nous passons dehors, où nous dormons sur les toits, sortant enfin de nos maisons froides et surpeuplées. Les Yézidis entretiennent un lien intime avec la nature. Elle nous prodigue nourriture et abri, et, quand nous mourons, nos corps se transforment en terre. C'est tout cela que notre Nouvel An nous rappelle.

Ce jour-là, nous allions rendre visite aux membres de la famille qui avaient travaillé comme bergers durant l'année, conduisant nos moutons plus près des montagnes et les menant paître de prairie en prairie. Ce travail présentait des aspects agréables. Les bergers dormaient dehors sous des couvertures tissées à la main et vivaient simplement, avec beaucoup de temps pour réfléchir et peu de motifs d'inquiétude. Mais c'était également un travail éreintant, loin de leur maison et de leur famille, et s'il leur arrivait de souffrir du mal du pays, nous regrettions pour notre part leur absence de Kocho. L'année où ma mère est partie s'occuper des moutons, j'étais au collège et j'ai été tellement désemparée que j'ai obtenu de très mauvais résultats dans toutes les matières. « Je suis aveugle sans toi », lui ai-je dit à son retour.

Pour ce dernier Nouvel An avec mon père, Kathrine et moi avons voyagé à l'arrière du camion ; à l'avant, mon père et Elias vérifiaient dans le rétroviseur que nous ne faisions pas de bêtises. Le paysage défilait en un brouillard d'herbe printanière humide et de blé jaune. Nous nous tenions par la main et bavardions, nous racontant à l'avance les événements de la journée en imaginant tout ce que nous pourrions inventer pour faire enrager les enfants qui avaient dû rester à la maison. Nous leur dirions que nous nous étions amusées comme des folles, loin des champs, de l'école et du travail. C'était tout juste si les cahots ne nous projetaient pas, Kathrine et moi, par-dessus bord tandis que le camion dévalait la route, et l'agneau attaché à l'arrière près de nous était le plus gros que nous ayons jamais vu. « Nous avons mangé tout un tas de bonbons », leur raconterions-nous à notre retour, ravies de voir leurs grimaces d'envie. « On a dansé toute la nuit, il faisait déjà jour quand on est allées se coucher. Vous avez vraiment raté quelque chose. »

La réalité n'était qu'à peine moins grisante. Mon père avait beaucoup de mal à nous refuser les bonbons que nous réclamions et, au pied des montagnes, les retrouvailles avec les bergers étaient toujours joyeuses. L'agneau qui avait effectivement voyagé avec nous à l'arrière du camion, et qui avait été égorgé par mon père et cuisiné par les femmes, était tendre et délicieux, et nous avons tous exécuté des danses yézidies, nous tenant par la main et tournant en formant un grand cercle. Une fois les meilleurs morceaux de l'agneau mangés et le silence revenu, nous avons dormi dans des tentes protégées du vent par de petites palissades de roseaux. Quand le temps était doux, nous retirions ces palissades et dormions à l'air libre. C'était une vie simple, discrète. Nos seuls sujets de préoccupation étaient les objets et les gens qui nous entouraient, et ils étaient proches au point que nous pouvions les toucher.

Je ne sais pas ce que mon père aurait pensé s'il avait su que les Américains avaient envahi l'Irak et chassé Saddam Hussein du pouvoir, mais j'ai regretté qu'il n'ait pas vécu assez longtemps pour voir le pays changer. Les Kurdes ont accueilli les soldats américains à bras ouverts, ils les ont aidés à entrer en Irak et se sont réjouis de la déposition de Saddam. Le dictateur s'en était pris aux Kurdes pendant des dizaines d'années et, à la fin des années 1980, son aviation avait cherché à les exterminer à l'aide d'armes chimiques au cours de ce qu'il avait appelé la campagne d'Anfal. Ce génocide avait profondément marqué les Kurdes, bien décidés à se protéger du gouvernement de Bagdad par tous les moyens possibles. La campagne d'Anfal avait incité les Américains, les Britanniques et les Français à établir une zone d'exclusion aérienne au-dessus des régions kurdes du Nord, ainsi que des régions chiites du Sud et, depuis ce moment, les Kurdes avaient été leurs alliés indéfectibles. Aujourd'hui encore, les Kurdes parlent de «libération» pour évoquer l'invasion américaine de 2003 et ils y voient le début de la transformation de villages modestes et vulnérables en grandes villes modernes remplies d'hôtels et de sièges de compagnies pétrolières.

De manière générale, les Yézidis ont fait bon accueil aux Américains, mais ils étaient moins optimistes que les Kurdes au sujet de l'après-Saddam. Les sanctions nous avaient rendu la vie difficile, comme aux autres Irakiens, et nous n'ignorions pas que Saddam était un dictateur qui avait gouverné l'Irak par la peur. Nous étions pauvres, coupés du système d'enseignement, obligés de nous contenter des emplois les plus pénibles, les plus dangereux et les moins bien payés d'Irak. Mais en même temps, tant que le parti Baas avait été au pouvoir, nous avions pu pratiquer notre religion à Kocho, cultiver nos terres et fonder des familles. Nous entretenions des liens étroits avec les Arabes sunnites, et plus particulièrement avec les kiriv, que nous considérions comme liés à nos familles ; notre isolement nous avait appris à chérir ces relations, alors que notre pauvreté nous apprenait les vertus du pragmatisme. À nos yeux, Bagdad et Erbil, la capitale kurde, étaient à des mondes de distance de Kocho. La seule décision importante que pouvaient prendre à notre égard les Kurdes et les Arabes riches, dotés de bonnes relations, était de nous laisser tranquilles.

Il n'empêche que les promesses des Américains – du travail, la liberté et la sécurité – n'ont pas tardé à attirer les Yézidis entièrement dans leur camp. Les Américains nous faisaient confiance parce que nous n'avions aucune raison de faire preuve de loyauté à l'égard de tous ceux qu'ils considéraient comme leurs ennemis. Ainsi, un certain nombre de nos hommes sont devenus interprètes ou ont pris des emplois dans les armées irakienne ou américaine. Saddam a été obligé de se cacher, il a été finalement découvert et pendu, et ses institutions baasistes ont été démantelées. Les Arabes sunnites, parmi lesquels ceux qui vivaient près de Kocho, ont perdu leur autorité dans le pays et, dans les régions yézidies du Sinjar, les policiers et les responsables politiques arabes sunnites ont été remplacés par des Kurdes.

Le Sinjar est un territoire disputé – revendiqué aussi bien par Bagdad que par le Kurdistan –, stratégiquement proche de Mossoul et de la Syrie, et potentiellement riche en gaz naturel. À l'image de la province de Kirkouk, un autre territoire convoité de l'est de l'Irak, les partis politiques kurdes considèrent le Sinjar comme une partie intégrante de la grande patrie kurde. Selon eux, sans le Sinjar, la nation kurde, si celle-ci devait exister un jour, serait incomplète. Après 2003, avec le soutien américain et tandis que les Arabes sunnites ne cessaient de perdre richesse et pouvoir, les Kurdes alignés sur le PDK se sont empressés de remplir le vide laissé au Sinjar. Ils ont créé des bureaux politiques et y ont placé des membres de leur parti. Alors que l'insurrection sunnite gagnait du terrain, ils ont établi des checkpoints le long de nos routes. Ils nous ont dit que Saddam avait eu tort de prétendre que nous étions arabes ; nous avions toujours été kurdes.

À Kocho, les changements ont été considérables après 2003. En l'espace de deux ou trois ans, les Kurdes ont entrepris de construire une antenne relais de téléphonie mobile et, après l'école, je sortais du village avec mes camarades pour regarder cette structure métallique géante pousser comme un gratte-ciel depuis nos terres cultivées. « Kocho sera enfin relié au reste du monde », disaient mes frères, ravis, et, bientôt, presque tous les hommes et quelques femmes se sont équipés de téléphones portables. Grâce aux paraboles installées sur les toits des maisons, nous pouvions voir autre chose que des films syriens et la télévision nationale irakienne ; les défilés et les discours de Saddam ont disparu de nos écrans. Mon oncle a été l'un des tout premiers à avoir une parabole, et nous nous sommes immédiatement bousculés dans son salon pour regarder la télé. Mes frères voulaient voir les informations, surtout sur les chaînes kurdes ; quant à moi, je n'aurais manqué pour rien au monde une série turque où les personnages passaient leur temps à tomber amoureux et à rompre.

Alors que nous avions toujours refusé de nous dire arabes, certains ont eu moins de mal à accepter qu'on nous dise que nous étions kurdes. De nombreux Yézidis se sentaient proches de l'identité kurde – nous partageons un même patrimoine linguistique et ethnique – et il était impossible de fermer les yeux sur les améliorations survenues au Sinjar depuis l'arrivée des Kurdes, même si nous les devions davantage aux États-Unis qu'à Barzani. Les Yézidis ont soudain pu accéder à des emplois dans l'armée ainsi que dans les forces de sécurité, et plusieurs de mes frères et cousins sont partis travailler dans les hôtels et les restaurants d'Erbil ; on avait l'impression qu'on en construisait un nouveau chaque jour. Ces hôtels se sont rapidement remplis d'ouvriers des compagnies pétrolières ou de touristes venus d'autres régions d'Irak à la recherche d'un climat plus frais, d'un réseau électrique fiable ou d'un répit dans les violences qui ravageaient le reste du pays. Mon frère Saoud a trouvé du travail dans le bâtiment près de Dahouk, à l'ouest du Kurdistan, où il faisait fonctionner une bétonnière. Quand il rentrait à la maison, il disait que les Kurdes, comme les Arabes sunnites, regardaient les Yézidis de haut. Mais nous avions besoin de cet argent.

Khairy a trouvé un emploi de garde-frontière et, peu après, Hezni est devenu policier dans la ville de Sinjar. Leurs salaires ont apporté à notre famille ses premiers revenus réguliers, nous permettant de mener ce qui était à nos yeux une vraie vie, c'est-à-dire de faire des projets d'avenir au lieu de vivre au jour le jour. Nous avons pu acheter une terre à cultiver, garder nos propres moutons, au lieu d'être obligés de travailler pour des propriétaires fonciers. Les routes asphaltées à l'extérieur de Kocho nous permettaient de rejoindre les montagnes bien plus rapidement. Nous pique-niquions dans les champs près du village, dévorant de pleines assiettes de viande et de légumes émincés, les hommes buvant de la bière turque, puis du thé si sucré qu'il poissait les lèvres. Nos mariages sont devenus de plus en plus raffinés ; les femmes se rendaient parfois à Sinjar pour acheter des vêtements et les hommes égorgeaient davantage d'agneaux – voire, s'ils étaient vraiment aisés, une vache – pour régaler leurs invités.

Certains Yézidis envisageaient pour l'avenir un Sinjar doté d'un gouvernement local fort qui ferait toujours partie de l'Irak ; d'autres pensaient que nous finirions par être rattachés à un Kurdistan indépendant. Le PDK ayant un bureau à Kocho et les peshmergas se trouvant au Sinjar, j'ai grandi convaincue que telle était notre destinée. Nous nous sommes éloignés de nos voisins arabes sunnites. S'il est devenu plus commode de se rendre au Kurdistan, aller dans les villages sunnites – où les insurgés, et leur théologie extrémiste, gagnaient du terrain – est devenu plus compliqué. Les Arabes sunnites, quant à eux, n'appréciaient pas la présence kurde au Sinjar. Elle leur rappelait le pouvoir qu'ils avaient perdu ; ils affirmaient en outre que, sous l'autorité des Kurdes, ils ne se sentaient plus les bienvenus au Sinjar et ne pouvaient plus se rendre dans les villages yézidis, même ceux où vivaient leurs kiriv. Des peshmergas kurdes les retenaient pour les interroger à des checkpoints autrefois tenus par les baasistes, et un grand nombre d'entre eux avaient perdu leurs salaires et leurs emplois quand les Américains étaient arrivés et avaient démantelé les institutions de Saddam. Récemment encore, ils avaient été les personnages les plus riches et les mieux introduits du pays ; mais, depuis que le pouvoir était aux mains d'un gouvernement chiite soutenu par la force d'occupation américaine, les Arabes sunnites ont été soudain mis à l'écart. Isolés dans leurs villages, ils n'ont pas tardé à décider de riposter. En l'espace de quelques années, cette lutte a été alimentée par une intolérance religieuse qui a pris les Yézidis pour cible, alors même que nous n'avions jamais exercé le moindre pouvoir en Irak.

J'ignorais alors que le gouvernement kurde ne demandait qu'à couper les Yézidis de leurs voisins arabes parce que cela les aidait dans leur campagne pour s'emparer du Sinjar. Je n'avais pas non plus pris la mesure des perturbations que l'occupation américaine créait pour le commun des sunnites. Je n'avais pas conscience que, pendant que j'allais à l'école, une insurrection sans nom frayait la voie au développement d'al-Qaida, puis de l'EIIL, dans les villages voisins de Kocho. D'un bout à l'autre de l'Irak, des tribus sunnites ont cherché, sans succès le plus souvent, à se rebeller contre le pouvoir chiite de Bagdad et contre les Américains. Leurs membres se sont ainsi habitués à la violence et à un régime brutal qui se sont prolongés si longtemps que de nombreux sunnites de mon âge ont grandi en ne connaissant que la guerre et l'interprétation intégriste de l'islam qui en était devenue indissociable.

L'EIIL a gagné lentement du terrain dans les villages proches de chez nous – une étincelle que je n'ai pas remarquée avant qu'elle ne se transforme en un immense brasier. Pour une jeune Yézidie, la vie s'était nettement améliorée depuis que les Américains et les Kurdes avaient pris le pouvoir. Kocho se développait, j'allais à l'école, et nous sortions peu à peu de la misère. Une nouvelle constitution a accordé davantage de pouvoir aux Kurdes et exigé que les minorités participent au gouvernement. Je savais que mon pays était en guerre, mais j'avais l'impression que ce conflit ne nous concernait pas.

Au début, des soldats américains passaient à Kocho presque une fois par semaine pour distribuer de la nourriture et du matériel, et discuter avec les responsables du village. Avions-nous besoin d'écoles ? De routes asphaltées ? D'eau courante pour ne plus être obligés d'acheter des bidons aux camions ? La réponse à toutes ces questions était évidemment oui. Ahmed Jasso invitait les soldats à partager de grands repas élaborés, et nos hommes rayonnaient d'orgueil quand les Américains affirmaient se sentir tellement en sécurité à Kocho qu'ils pouvaient laisser leurs armes appuyées contre un mur et se détendre. « Ils savent que les Yézidis les protégeront », disait Ahmed Jasso.

Les enfants se précipitaient vers les soldats américains quand ils arrivaient à Kocho, leurs véhicules blindés soulevant la poussière et noyant tous les bruits du village sous le fracas de leurs moteurs. Ils nous offraient du chewing-gum et des bonbons, et nous prenaient en photo, tout sourire, avec nos cadeaux. Nous admirions leurs uniformes impeccables et appréciions leur attitude amicale, familière à notre égard, si différente de celle des soldats irakiens qui les avaient précédés. Ils ne tarissaient pas d'éloges auprès de nos parents sur l'hospitalité de Kocho, le confort et la propreté de notre village et l'intelligence qui nous permettait de comprendre que l'Amérique nous avait libérés de Saddam Hussein. « Les Américains aiment les Yézidis, nous disaient-ils. Et ils aiment encore plus Kocho. Nous nous sentons ici chez nous. » Même quand leurs visites ont commencé à s'espacer avant de cesser, nous nous accrochions à ces louanges comme à un titre d'honneur.

En 2006, alors que j'avais treize ans, un des soldats américains m'a offert une bague. C'était un simple anneau orné d'une petite pierre rouge, mais c'était le premier bijou que je possédais. Elle est immédiatement devenue ce que j'avais de plus précieux au monde. Je la portais tout le temps – à l'école, pour bêcher à la ferme, à la maison quand je regardais ma mère faire le pain. Je ne la retirais même pas pour dormir. Au bout d'un an, comme elle était devenue trop étroite pour mon annulaire, je l'ai portée au petit doigt plutôt que de devoir la laisser à la maison. Mais elle avait tendance à glisser, car l'articulation l'arrêtait à peine, et j'avais très peur de la perdre. Je vérifiais constamment qu'elle était toujours là, serrant le poing pour la sentir contre mon doigt.

Et puis, un jour, alors que j'étais sortie avec mes frères et sœurs pour repiquer des oignons, j'ai baissé les yeux et constaté que ma bague avait disparu. Je détestais déjà planter des oignons – il fallait les enfoncer soigneusement un par un dans la terre froide, et même les jeunes plants vous laissaient une odeur infecte sur les doigts et les mains. Et, maintenant, j'étais furieuse contre ces petits plants, creusant frénétiquement parmi eux en quête de mon bijou. Remarquant mon affolement, mes frères et sœurs m'ont demandé ce qui m'arrivait. «J'ai perdu ma bague!» leur ai-je expliqué, et ils ont tous interrompu leur travail pour m'aider à la chercher. Ils savaient à quel point j'y tenais.

Nous avons arpenté tout notre champ, espérant apercevoir un petit éclat or et rouge dans la terre noire; mais, malgré tous nos efforts et toutes mes larmes, nous n'avons pas retrouvé la bague. Quand le soleil a commencé à décliner, nous avons dû renoncer et rentrer à la maison pour le dîner. «Nadia, ça ne fait rien, m'a dit Elias sur le chemin. Ce n'est qu'une babiole, tu auras d'autres bijoux dans ta vie.» Cela ne m'a pas empêchée de pleurer pendant plusieurs jours. J'étais certaine que je n'aurais plus jamais rien d'aussi joli et j'avais peur que le soldat américain, s'il revenait un jour, ne soit fâché contre moi parce que j'avais perdu son cadeau.

Un an plus tard, un miracle a eu lieu. En récoltant les oignons nouveaux issus de ces plants, Khairy a aperçu un petit anneau d'or qui surgissait de la terre. «Nadia, ta bague!» Le visage de mon frère rayonnait. Il me l'a montrée et j'ai couru vers lui, l'arrachant de sa main et le serrant dans mes bras. C'était mon héros. Mais, quand j'ai essayé de l'enfiler, j'ai découvert que la bague était désormais trop petite même pour mon auriculaire. Plus tard, ma mère l'a vue posée sur ma coiffeuse et m'a conseillé de la vendre. «Elle ne te va plus, Nadia, a-t-elle remarqué. À quoi bon la garder, si tu ne peux plus la porter?» Pour elle, la misère n'était jamais loin. Et, comme je lui obéissais toujours, je suis allée chez un bijoutier au bazar de la ville de Sinjar et il m'a acheté la bague.

Par la suite, j'ai été rongée de remords. Cette bague était un cadeau et je m'en voulais de l'avoir vendue. Je redoutais ce que dirait le soldat s'il revenait et me demandait ce que j'avais fait de ce bijou. Penserait-il que je l'avais trahi? Que cette bague ne me plaisait pas ? Les véhicules blindés s'arrêtaient déjà bien moins fréquemment à Kocho – les combats s'étaient intensifiés dans le reste du pays et les Américains manquaient de troupes – cela faisait des mois que je n'avais pas vu ce soldat. Certains de mes voisins se plaignaient de l'abandon des Américains, qui laissaient les Yézidis sans protection. Quant à moi, j'étais soulagée de ne pas avoir à expliquer ce qu'était devenue la bague. Peut-être le soldat qui me l'avait donnée, si gentil fût-il, serait-il fâché que j'aie vendu son cadeau au bijoutier de Sinjar. Venant d'Amérique, il ne comprendrait sans doute pas que cette petite somme avait une grande importance pour nous.

5

Quand les choses allaient vraiment mal en Irak, les Yézidis de Kocho ressentaient généralement les effets de ces violences comme les répliques d'un séisme. Nous étions loin de l'épicentre – les batailles entre insurgés et marines américains dans la province d'Anbar, l'essor de l'autoritarisme chiite à Bagdad et le renforcement d'al-Qaida. Nous regardions la télévision et nous nous inquiétions pour les hommes de notre village qui travaillaient dans la police et dans l'armée, mais Kocho a été épargné par les attentats suicides et les engins explosifs improvisés (EEI) placés au bord des routes et qui faisaient, semble-t-il, quotidiennement des victimes dans le reste du pays. L'Irak actuel est si gravement fracturé qu'il est peut-être irréparable : nous l'avons vu se fracasser de loin.

Quand ils rentraient à la maison après de longues périodes de service, Khairy, Hezni et Jalo nous parlaient des batailles qui se déroulaient à l'extérieur. Il leur arrivait d'aller au Kurdistan, où les attentats terroristes étaient rarissimes. Mais ils pouvaient aussi être envoyés hors des zones tenues par les peshmergas, dans les coins inconnus de l'Irak, ce qui nous plongeait dans l'angoisse. Ces missions étaient parfois extrêmement dangereuses. Même ceux qui restaient à l'écart des combats ou des actions terroristes, et travaillaient comme interprètes pour les Américains, devenaient de ce simple fait des cibles désignées. De nombreux Yézidis ont cherché asile aux États-Unis parce que leur vie était menacée, les insurgés ayant découvert qu'ils avaient collaboré avec les Américains.

La guerre s'est prolongée bien plus longtemps qu'on ne l'aurait cru. En 2007, la plupart des gens avaient oublié les premiers mois grisants qui avaient suivi l'éviction de Saddam Hussein, le moment où sa statue avait été déboulonnée sur la place Firdous, à Bagdad, et où les Américains s'étaient déployés à travers tout le pays, serrant la main aux villageois, promettant de construire des écoles, de libérer les prisonniers politiques et de rendre la vie plus facile pour les Irakiens moyens. En 2007, quelques années seulement après la chute de Saddam, l'Irak était ravagé par la violence et les États-Unis y ont envoyé vingt mille soldats supplémentaires dans le cadre du *surge*, la montée en puissance. Leur principale mission était de répondre à l'intensification de la violence dans l'Anbar et à Bagdad. Pendant un moment, l'opération a semblé efficace. Les attentats ont diminué et les marines ont repris les villes, traquant les insurgés de maison en maison. Mais, pour les Yézidis, l'année de la montée en puissance a été celle où la guerre est arrivée à nos portes.

En août 2007, l'attentat terroriste le plus effroyable de toute la guerre d'Irak – et le deuxième le plus meurtrier de l'histoire – a eu lieu à Siba Sheikh Khidir et à Tell Uzair (également connus sous leurs noms baasistes de Qahtanyia et Jazeera), deux villes yézidies situées un peu à l'est de Kocho. Le 14 août, vers l'heure du dîner, un camion-citerne et trois véhicules dont certaines personnes avaient entendu dire qu'ils transportaient du matériel et de la nourriture destinés aux Yézidis locaux se sont garés dans le centre de ces localités et ont explosé. Huit cents personnes sont mortes, déchiquetées par les bombes ou prisonnières des bâtiments effondrés, et l'on a dénombré plus de mille blessés. Les explosions ont été d'une telle puissance que, depuis Kocho, nous avons pu voir les flammes et la fumée. Nous avons commencé à scruter attentivement les routes menant à notre village, alarmés par toutes les voitures que nous ne reconnaissions pas.

Si atroces qu'aient été ces attentats, ils étaient prévisibles. Cela faisait des années que les tensions montaient entre les Yézidis et les Arabes sunnites, et elles s'étaient amplifiées tout récemment en raison de l'influence kurde dans le Sinjar et de la radicalisation en cours dans les régions sunnites. S'y ajoutait le fait qu'un peu plus tôt dans l'année, quelques mois seulement avant le *surge* américain, les sunnites avaient juré de venger la mort d'une jeune Yézidie, Doa Khalil Assouad, cruellement lapidée par des membres de sa famille qui la soupçonnaient de vouloir se convertir à l'islam pour épouser un musulman. Les Yézidis avaient beau être aussi horrifiés que n'importe qui d'autre par la mort de Doa, nous nous sommes fait traiter de sauvages antimusulmans.

Les meurtres d'honneur sont une réalité dans la société yézidie comme dans l'ensemble de l'Irak, et nous considérons la conversion à une autre religion que la nôtre comme une trahison à l'égard de la famille et de la communauté, en partie parce que, au fil des siècles, les Yézidis ont fréquemment été contraints de se convertir pour avoir la vie sauve. Il n'empêche que nous ne tuons pas les femmes et les hommes qui abjurent le yézidisme, et que nous avons tous eu honte de ce que la famille de Doa lui avait fait. Non seulement elle avait été lapidée à mort sous les yeux de spectateurs horrifiés mais incapables d'intervenir, ou réticents à le faire, mais une vidéo de son exécution avait été diffusée en ligne, reprise par les chaînes d'information et utilisée comme prétexte pour nous attaquer, malgré l'énergie que nous avons déployée pour condamner ce drame.

Dès que l'histoire de Doa a commencé à se répandre, des messages de propagande nous présentant comme des infidèles méritant la mort – un langage identique à celui que l'EIIL utilise aujourd'hui – se sont mis à circuler aux environs de Mossoul. Les Kurdes, majoritairement sunnites, s'en sont également pris à nous. Nous vivions dans la honte et dans la peur. Les étudiants yézidis ont quitté les universités du Kurdistan et de Mossoul, et les Yézidis établis à l'étranger ont dû faire face aux critiques de gens dont certains n'avaient encore jamais entendu parler du yézidisme et qui le considéraient désormais comme une religion d'assassins.

Comme nous n'avions pas de vrais représentants dans les médias et qu'aucune voix yézidie ne pouvait se faire entendre dans le monde politique pour nuancer les faits, la haine contre nous s'est accrue dans les communautés sunnites. Peut-être avait-elle toujours couvé, tout près de la surface. Toujours est-il que, dorénavant, elle s'exprimait franchement, et se répandait rapidement. Deux semaines après le meurtre de Doa, des sunnites armés ont arrêté un car transportant des Yézidis et ont exécuté vingt-trois de ses passagers, prétendant venger la mort de Doa. Nous nous sommes préparés à d'autres agressions, mais nous n'aurions jamais pu imaginer une attaque de l'ampleur des attentats de Siba Sheikh Khidir et de Tell Uzair.

Dès qu'ils ont aperçu les explosions, mes frères se sont engouffrés dans des voitures et se sont dirigés vers le lieu du drame, rejoignant des centaines de Yézidis chargés de nourriture, de matelas et de médicaments. Ils sont rentrés tard dans la nuit, accablés de tristesse et d'épuisement. « C'était pire que tout ce que vous pouvez imaginer, a dit Elias. Les villes sont détruites et il y a des morts partout. »

Ma mère les a fait asseoir et a préparé du thé pendant qu'ils se lavaient les mains. « J'ai vu un corps coupé en deux, a murmuré Hezni en tremblant. On dirait que toute la ville est couverte de sang. » Les explosions avaient déchiqueté les corps avec une telle violence que des cheveux et des lambeaux de vêtements étaient restés accrochés aux lignes électriques au-dessus des rues. Les hôpitaux et les cliniques ont rapidement été à court de lits et de médicaments. Shawkat, un ami de mon frère, a été tellement bouleversé de voir un corps traîné par les pieds qu'il l'a arraché aux mains du médecin et l'a porté lui-même jusqu'à la morgue. «C'était le père ou le fils de quelqu'un, a-t-il protesté. On ne peut quand même pas le traîner comme ça, par les pieds, dans la poussière!»

Des proches hébétés tournaient en rond sur le lieu de l'attentat, déambulant, muets, à travers un air saturé de fumée et de poussière. D'autres pleuraient ceux qu'ils avaient aimés, dont certains mourraient bien avant qu'ils aient cessé de les chercher. Finalement, une fois les gravats déblayés et le plus grand nombre possible de corps identifiés, ces malheureux seraient condamnés à pleurer devant des fosses communes. «Peut-être est-il pire de survivre», a remarqué Hezni.

Après cet attentat, nous avons pris quelques précautions. Des hommes armés de kalachnikovs et de pistolets montaient la garde dans Kocho par roulement, deux surveillant le côté est, deux autres l'ouest. Ils interrogeaient tous les passagers de voitures inconnues – surtout les Arabes sunnites et les Kurdes que nous ne reconnaissions pas – et étaient constamment à l'affût, cherchant à repérer ceux qui pouvaient paraître menaçants. D'autres Yézidis ont édifié des barricades de terre autour de leurs bourgades et creusé des tranchées pour empêcher des voitures piégées d'entrer. À Kocho, malgré notre proximité avec des villages sunnites, nous avons encore attendu plusieurs années pour commencer à dresser des barricades de terre et à creuser des tranchées. Je ne sais pas pourquoi – peut-être espérions-nous toujours que nos relations avec nos voisins étaient suffisamment solides pour nous protéger. Peut-être ne voulions-nous pas nous sentir enfermés et isolés. Une année s'est écoulée sans nouvel attentat et les hommes ont cessé de faire le guet.

Hezni a été le seul membre de ma famille à chercher à quitter l'Irak. C'était en 2009, deux ans après l'attentat. Il était tombé amoureux de Jilan, la fille de notre voisin, mais les parents de celle-ci étaient hostiles à cette union parce que nous étions beaucoup moins riche qu'eux. Cela n'a pas empêché Hezni d'essayer. Comme les parents de Jilan ne voulaient pas que mon frère aille la voir, ils grimpaient tous les deux sur le toit et se parlaient de part et d'autre de l'étroite ruelle qui séparait nos maisons. Quand les parents de Jilan ont construit un mur tout autour de leur toit pour dissimuler leur fille, Hezni a empilé des briques jusqu'à ce que, en montant dessus, il puisse l'apercevoir tout de même. «Rien ne pourra m'arrêter», disait-il. Il était d'un naturel timide, mais était tellement amoureux qu'il semblait prêt à tout pour rejoindre Jilan.

Hezni envoyait des cousins ou des frères chez Jilan, où la tradition obligeait sa famille à offrir aux visiteurs du thé et de la nourriture, et, pendant que ses parents étaient distraits, Jilan sortait retrouver Hezni. Elle était aussi amoureuse que lui, mais elle avait beau dire à ses parents qu'elle voulait l'épouser, ils continuaient à s'y opposer. Leur refus me fâchait – Jilan aurait eu de la chance d'épouser Hezni, qui était vraiment adorable –, mais ma mère, comme toujours, préférait en rire. «Au moins, disait-elle, il n'y a qu'une chose qu'ils n'apprécient pas chez nous : nous sommes pauvres. Or il n'y a rien de mal à être pauvre. »

Hezni savait que les parents de Jilan ne donneraient jamais leur consentement s'il n'avait pas un métier bien payé ; or, à l'époque, il n'avait aucune chance de trouver un emploi de ce genre en Irak. Il a commencé à déprimer. À part Jilan, il avait l'impression que rien ne le retenait à Kocho ; comme on la lui refusait, il ne voyait donc aucune raison de rester. Lorsque quelques autres villageois ont voulu aller tenter leur chance en Allemagne, où vivaient déjà quelques Yézidis, Hezni a décidé de partir avec eux. Nous avons tous pleuré quand il a fait ses bagages. Son départ m'affectait profondément ; je ne pouvais pas imaginer notre maison sans l'un de mes frères.

Avant son départ, Hezni a invité Jilan à un mariage qui avait lieu hors de Kocho, où ils pourraient se parler sans que tout le monde chuchote dans leur dos. Elle est arrivée et s'est écartée de la foule pour le retrouver. Il se rappelle encore qu'elle était vêtue de blanc. « Je serai de retour dans deux ou trois ans, lui a-t-il expliqué. Nous aurons alors assez d'argent pour nous installer ensemble. » Et puis, quelques jours avant le début d'un de nos deux jeûnes annuels, Hezni et ses compagnons ont quitté Kocho.

Ils ont d'abord franchi la frontière nord de l'Irak à pied pour rejoindre la Turquie, où ils se sont dirigés lentement vers Istanbul. À leur arrivée, ils ont payé un passeur qui les a fait monter à l'arrière d'un semi-remorque pour les conduire en Grèce. Le passeur leur a conseillé de dire aux gardes-frontières qu'ils étaient palestiniens. « S'ils savent que vous êtes irakiens, ils vous arrêteront », a-t-il ajouté, puis il a fermé les portes du camion et a franchi la frontière.

Quand Hezni nous a appelés quelques jours plus tard, il était en prison. Nous venions de nous asseoir pour rompre le jeûne quand le portable de ma mère a sonné. Un des Irakiens qui accompagnaient Hezni avait eu trop peur pour mentir sur ses origines, et ils s'étaient tous fait prendre. La prison était atroce, a dit Hezni. Elle était surpeuplée et ils devaient dormir sur des matelas très minces, posés à même des dalles de béton. Personne ne leur avait dit quand ils seraient libérés, ni s'ils seraient accusés d'un délit quelconque. Un jour, pour attirer l'attention du gardien, des prisonniers ont mis le feu à leurs matelas, et Hezni a eu peur qu'ils ne soient tous asphyxiés par la fumée. Il nous a demandé comment se passait notre jeûne. « J'ai faim, moi aussi », a-t-il ajouté, et ma mère s'est mise à sangloter si bruyamment que par la suite, chaque fois que Hezni appelait, mes frères se précipitaient pour décrocher sans lui laisser le temps de répondre.

Trois mois et demi plus tard, Hezni était de retour à Kocho. Il était maigre comme un coucou et très embarrassé. En le voyant, je me suis félicitée de n'avoir aucune envie d'aller en Allemagne. Je pense encore qu'être obligé de quitter son foyer parce qu'on a peur est la pire des injustices que peut subir un être humain. On vous prive de tout ce que vous aimez, et vous risquez votre peau pour vivre en un lieu qui n'a aucun sens pour vous et où, parce que vous venez d'un pays associé à des images de guerre et de terrorisme, vous n'êtes pas le bienvenu. Vous passez ainsi le reste de vos jours dans la nostalgie de ce que vous avez perdu tout en espérant ne pas être expulsé. L'histoire de Hezni m'a fait penser que le chemin d'un réfugié irakien le mène toujours en arrière, vers la prison ou vers son lieu de départ.

L'échec de Hezni a tout de même eu un bon côté. Il est rentré chez nous plus résolu que jamais à épouser Jilan. Quant à elle, elle avait également mis à profit leur séparation pour prendre sa décision. Sa famille n'approuvait toujours pas cette union, mais Hezni et Jilan pouvaient s'appuyer sur les coutumes yézidies. Dans notre culture, si deux personnes sont amoureuses et veulent se marier, elles peuvent s'enfuir ensemble contre l'avis de leurs familles. Elles prouvent ainsi que, pour eux, leur amour passe avant tout le reste, et c'est ensuite à leurs proches de se faire à cette idée. Telle que la coutume est présentée – une femme qui « s'enfuit » –, elle peut paraître démodée, voire rétrograde ; mais, en réalité, elle est émancipatrice, car elle retire le pouvoir aux parents pour le remettre au jeune couple – et plus précisément à la fille, qui doit approuver ce plan.

C'est ainsi qu'un soir, sans en avoir rien dit à personne, Jilan s'est éclipsée de chez elle par la porte de derrière et a retrouvé Hezni qui l'attendait dans la voiture de Jalo. Ils se sont rendus dans un village voisin en empruntant des routes contrôlées par al-Qaida pour ne pas risquer de tomber sur le père de Jilan sur la grand-route (Hezni disait en plaisantant qu'il avait plus peur de lui que de n'importe quel terroriste). Quelques jours plus tard, ils étaient mariés, et au bout de plusieurs mois, après des négociations tantôt cordiales, tantôt tendues entre les deux familles, un vrai mariage a été célébré à Kocho. Depuis ce jour, chaque fois que Hezni évoquerait sa tentative d'émigration manquée, il ajouterait en riant : « Je remercie Dieu d'avoir été arrêté en Grèce ! », et serrerait sa femme contre lui.

Après cela, nous nous sommes résignés à rester à Kocho, malgré les menaces qui continuaient à grandir au-dehors. Quand les Américains sont partis quelques mois après les élections législatives de 2010, une lutte confuse pour le pouvoir a opposé différents groupes présents à travers tout le pays. Chaque jour, des bombes explosaient aux quatre coins de l'Irak, tuant des pèlerins ou des enfants chiites à Bagdad et réduisant en lambeaux tous les espoirs de paix que nous avions pu nourrir pour un Irak post-Amérique. Des extrémistes s'en sont pris aux Yézidis qui tenaient des commerces d'alcool à Bagdad, et nous nous sommes retranchés encore plus étroitement dans la sécurité relative de nos bourgades et de nos villages yézidis.

Peu après, les manifestations antigouvernementales qui avaient commencé en Tunisie ont fait tache d'huile en Syrie, où elles ont été rapidement et brutalement réprimées par le président Bachar el-Assad. En 2012, la Syrie s'était enfoncée dans la guerre civile et, en 2013, une nouvelle organisation extrémiste qui se faisait appeler l'État islamique en Irak et au Levant, et qui avait déjà gagné du terrain dans l'Irak d'après-guerre, s'est mise à prospérer dans le chaos syrien. Elle n'a pas tardé à s'emparer de larges fractions de la Syrie et a ensuite porté ses regards sur la frontière avec l'Irak, dont les villages sunnites hébergeaient des sympathisants prêts à l'accueillir à bras ouverts. Deux ans plus tard, dans le nord du pays, l'EIIL avait intégralement écrasé l'armée irakienne, contrainte d'abandonner ses positions à un ennemi qu'elle avait cru beaucoup plus faible qu'il n'était. En juin 2014, sans que nous ayons eu le temps de dire ouf, l'EIIL s'est emparé de Mossoul, la deuxième ville d'Irak, à cent trente kilomètres à l'est de Kocho.

Après la chute de Mossoul, le Gouvernement régional du Kurdistan (GRK) a envoyé des peshmergas en renfort dans le Sinjar pour protéger les villes yézidies. Les soldats sont arrivés en camions, s'engageant à assurer notre sécurité. Certains d'entre nous, terrifiés par l'EIIL et croyant le Kurdistan irakien nettement plus sûr, ont voulu quitter le Sinjar pour rejoindre les camps kurdes qui se remplissaient déjà de chrétiens, de chiites et de sunnites déplacés, ainsi que de réfugiés syriens. Mais les autorités kurdes nous ont exhortés à ne pas partir. Les Yézidis qui cherchaient à quitter le Sinjar pour le Kurdistan irakien ont été refoulés par les Kurdes qui occupaient des checkpoints aux environs de leurs villages et qui leur disaient de ne pas s'inquiéter.

Certaines familles ont estimé que rester à Kocho était suicidaire. « Nous sommes cernés par *Daech* sur trois côtés ! » protestaient-elles, employant le terme arabe désignant l'EIIL, et elles avaient raison : une seule route nous reliant à la Syrie ne nous conduisait pas tout droit dans les bras de l'ennemi.

Mais Kocho était un village fier. Nous ne voulions pas abandonner tout ce pour quoi nous avions travaillé – les maisons de béton dans lesquelles les familles avaient mis toute une vie d'économies, les écoles, les grands troupeaux de moutons, les chambres où étaient nés nos bébés. D'autres Irakiens contestaient les prétentions des Yézidis sur le Sinjar, et nous nous disions que, en partant, nous leur donnerions raison : si nous n'étions pas prêts à rester au Sinjar, c'était peut-être parce que nous ne l'aimions pas autant que nous le prétendions. Ahmed Jasso a organisé une réunion au djevat et une décision a été prise. «Tout le village reste», a-t-il annoncé, convaincu jusqu'au bout que nos relations avec les villages arabes sunnites étaient suffisamment solides pour assurer notre sécurité. Nous sommes donc restés.

Ma mère a tout fait pour que nous continuions à mener une vie aussi normale que possible, mais chaque visiteur inconnu, chaque bruit menaçant nous mettait en alerte. Un soir de juillet, vers onze heures, Adkee, Kathrine, Khairy, Hezni et moi avons parcouru la courte distance nous séparant de notre ferme pour aller hacher du foin pour les bêtes. Comme il faisait beaucoup trop chaud en été pour travailler de jour à la ferme, nous partions généralement après le dîner quand il faisait un peu plus frais. Nous marchions lentement au clair de lune. Hacher le foin était une tâche fatigante et salissante, et aucun ne nous n'était impatient de s'y mettre. Malgré toutes nos précautions, nous rentrions toujours à la maison avec du foin plein les cheveux et dans nos vêtements, ce qui nous grattait et nous piquait la peau, les bras endoloris à force de soulever le foin pour l'enfoncer dans la machine.

Nous avons travaillé un moment, Kathrine et moi, dans la remorque, empilant le foin que les autres nous jetaient depuis le sol. Nous bavardions et plaisantions, mais la conversation était plus tendue que d'ordinaire. Dans les champs ouverts, la vue était dégagée sur les terres qui s'étendaient au-delà de Kocho et nous ne pouvions nous empêcher de nous demander ce qui se tramait là-bas, dans le noir. Soudain, des phares ont éclairé la route du sud et nous avons interrompu nos tâches pour les regarder s'approcher, les silhouettes de véhicules se dessinant de plus en plus nettement. C'était toute une colonne de gros camions blindés qui ressemblaient à ceux de l'armée.

«On ferait mieux de rentrer», a murmuré Kathrine. Nous étions les plus effrayées, elle et moi. Mais Adkee a refusé de fuir. «Il faut continuer à travailler, a-t-elle dit en soulevant des brassées de foin pour les mettre dans la lieuse. On ne va quand même pas avoir peur comme ça tout le temps!»

Garde-frontière depuis neuf ans, Khairy était rentré à la maison pour un congé et il savait mieux que nous ce qui se passait à l'extérieur de Kocho. Il avait un œil aiguisé pour ce genre de choses. Se tournant vers les phares, il a déposé sa brassée de foin pour mettre ses mains en visière devant ses yeux. «Ce sont des convois de l'État islamique, a-t-il conclu. On dirait qu'ils se dirigent vers la frontière avec la Syrie.» Il était inhabituel, a-t-il ajouté, qu'ils passent aussi près.

6

L'EIIL est arrivé à la périphérie de Kocho le 3 août 2014 au matin, avant le lever du soleil. J'étais sur notre toit, allongée sur un matelas entre Adkee et Dimal, quand les premiers camions sont entrés. En Irak, l'air est chaud en été et il est saturé de poussière, mais j'ai toujours préféré dormir dehors, de même que j'aimais mieux voyager à l'arrière d'un pick-up qu'être enfermée à l'intérieur. Nous avions divisé notre toit en plusieurs parties pour accorder un peu d'intimité aux couples mariés et à leurs petites familles, mais nous pouvions bavarder de part et d'autre des cloisons, et même nous parler d'un toit à un autre. Généralement, je m'endormais facilement en entendant mes voisins discuter de leur journée ou prier tout bas, et, depuis que la violence balayait l'Irak, nous avions l'impression d'être moins vulnérables en restant sur les toits, d'où nous pouvions surveiller les arrivées.

Cette nuit-là, personne n'avait fermé l'œil. Quelques heures plus tôt, l'EIIL avait lancé des attaques surprises contre plusieurs villages voisins, chassant des milliers de Yézidis vers le mont Sinjar, en une masse vertigineuse et paniquée qui s'étira bientôt en un frêle convoi. Sur leurs arrières, les combattants tuaient tous ceux qui refusaient de se convertir à l'islam ou qui étaient trop obstinés ou désorientés pour prendre la fuite. Ils pourchassaient ceux qui n'allaient pas assez vite, leur tirant dessus ou les égorgeant. Quand ils se sont approchés de Kocho, leurs camions faisaient un bruit de grenades dans l'air silencieux de la campagne. Tressaillant de peur, nous nous sommes blottis les uns contre les autres.

L'EIIL a conquis le Sinjar facilement, ne rencontrant de résistance que de la part des centaines d'hommes yézidis qui se sont battus pour défendre leurs villages avec leurs propres armes, mais ont rapidement été à court de munitions. Nous avons bientôt appris qu'un certain nombre de nos voisins arabes sunnites avaient fait bon accueil aux combattants et s'étaient même joints à eux. Ils avaient bloqué les rues pour empêcher les Yézidis de se mettre à l'abri et avaient permis aux terroristes d'expulser toute la population non sunnite qui n'avait pas pu s'échapper des villages les plus proches de Kocho, avant de participer au pillage des localités yézidies. Mais nous avons été encore plus outrés par l'attitude des Kurdes qui avaient juré de nous protéger. Tard dans la nuit, sans le moindre avertissement et après nous avoir assuré pendant des mois qu'ils se battraient pour nous jusqu'au bout, les peshmergas avaient fui le Sinjar, s'entassant dans leurs camions et filant se mettre en sécurité, hors d'atteinte des combattants de l'État islamique.

Il s'agissait, a déclaré plus tard le gouvernement kurde, d'un « repli tactique ». Les soldats n'étaient pas assez nombreux pour tenir la région, nous ont-ils expliqué, et leurs commandants estimaient que rester serait suicidaire ; leur combat serait plus utile dans d'autres lieux d'Irak, où ils avaient une chance de l'emporter. Nous nous sommes efforcés d'en vouloir aux responsables du Kurdistan qui avaient pris cette décision plutôt qu'aux soldats eux-mêmes. Nous n'arrivions tout de même pas à comprendre pourquoi ils ne nous avaient pas avertis, ne nous avaient pas emmenés avec eux ni aidés à nous mettre en lieu sûr. Si nous avions su qu'ils partaient, nous serions allés au Kurdistan. Je suis presque certaine que, dans ce cas, l'EIIL aurait trouvé un village désert à son arrivée à Kocho.

Les habitants ont crié à la trahison. Ceux dont les maisons étaient proches des positions des peshmergas les ont vus plier bagage et les ont suppliés, en vain, de leur laisser au moins leurs armes. La nouvelle s'est rapidement répandue dans le reste du village, mais il a fallu un moment pour que la réalité s'impose à nous. Les peshmergas avaient fait l'objet d'une telle vénération et nous étions nombreux à être si profondément convaincus qu'ils reviendraient faire leur devoir que, aux premiers tirs de l'État islamique à Kocho, certaines femmes ont chuchoté : « Peut-être les peshmergas sont-ils venus nous sauver. »

Les peshmergas partis, les combattants de l'État islamique ont promptement occupé les positions militaires et les checkpoints abandonnés, nous enfermant dans notre village. Nous n'avions aucun plan d'évasion, et l'EIIL a rapidement barré la route reliant les villages du sud du Sinjar, comme Kocho, à la montagne, où affluaient déjà les fugitifs. Les quelques familles qui ont essayé de s'enfuir se sont fait prendre et ont été tuées ou kidnappées. Le neveu de ma mère a voulu partir avec sa famille, et quand des membres de l'EIIL ont arrêté leur voiture, ils ont tué les hommes sur place. « Je ne sais pas ce qui est arrivé aux femmes », nous a dit ma mère après avoir appris la nouvelle par téléphone. Nous n'avons pu qu'imaginer le pire. Des histoires de ce genre commençaient à répandre la peur dans nos maisons.

Quand l'EIIL est arrivé, Hezni et Saoud avaient quitté Kocho pour aller travailler – Hezni était à Sinjar et Saoud au Kurdistan – et ils nous ont appelés toute la nuit, angoissés d'être aussi loin de nous et s'en voulant d'être en sécurité en cette heure de danger. Ils nous ont communiqué tout ce qu'ils savaient sur ce qui se passait au Sinjar. Plusieurs dizaines de milliers de Yézidis en fuite marchaient avec leur bétail sur la route de la montagne. Les plus chanceux avaient pu s'entasser dans des voitures ou s'accrocher aux ridelles des camions, progressant aussi vite que le leur permettait la foule. Certains poussaient des vieillards dans des brouettes ou les portaient sur leur dos, courbés sous leur poids. La chaleur du soleil de midi était dangereuse, et quelques fugitifs particulièrement âgés ou malades sont morts au bord de la route, leurs corps émaciés gisant dans le sable comme des branches tombées des arbres. Les gens qui les dépassaient étaient tellement obnubilés par la volonté de gagner la montagne et avaient si peur de se faire prendre par les terroristes qu'ils semblaient à peine les remarquer.

En chemin, les Yézidis abandonnaient une grande partie de ce qu'ils avaient emporté. Une poussette, un manteau, une marmite – qu'ils n'avaient pu se résoudre à laisser au moment de partir de chez eux. Comment manger sans marmite pour faire la cuisine ? Qu'arriverait-il quand ils auraient trop mal aux bras pour continuer à porter leur bébé ? Seraient-ils de retour chez eux avant l'hiver ? Mais, au fur et à mesure que l'épuisement les gagnait et que la distance qui les séparait de la montagne semblait s'allonger, tous ces bagages sont devenus un poids mort et ils les ont laissés au bord du chemin comme autant de détritus. Les enfants traînaient les pieds jusqu'à ce que leurs chaussures tombent en loques. Arrivés à la montagne, certains ont entrepris de gravir ses versants escarpés tandis que d'autres se cachaient dans des grottes, des temples ou des villages d'altitude. Les voitures filaient sur les routes sinueuses, certaines basculant par-dessus bord lorsque les conducteurs, dans leur précipitation, en perdaient le contrôle. Les plateaux de la montagne ont bientôt été couverts de déplacés.

Leur arrivée dans la montagne ne leur a guère apporté de soulagement. Certains Yézidis se sont immédiatement mis en quête de nourriture et d'eau, ou à la recherche de leurs proches, implorant les villageois de les aider. Certains se sont assis, figés sur place. Peut-être étaient-ils fatigués. Ou peut-être, profitant de ce premier instant de calme et de sécurité relative depuis l'irruption de l'EIIL au Sinjar, ont-ils commencé à réfléchir à leur sort. Leurs villages étaient désormais occupés et tout ce qu'ils avaient possédé appartenait à d'autres. En traversant la région, les combattants de l'EIIL avaient détruit les petits temples construits au pied de la montagne. Un cimetière voisin, normalement réservé aux enfants, était maintenant plein de corps de tous âges, des gens tués par l'EIIL ou morts dans leur fuite. Plusieurs centaines d'hommes avaient été massacrés. Des garçons et des jeunes femmes avaient été enlevés pour être conduits ensuite à Mossoul ou en Syrie. Des femmes de l'âge de ma mère, avaient été rassemblées et exécutées, remplissant des fosses communes.

Dans la montagne, les Yézidis ont ruminé les décisions qu'ils avaient prises dans leur fuite. Peut-être, dans leur hâte d'arriver les premiers, avaient-ils coupé la route à une autre voiture qui se dirigeait vers la montagne, peut-être ne s'étaient-ils pas arrêtés pour faire monter dans leur véhicule quelqu'un qui était à pied ? N'auraient-ils vraiment pas pu emmener leurs animaux, ou attendre encore un instant pour sauver quelqu'un d'autre ? Le neveu de ma mère souffrait d'un handicap de naissance et marchait difficilement ; à l'arrivée de l'EIIL, il avait insisté pour que ses proches partent devant, sachant qu'il ne pourrait pas les suivre. Comment allait-il s'en sortir ? Les rescapés étaient prisonniers de la chaleur exténuante de la montagne, tandis que l'EIIL déferlait sur la plaine et qu'il n'y avait aucun signe de salut.

Ces nouvelles nous donnaient l'impression qu'on nous annonçait notre propre avenir, et nous avons prié. Nous avons appelé tous ceux que nous connaissions dans les villages arabes sunnites et au Kurdistan, mais personne n'avait la moindre lueur d'espoir à nous faire miroiter. L'EIIL n'a attaqué Kocho ni cette nuit-là ni le lendemain matin, mais ses membres nous ont fait savoir que, si nous cherchions à fuir, ils nous tueraient. Les habitants qui vivaient près de la périphérie du village nous ont dit à quoi ils ressemblaient. Certains avaient des foulards qui leur masquaient le visage jusqu'aux yeux. La plupart étaient barbus. Ils portaient des armes américaines, remises par les Américains à l'armée irakienne au moment de leur départ, puis récupérées sur les positions que l'armée avait abandonnées. Les combattants étaient exactement tels qu'on les voyait à la télé ou sur les vidéos de propagande diffusées sur internet. Je n'arrivais pas à les considérer comme des êtres humains. À l'image des fusils qu'ils brandissaient et des chars qu'ils conduisaient, les hommes eux-mêmes n'étaient à mes yeux que des armes, et ces armes étaient braquées sur mon village.

Le premier jour, le 3 août, un commandant de l'État islamique est arrivé à Kocho, et Ahmed Jasso a convoqué les hommes au djevat. Étant l'aîné, Elias est allé voir de quoi il retournait. Nous l'avons attendu dans notre cour, assis dans les petites taches d'ombre à côté de nos moutons que nous avions rentrés pour les mettre en sécurité. Ils bêlaient doucement, inconscients de ce qui se jouait.

Assise à côté de moi, apeurée, Kathrine semblait très jeune. Malgré quelques années d'écart, nous étions dans la même classe au lycée et étions inséparables. Quand nous étions préadolescentes, nous nous étions passionnées l'une comme l'autre pour le maquillage et les coiffures, et nous nous exercions l'une sur l'autre, profitant des noces villageoises pour expérimenter nos nouveaux styles et nos dernières techniques.

Les mariées nous inspiraient tout particulièrement; elles ne consacreraient jamais plus d'argent ni de temps à leur apparence que ce jour-là et elles ressemblaient toutes à des photos de magazine. Je les observais avec une attention extrême. *Comment a-t-elle réussi à faire tenir ses cheveux? Quelle est la nuance exacte de son rouge à lèvres?* Je leur demandais ensuite une photo d'elles pour compléter une collection que j'avais commencée dans un album vert. J'imaginais que, le jour où j'ouvrirais mon salon, mes clientes feuilletteraient cet album, cherchant la coiffure qui leur plaisait le plus. Quand est arrivé l'EIIL, j'avais plus de deux cents photos. Ma préférée était celle d'une jeune femme brune dont les boucles floues étaient relevées au sommet de la tête, piquées de petites fleurs blanches.

En général, Kathrine et moi passions beaucoup de temps à soigner nos longs cheveux, les enduisant avec de l'huile d'olive étalée sur nos paumes et les colorant au henné; mais, ce jour-là, nous n'avions même pas pris la peine de nous peigner. Ma nièce était pâle et silencieuse, et, tout d'un coup, je me suis sentie beaucoup, beaucoup plus âgée qu'elle. J'ai eu envie de la réconforter. «Ne t'en fais pas, lui ai-je dit en lui prenant la main. Ça va aller.» C'était ce que ma mère m'avait dit et, bien que je ne l'aie pas crue, il était de son devoir de feindre l'optimisme en présence de ses enfants; c'était à mon tour d'en faire autant à l'égard de Kathrine.

Quand Elias est arrivé dans la cour, tout le monde s'est tourné vers lui. Il était essoufflé, comme s'il avait couru depuis le djevat, et il a fait un effort pour reprendre son calme avant de parler. «Daech a encerclé Kocho, nous a-t-il annoncé. Nous ne pouvons plus partir.»

Le commandant de l'État islamique avait prévenu les hommes présents au djevat que, s'ils cherchaient à fuir, ils en subiraient les conséquences. «Il a dit que quatre familles avaient déjà essayé. Les hommes ont refusé de se convertir.

POUR QUE JE SOIS LA DERNIÈRE

Ils les ont tués. Les femmes se sont cramponnées à leurs enfants. Ils les ont séparés. Ils ont emmené leurs voitures et leurs filles.

— Les peshmergas vont sûrement revenir, a chuchoté ma mère sans bouger. Il faut prier. Notre salut est entre les mains de Dieu.

— Quelqu'un viendra forcément nous aider, a renchéri Massoud, furieux. Ils ne peuvent tout de même pas nous laisser en plan comme ça.

— Le commandant nous a dit de téléphoner à nos proches qui ont déjà rejoint le mont Sinjar et de leur demander de redescendre et de se rendre, a poursuivi Elias. Il faut aussi leur dire que, s'ils quittent la montagne, ils seront épargnés. »

Nous sommes restés silencieux, cherchant à assimiler la nouvelle. Malgré toutes les épreuves qui les attendaient, les Yézidis qui étaient arrivés dans la montagne étaient à l'abri de l'EIIL. La montagne nous avait toujours protégés des persécutions. Depuis des générations, les Yézidis avaient recherché la sécurité de ses grottes, s'étaient désaltérés dans ses cours d'eau et avaient survécu en mangeant les figues et les grenades cueillies à ses arbres. Nos temples et nos cheikhs l'entouraient et nous pensions que Dieu devait la surveiller avec une attention particulière. Hezni était parvenu à rejoindre la montagne depuis la ville de Sinjar et, quand il nous a appelés, il nous a reproché de nous faire du souci pour lui : « Vous pleurez sur nous, mais nous, nous pleurons sur vous. Nous sommes déjà sains et saufs. »

Il ne nous restait qu'à obéir aux instructions des terroristes. Quand ils sont passés de maison en maison pour confisquer les armes des villageois, nous les leur avons remises, à l'exception d'un fusil que nous avons enterré dans notre ferme à une heure avancée de la nuit, à un moment où nous pensions qu'ils ne pouvaient pas nous voir. Il n'était pas question de chercher à fuir. Tous les jours, Elias ou un autre de mes frères allait au djevat prendre les ordres du commandant de l'État islamique, puis il rentrait nous communiquer les nouvelles. Nous demeurions à l'intérieur de la maison, et nous nous tenions tranquilles. Ce fusil enterré resterait enterré. Mais, malgré toutes les promesses de l'EIIL, nous aurions préféré mourir plutôt que de conseiller à Hezni ou à d'autres de quitter le mont Sinjar. Tout le monde savait ce qui arriverait aux Yézidis s'ils descendaient de la montagne.

7

Le siège de Kocho a duré près de deux semaines. Tantôt la journée passait comme dans un brouillard, chaque instant semblable au suivant, tantôt la moindre seconde était une douleur. Le matin, l'appel islamique à la prière s'élevait depuis les checkpoints de l'État islamique – un son inhabituel à Kocho, mais que je connaissais bien pour avoir étudié l'islam à l'école et m'être rendue dans la ville de Sinjar. Des Yézidis âgés se plaignaient de ces appels à la prière. «Sinjar n'est plus une ville yézidie», soupiraient-ils, persuadés que bientôt nous serions tous confinés dans nos petits villages et bourgades tandis que les parties les plus attirantes des régions yézidies seraient aux mains des Arabes et des Kurdes plus riches et dotés de meilleures relations. Personnellement, ces appels à la prière ne n'avaient jamais vraiment dérangée jusqu'à l'arrivée de l'EIIL au Sinjar. Lorsqu'il nous a encerclés, ils ont pris une nuance menaçante.

Un par un, des proches ont commencé à affluer chez nous. Jilan, l'épouse de Hezni, a abandonné leur maison presque achevée à deux pas du village pour nous rejoindre, tandis que des cousins, des demi-frères et demi-sœurs venaient de tout Kocho, chargés de petites valises, de nourriture ou de lait maternisé. Shireen, la femme de Saoud, venait d'accoucher et, quand elle s'est présentée chez nous avec son nouveau-né rose et hurlant, toutes les femmes ont entouré le bébé, qui était comme une image d'espoir. Nos quelques pièces ont rapidement été encombrées de vêtements et de couvertures, de photos et d'objets précieux, de tout ce qui était transportable. Dans la journée, nous nous regroupions autour du téléviseur, espérant qu'il y aurait des reportages sur le massacre des Yézidis dans le Sinjar. C'était comme un cauchemar. Les avions ne pouvaient pas voler assez bas pour distribuer efficacement les secours, et l'immense montagne semblait avaler les paquets de nourriture et d'eau au fur et à mesure qu'ils tombaient.

Les Yézidis cherchaient désespérément à monter dans les hélicoptères de l'armée irakienne qui se posaient sur les routes sillonnant le sommet de la montagne, poussant les bébés et les vieillards à bord pendant que les soldats essayaient de les faire reculer, hurlant qu'il n'y aurait pas de place pour tout le monde. «L'hélicoptère sera trop chargé pour décoller!» criaient-ils – une logique à laquelle les réfugiés affolés semblaient imperméables. Nous avons entendu dire qu'une femme, qui tenait absolument à partir avec un hélicoptère, était restée suspendue un moment à un patin d'atterrissage lorsque l'appareil s'était élevé, avant de perdre prise et de tomber. Quand son corps s'était écrasé sur les rochers en contrebas, on aurait dit, a raconté un témoin, une pastèque qui explosait.

Hezni avait tout juste réussi à atteindre la montagne avant la prise de la ville de Sinjar par l'EIIL. Lorsque son commissariat avait été évacué, il était parti à pied en direction de la montagne avec un autre policier. Ne voulant pas laisser derrière eux d'armes dont pourraient s'emparer les terroristes qui marchaient sur la ville, chaque homme de son unité était parti chargé d'un fusil, plusieurs pistolets fourrés dans son pantalon. La route était poussiéreuse, il faisait chaud et ils avaient peur, ignorant où les combattants pouvaient bien se tapir et d'où ils surgiraient. À environ un kilomètre de Zeinab, ils ont vu un camion de l'État islamique s'approcher de la mosquée chiite de la ville, qui s'est écroulée presque aussitôt au milieu du fracas d'une explosion. Changeant de direction sur la grand-route, ils ont échappé de peu à trois camions remplis de combattants qui, quelques minutes plus tard seulement, ont exécuté les hommes qui suivaient Hezni et son collègue. «C'est un miracle qui m'a sauvé la vie», me dirait plus tard mon frère.

Dans la montagne, il faisait une chaleur accablante le jour, et les nuits étaient glaciales. Les gens n'avaient rien à manger et mouraient de déshydratation. Le premier jour, des Yézidis déplacés ont abattu les moutons qu'ils avaient laissés paître sur les versants, et chacun a pu avoir une modeste ration de viande. Le deuxième jour, Hezni et quelques autres ont dévalé discrètement à pied le flanc est de la montagne pour rejoindre un petit village que l'EIIL n'avait pas encore atteint. Là, ils ont rempli un tracteur de blé, qu'ils ont fait bouillir quand ils ont regagné le sommet. Ils en ont distribué une tasse à chacun, juste de quoi se remplir l'estomac. Un jour, des militants de l'YPG – la branche syrienne du PKK, le parti kurde des travailleurs, une armée de guérilleros basée en Turquie – leur ont apporté du pain et de la nourriture depuis la Syrie.

Finalement, avec le concours des frappes aériennes américaines, l'YPG a pu dégager un couloir permettant aux Yézidis de quitter le Sinjar pour rallier les zones kurdes de Syrie, restées relativement sûres depuis le début de la guerre civile. Les Kurdes alignés sur le PKK avaient cherché à y établir une région autonome. L'EIIL a tiré sur les Yézidis en fuite, mais des dizaines de milliers d'entre eux ont pu quitter la montagne et se mettre plus ou moins en sécurité. Hezni a réussi à rejoindre la maison de notre tante près de Zakho. À l'arrivée des Yézidis dans l'Irak et la Syrie kurdes, les Kurdes qui y vivaient, majoritairement sunnites, se sont portés à leur rencontre, distribuant de la nourriture, de l'eau et des vêtements. D'autres ont ouvert leurs maisons, leurs magasins et leurs écoles. Cette manifestation de compassion nous émeut encore aujourd'hui.

Avant les massacres, le PKK ne m'intéressait pas beaucoup. Il n'était pas très présent dans le Sinjar et j'avais beau voir quelquefois ses membres à la télévision kurde – des hommes et des femmes en amples uniformes gris accroupis à côté de leurs kalachnikovs quelque part dans les monts Kandil, à la frontière avec l'Iran –, eux-mêmes, ainsi que leur lutte contre le gouvernement turc, n'avaient apparemment pas grand-chose à voir avec ma propre vie. Mais, après qu'ils eurent sauvé les Yézidis échoués dans la montagne, les membres du PKK sont devenus des héros dans tout le Sinjar, remplaçant les peshmergas aux yeux de beaucoup dans le rôle de protecteurs des Yézidis. Leur engagement finirait par provoquer des tensions avec le parti de Barzani, le PDK (Parti démocratique du Kurdistan), qui tenait à exercer la plus grande influence dans le Sinjar. Cette rivalité a rendu notre patrie vulnérable à une autre forme de guerre, qui a commencé au cours des années suivantes. Mais, pour le moment, le PKK aidait les Yézidis à quitter la montagne et envoyait des centaines de soldats se battre contre l'EIIL sur le front du Sinjar, ce qui lui valait toute notre reconnaissance.

Kocho, en revanche, ne voyait venir aucun secours. Tous les jours, un de mes frères allait au djevat et en revenait avec des informations, dont aucune n'était propre à inspirer l'optimisme. Les hommes de Kocho essayaient d'élaborer un plan, disaient-ils, mais, hors du village, personne n'était prêt à nous aider. «Peut-être les Américains utiliseront-ils leurs avions pour nous libérer, comme ils l'ont fait dans les montagnes», disait ma mère. La seule chose qui paraissait effrayer les combattants de l'État islamique qui encerclaient Kocho était le bruit d'avions ou d'hélicoptères. «Ou alors, le PKK viendra ici quand il aura fini là-bas », poursuivait-elle. Mais mes frères, en contact avec des traducteurs yézidis qui avaient travaillé avec l'armée américaine et se trouvaient à présent aux États-Unis, ont rapidement perdu tout espoir de voir ces rêves se réaliser.

Des avions et des hélicoptères nous survolaient, mais ils se dirigeaient vers la montagne, jamais vers Kocho, et nous savions qu'il était tout à fait improbable que le PKK intervienne pour nous secourir. Ses militants étaient courageux et s'entraînaient depuis longtemps – cela faisait presque un demi-siècle qu'ils combattaient l'armée turque –, mais c'étaient des combattants des montagnes, incapables d'écraser l'EIIL dans les plaines situées entre le mont Sinjar et nous. De surcroît, Kocho se trouvait en territoire ennemi, assez loin au sud pour être hors de leur portée. Nous étions seuls.

Ce qui ne nous a pas empêchés de continuer longtemps à espérer que les Américains viendraient briser le siège de Kocho. Mon frère Jalo, qui avait été en poste à l'aéroport de Tal Afar après l'invasion américaine, avait un ami aux États-Unis, Haider Elias, qui avait obtenu l'asile à Houston parce qu'il avait travaillé comme interprète pour les Américains. Ils discutaient tous les jours, plusieurs fois même, le plus souvent, bien que Haider ait déconseillé à Jalo de l'appeler – il craignait que, si l'EIIL vérifiait le téléphone de Jalo et repérait un numéro américain, il ne soit abattu sur-le-champ.

Avec un groupe d'autres expatriés yézidis, Haider faisait des pieds et des mains pour aider les Yézidis d'Irak, adressant des requêtes à Washington, à Erbil et à Bagdad depuis une chambre d'hôtel qu'ils avaient louée à Washington, mais ils n'enregistraient aucun progrès s'agissant de Kocho. Jalo répondait immédiatement à chaque coup de fil de Haider, et ses espoirs cédèrent rapidement la place à l'exaspération. Mon frère avait accompagné les Américains quand ils avaient donné l'assaut à des maisons à la recherche d'insurgés, et il savait de quoi ils étaient capables sur le terrain. Jalo était certain que, si les États-Unis envoyaient des soldats attaquer les checkpoints de l'État islamique autour de Kocho, ils réussiraient à briser le siège. Il arrivait à des membres de l'État islamique de se plaindre au djevat des opérations américaines menées au Sinjar pour sauver les Yézidis, et ils traitaient Obama de « croisé ». Jalo disait alors à Haider : « Je pense qu'ils sont en train de perdre le contrôle. Ils vont sûrement nous laisser partir. » Quelques jours auparavant, des combattants de l'État islamique avaient conduit Ahmed Jasso, qui était tombé malade, dans une ville voisine pour qu'il se fasse soigner. « Pourquoi feraient-ils ça s'ils n'avaient pas l'intention de nous laisser la vie sauve ? » se demandait Jalo.

Jalo se passionnait pour l'Amérique. Avant le siège, il appelait Haider au Texas pour l'interroger sur la vie qu'il menait loin d'Irak. Il enviait Haider qui avait pu s'inscrire à l'université, alors que Jalo n'avait même pas pu aller au lycée. « Trouve-moi une épouse américaine ! plaisantait Jalo. Une moche et une vieille, qui sera bien contente de m'épouser. »

Haider avait moins confiance que lui dans la possibilité d'une intervention américaine au profit de Kocho. Selon lui, il était plus probable que l'EIIL use de représailles contre nous à cause des frappes aériennes. « Fais attention, recommandait-il à Jalo. C'est peut-être par ruse qu'ils veulent vous faire croire qu'ils s'affaiblissent. Ils ne vous laisseront pas partir. » Tous les observateurs semblaient accablés par ce qui se passait dans l'ensemble de l'Irak. Les médias n'évoquaient même pas le siège de Kocho. « Ils sont en train de changer de Premier ministre à Bagdad, a expliqué Elias. Ils n'ont pas le temps de penser à nous. »

Nous avons donc attendu. Le village demeurait silencieux, les rues désertes. Tout le monde restait chez soi. Nous avons cessé de manger, et j'ai vu mes frères maigrir et pâlir. Je supposais que j'étais dans le même état qu'eux, mais n'avais pas envie de me regarder dans la glace pour m'en assurer. Nous ne prenions plus de bains et, bientôt, la puanteur de tous nos corps a rempli la maison. Tous les soirs, nous grimpions sur le toit – à la nuit tombée, pour que les combattants ne nous voient pas –, où nous dormions blottis les uns contre les autres. Nous restions tapis au sol, cherchant à nous dissimuler derrière le muret qui entourait le toit, et chuchotions tout bas pour qu'ils ne nous entendent pas. Tout le monde tressaillait quand le bébé de Shireen, inconscient de la situation, se mettait à pleurer. Tout cela n'avait évidemment aucune importance. L'EIIL savait que nous étions là. C'était la seule chose qui l'intéressait.

L'EIIL nous a ainsi tenus prisonniers chez nous pendant qu'il accomplissait son génocide dans d'autres lieux du Sinjar. Il n'avait pas le temps, pas encore, de s'intéresser à nous. Ses membres étaient trop occupés à s'approprier les demeures des Yézidis et à remplir des sacs de leurs bijoux, de leurs clés de voitures et de leurs téléphones portables, trop occupés à rassembler et à confisquer les vaches et les moutons des Yézidis. Ils distribuaient des jeunes femmes aux combattants en Irak et en Syrie, qui en faisaient des esclaves sexuelles, et assassinaient les hommes en âge de se défendre. Des milliers de Yézidis avaient déjà été tués, leurs corps jetés dans des fosses communes que l'EIIL chercherait – vainement – à dissimuler.

Nous placions notre ultime espoir d'aide extérieure dans les villages voisins, où vivaient nos amis et nos kiriv arabes sunnites. Nous avions entendu dire que des Arabes avaient hébergé des Yézidis ou les avaient conduits en lieu sûr. Mais les récits d'agressions et de dénonciations de Yézidis à l'EIIL de la part de gens qui rejoignaient ensuite ses rangs étaient bien plus nombreux encore. Il ne s'agissait, pour une part, que de rumeurs ; mais, dans d'autres cas, ces informations venaient de gens proches de nous en qui nous avions confiance, et nous savions qu'elles étaient vraies. Un matin, un de mes cousins a conduit sa famille chez son kiriv, cherchant désespérément de l'aide. La famille les a accueillis gentiment et les a réconfortés. « Vous pouvez attendre ici, leur ont-ils dit. Nous allons vous aider. » Puis ils sont allés dénoncer mon cousin au commandant de l'État islamique, qui a envoyé des combattants l'arrêter avec toute sa famille.

Mes frères ont appelé tous ceux qu'ils connaissaient dans ces villages, grimpant sur le toit où le réseau était meilleur, et la plupart de ceux à qui ils ont parlé semblaient se préoccuper sincèrement de notre sort. Mais aucun n'avait de solution ni même de suggestion à offrir. Ils nous ont dit de rester où nous étions. « Soyez patients », nous conseillaient-ils. Certains de nos voisins musulmans nous ont rendu visite pendant le siège, apportant des provisions au village et nous disant que notre souffrance était la leur. Ils posaient la main sur le cœur et promettaient : « Nous ne vous abandonnerons pas. » Et pourtant, jour après jour, c'est ce qu'ils ont tous fait.

Nos voisins sunnites auraient pu essayer de nous aider. S'ils savaient ce qui attendait nos femmes, ils auraient pu nous habiller toutes de noir et nous emmener avec eux. Il aurait suffi qu'ils viennent et qu'ils nous expliquent, prosaïquement : « Voilà ce qui va vous arriver », pour que nous arrêtions de fantasmer en imaginant qu'on viendrait nous secourir. Ils ne l'ont pas fait. Ils ont préféré rester passifs, et ces trahisons ont été comme autant de balles, avant que les vraies balles ne soient tirées.

Un jour, je suis allée à notre ferme avec Dimal, Khairy, Elias et Khaled – un de mes demi-frères – chercher un agneau à abattre pour le dîner. Contrairement aux adultes qui avaient perdu l'appétit, les enfants pleuraient pour avoir quelque chose de consistant à se mettre dans le ventre et, en l'absence de source de ravitaillement, la seule solution était de sacrifier un de nos agneaux.

Les téléphones portables passaient bien à la ferme, et Elias a emporté le sien pour que les hommes puissent continuer à appeler pour demander de l'aide pendant que nous récupérerions l'animal. Nous venions d'apprendre que ma nièce Baso avait été capturée par l'EIIL alors qu'elle cherchait à s'enfuir dans la montagne depuis Tal Kassab, où elle était allée soigner une cousine malade. On l'avait conduite dans une école de Tal Afar. L'école – qui était peinte en rouge, nous avait-on dit – était remplie de filles et de femmes yézidies. Je me suis rappelé qu'un de mes professeurs, un sunnite qui s'appelait M. Mohammed, était originaire de Tal Afar, et je me suis dit qu'il pourrait peut-être nous aider à retrouver Baso.

Plusieurs de nos enseignants étaient des Arabes sunnites qui habitaient à l'extérieur de Kocho, à Mossoul principalement. Nous les respections et les traitions comme des villageois à part entière. Je pensais à ce qu'ils vivaient, maintenant que l'EIIL occupait leurs villes natales. Aucun d'eux n'avait téléphoné pour demander ce qui se passait à Kocho. Au début, je m'en étais inquiétée. J'avais du mal à imaginer ce qu'ils avaient dû endurer en cherchant à échapper à l'EIIL ou, pis, en vivant sous son joug. Cependant, alors que le siège se prolongeait, j'ai commencé à me demander si mes professeurs gardaient le silence parce qu'ils vivaient dans la crainte ou parce que la présence de l'EIIL les réjouissait. Peut-être n'avaient-ils jamais cessé de considérer les élèves tels que moi comme des kouffar. Cette simple idée me donnait la nausée.

J'avais noté au dos d'un de mes livres de classe les numéros de tous mes professeurs et j'ai emprunté son téléphone à Elias pour appeler M. Mohammed. Il a décroché au bout de quelques sonneries.

« *Merhaba, Ustaz* Mohammed », ai-je dit, m'adressant poliment à lui en arabe. J'ai repensé aux heures que j'avais passées dans sa classe à essayer de suivre ses leçons, sachant que si je réussissais, je passerais au niveau supérieur, me rapprochant ainsi de mon diplôme et du reste de ma vie. J'avais confiance en lui.

« Qui est à l'appareil ? » Sa voix était normale et son calme a fait battre mon cœur plus vite.

« Nadia, *ustazi*, de Kocho.

— Nadia, que se passe-t-il ? » Il avait parlé un peu plus vite, d'un ton froid et impatient.

Je lui ai expliqué que Baso s'était fait prendre par l'EIIL et avait été conduite à Tal Afar. « Il paraît que c'est une école peinte en rouge, lui ai-je dit. C'est tout ce que nous savons. Nous ne pouvons pas sortir de Kocho. Daech a encerclé le village et ils nous ont prévenus qu'ils tueraient tous ceux qui chercheraient à sortir. Pouvez-vous nous aider à parler à Baso ? Savez-vous où se trouve cette école ? »

Mon professeur est resté silencieux un moment. Peut-être ne m'avait-il pas entendue. Peut-être Daech avait-il coupé la ligne, ou bien Elias n'avait plus de crédit. Quand M. Mohammed a enfin repris la parole, j'ai eu l'impression que ce n'était pas le même homme que celui qui m'avait fait classe quelques mois auparavant. Sa voix était distante, glaciale. « Je ne peux pas te parler, Nadia, m'a-t-il dit tout bas. Ne t'inquiète pas pour ta nièce. Ils vont lui demander de se convertir, et quelqu'un l'épousera. » Il a raccroché sans me laisser le temps de réagir. J'ai regardé le téléphone que je tenais en main : un simple morceau de plastique bon marché, inutile.

« Quel salaud ! a lancé Elias en attrapant l'agneau par le cou et en le dirigeant vers le chemin pour rentrer chez nous. Nous avons appelé tout un tas de gens, et personne ne fait rien. »

En cet instant, quelque chose a changé en moi, pour toujours peut-être. J'ai renoncé à tout espoir d'aide extérieure.

Peut-être mon professeur était-il comme nous : peut-être avait-il peur pour lui et sa famille et faisait-il tout ce qu'il pouvait pour rester en vie. Ou peut-être avait-il accueilli l'EIIL avec joie, heureux à l'idée de vivre dans le monde que faisait miroiter ce mouvement, un monde guidé par son interprétation brutale de l'islam – un monde sans Yézidis, un monde débarrassé de tous ceux qui ne partageaient pas ses croyances. Mais, en cet instant, j'avais une certitude : je détestais mon professeur.

Le siège durait depuis six jours quand j'ai vu de près un combattant de l'État islamique pour la première fois. Comme nous n'avions plus ni farine ni eau potable, j'étais allée jusqu'à la maison de Jalo avec Adkee et deux de nos nièces, Rojian et Nisreen, pour voir s'ils n'en avaient pas laissé en partant. Ce n'était qu'à quelques minutes à pied de chez nous, au bout d'une étroite ruelle, et il était rare que des membres de l'État islamique se promènent dans les rues du village. Ils restaient aux abords, occupant les checkpoints pour s'assurer que personne ne cherchait à s'échapper.

Nous n'en étions pas moins terrorisées à l'idée de sortir de chez nous. Franchir le seuil était aussi effrayant que de poser le pied sur une autre planète. Rien à Kocho n'était plus familier ni réconfortant. Autrefois, les ruelles et les rues étaient remplies de gens, d'enfants qui jouaient et de parents qui faisaient leurs courses dans les supérettes de quartier ou à la pharmacie ; mais, à présent, le village était vide et silencieux. « Reste à côté de moi », ai-je chuchoté à Adkee qui, plus courageuse que nous autres, était passée devant. Nous marchions vite, longeant la ruelle en petit groupe. J'avais tellement peur que j'avais des hallucinations. Nos ombres elles-mêmes nous effrayaient.

Ma mère nous avait demandé d'y aller. «Vous n'avez pas besoin des hommes», avait-elle dit, et nous avions accepté. Nous passions notre temps à la maison à regarder la télé ou à pleurer ; nous maigrissions et nous affaiblissions de jour en jour. Mes frères au moins allaient au djevat et, à leur retour, après nous avoir transmis ce qu'avaient dit le mukhtar ou le commandant de l'État islamique, ils composaient des numéros sur leurs téléphones portables, cherchant encore à trouver quelqu'un qui accepterait de nous aider, jusqu'à ce qu'ils s'effondrent de faim et d'épuisement. Mes frères étaient des combattants, comme notre père, et je ne les avais jamais vus aussi désemparés. C'était enfin à mon tour d'être un peu utile.

Aucun plan d'urbanisme n'a présidé à la construction de Kocho, personne n'a dessiné les maisons et les rues pour donner au village une forme cohérente au moment où il a été créé. Quand on possède une terre, on peut y construire ce que l'on veut, où l'on veut, si bien que le village a été bâti au petit bonheur la chance et que s'y promener peut donner le tournis. Les maisons se sont agrandies de façon tellement anarchique qu'elles peuvent sembler vivantes, obligeant les ruelles à les contourner en faisant des zigzags et créant un labyrinthe qui a de quoi dérouter quiconque n'a pas appris par cœur le plan du village. Et, pour cela, il faut passer toute une vie à aller de maison en maison.

Celle de Jalo se trouvait à l'extrémité du village et seul un muret de brique la séparait du monde extérieur à Kocho. Au-delà, le Sinjar quasi désertique s'étendait en direction de Mossoul, devenu la capitale de l'État islamique en Irak. Poussant la grille de métal, nous sommes entrées dans la cuisine. La maison était vide et rangée, rien n'indiquait que Jalo et sa famille étaient partis précipitamment, ce qui ne m'empêchait pas d'être angoissée. Les murs semblaient hantés par leur absence. Nous avons trouvé de la farine, de l'eau et un carton de lait maternisé que nous avons fourrés dans nos sacs aussi vite que possible, sans parler.

En sortant, Rojian a tendu le doigt vers le mur du jardin d'où une brique était tombée, dégageant un trou à peu près à hauteur de notre taille. Aucune de nous n'avait eu le courage d'observer longuement les combattants que nous apercevions depuis notre toit, où nous nous sentions trop exposées. Le mur, en revanche, nous offrait un abri et cette brèche donnait sur un des premiers checkpoints, à la sortie de Kocho. « Vous croyez que Daech est là-bas ? » s'est interrogée Rojian, et elle est sortie dans le jardin, s'accroupissant au pied du mur. Échangeant un regard, nous avons toutes les trois lâché ce que nous portions pour la rejoindre, appuyant nos fronts contre le mur pour mieux voir ce qui s'étendait au-delà.

À environ deux cents mètres, quelques combattants occupaient un checkpoint abandonné par les peshmergas, et par l'armée irakienne avant eux. Ils étaient vêtus d'amples pantalons noirs et de chemises noires, et portaient leurs armes en bandoulière. Nous avons observé leurs mouvements comme s'ils recelaient un code – leurs pieds qui tapaient sur la route sableuse, leurs mains qui bougeaient comme s'ils se parlaient – et chacun de leurs gestes nous faisait frissonner d'effroi.

Quelques minutes plus tôt, nous mourions de peur en envisageant de croiser un combattant pendant notre expédition et, à présent, nous n'arrivions plus à nous détacher de cette vue. Malheureusement, nous n'entendions pas ce qu'ils disaient. Peut-être préparaient-ils quelque chose ; si nous avions pu les entendre, nous aurions peut-être mieux compris ce qui nous attendait, nous aurions glané des informations qui auraient pu aider nos frères à se battre plus efficacement. Peut-être jubilaient-ils à l'idée de prendre le Sinjar. Mais si nous avions surpris ce genre de propos, nous aurions été si furieuses que nous aurions eu du mal à ne pas réagir.

«À votre avis, qu'est-ce qu'ils disent? a chuchoté Rojian.

— Rien de bon, a lancé Adkee en nous ramenant brutalement à la réalité. Venez, il faut rentrer. Nous avons promis à Maman de faire vite.»

Nous avons regagné la maison, encore sous le choc. C'est Nisreen qui a rompu le silence la première : «Ce sont des hommes comme ça qui détiennent Baso. Elle doit avoir tellement peur!»

La ruelle paraissait encore plus étroite, et nous marchions aussi vite que possible, essayant de garder notre calme. Mais quand nous sommes arrivées chez nous et avons raconté à notre mère ce que nous avions vu – qu'ils étaient aussi près de la maison où les enfants de Jalo dormaient encore quelques jours auparavant –, Nisreen et moi n'avons pas pu nous retenir. Nous avons fondu en larmes. Je voulais garder espoir et être forte, mais j'avais besoin que ma mère comprenne combien j'étais terrifiée pour qu'elle me console.

«Ils sont tellement proches! ai-je dit. Nous sommes entre leurs mains. S'ils veulent nous faire du mal, rien ne les en empêche.

— Nous devons attendre et prier, a répondu ma mère. Des secours arriveront peut-être. Ou bien ils ne nous feront rien. Nous nous en sortirons peut-être.» Il ne s'écoulait pas un jour sans qu'elle tienne ce genre de propos.

Nos vêtements étaient gris de poussière et de transpiration, mais nous ne pensions même pas à en changer. Nous ne mangions plus et ne buvions que de petites quantités d'eau tiède contenue dans des bouteilles en plastique qui étaient restées au soleil. L'électricité est tombée en panne et n'a pas été rétablie pendant toute la durée du siège. Nous faisions fonctionner le groupe électrogène juste le temps de recharger nos portables et de regarder la télé quand elle diffusait des reportages sur la guerre avec l'EIIL, c'est-à-dire presque tout le temps. Les titres nous désespéraient : près de quarante enfants avaient succombé à la faim et à la déshydratation au sommet du mont Sinjar, et bien d'autres encore étaient morts pendant la fuite. Bashiqa et Bahzani, deux gros villages yézidis proches de Mossoul, avaient été pris par l'EIIL, mais heureusement la plupart de leurs habitants avaient réussi à se réfugier au Kurdistan irakien. Des milliers de femmes et de filles yézidies de toute la région du Sinjar avaient été enlevées ; on racontait que l'EIIL en faisait des esclaves sexuelles.

Qaraqosh, une ville majoritairement chrétienne de la province de Ninive, était tombée et presque toute sa population s'était réfugiée au Kurdistan irakien, où elle vivait dans des centres commerciaux en construction et sous des tentes dressées dans les jardins des églises. Les Turkmènes chiites de Tal Afar se battaient pour échapper à leur propre siège. L'EIIL était presque arrivé jusqu'à Erbil, mais les Américains avaient arrêté sa progression – pour protéger leur consulat, disait-on, tout en assurant la couverture des Yézidis prisonniers du mont Sinjar en lançant des frappes aériennes. Bagdad était sens dessus dessous. Le président américain, Obama, avait déclaré que le sort infligé aux Yézidis était un «génocide potentiel». Mais personne ne parlait du siège de Kocho.

Nous vivions dans un nouveau monde. La vie à Kocho s'était arrêtée, les habitants demeurant chez eux pour ne pas se faire voir par l'EIIL. Nous trouvions étrange de rester ainsi à l'écart des autres familles du village. Nous étions habitués à recevoir des visites jusqu'à une heure tardive de la soirée, à partager des repas avec des amis et à nous parler d'un toit à l'autre avant de nous endormir. Depuis que l'EIIL encerclait Kocho, nous n'osions même plus échanger tout bas avec la personne allongée à côté de nous. Nous essayions de passer inaperçus, comme si l'EIIL pouvait oublier notre présence.

Nous avions même l'impression de nous protéger en deve-
nant de plus en plus maigres, comme si, en renonçant à nous
alimenter, nous pouvions finir par nous rendre invisibles. Les
gens ne s'aventuraient hors de chez eux que pour aller vérifier comment allaient des proches, chercher des provisions ou
soigner un malade. Et, quand ils sortaient, ils hâtaient le pas
et se dirigeaient toujours vers un abri, comme des insectes
s'efforçant d'échapper au balai.

Une nuit cependant, malgré la présence de l'EIIL, tout le
village s'est réuni pour célébrer Batzmi, une fête religieuse
observée essentiellement par les familles yézidies originaires de
Turquie. Normalement, elle a lieu en décembre, mais Khalaf,
un homme du village dont la famille célèbre cette fête, a jugé
que nous avions grand besoin d'une cérémonie en ces heures
où la peur nous coupait les uns des autres et où le désespoir
nous guettait. À Batzmi, on prie Tawusi Melek, mais, chose
plus importante encore pour nous durant le siège, on évoque
la mémoire des Yézidis forcés de quitter leur terre natale, des
Yézidis comme les ancêtres de Khalaf qui vivaient jadis en
Turquie, avant d'en être chassés par les Ottomans.

Tout Kocho a été invité chez Khalaf, où quatre hommes
réputés pour avoir l'âme pure parce qu'ils n'étaient pas mariés
devaient faire le pain sacré de Batzmi. Nous avons attendu le
coucher du soleil, puis les gens ont commencé à sortir de chez
eux et à se diriger vers la maison de Khalaf. En chemin, nous
nous exhortions réciproquement à éviter d'attirer l'attention.
«Ne faites pas de bruit», chuchotions-nous en traversant les
rues du village. J'étais avec Adkee, et nous étions aussi terrifiées l'une que l'autre. Si l'EIIL nous découvrait, Khalaf, je le
savais, serait puni pour avoir voulu célébrer un rituel d'infidèles, mais j'ignorais ce que les combattants pourraient faire
d'autre. J'espérais qu'il ne serait pas trop tard pour plaider
notre cause devant Dieu.

Il y avait de la lumière chez Khalaf, et les villageois se serraient autour du pain, qu'on laisse gonfler sur un dôme spécial avant qu'il soit béni par le chef de famille. Si le pain reste entier, c'est bon signe. S'il se rompt, un drame risque de frapper la famille. Le pain qui cuisait était nature à cause du siège (normalement, on y met des noix et des raisins secs), mais il était dense et rond, et ne manifestait aucun signe de devoir se briser.

À part le bruit de pleurs étouffés et le crépitement occasionnel du bois dans le four, la maison de Khalaf était silencieuse. L'odeur familière de la fumée se posait sur moi comme une couverture. Je n'ai pas regardé autour de moi pour vérifier si Walaa ou d'autres camarades de classe que je n'avais pas vues depuis le début du siège étaient là. Je voulais me concentrer sur le rituel. Khalaf s'est mis à prier. « Que le Dieu de ce pain sacré prenne mon âme en sacrifice pour tout le village », a-t-il dit, et les pleurs se sont faits plus bruyants. Certains hommes essayaient de calmer leurs femmes ; pourtant, je trouvais que pleurer ici, dans la maison de Khalaf d'où le bruit pouvait parvenir jusqu'aux checkpoints, était une marque de courage, et non de faiblesse.

Après la cérémonie, nous sommes rentrées à la maison en silence, Adkee et moi, franchissant la porte et montant sur le toit où les hommes restés pour garder la maison étaient assis sur leurs matelas, soulagés de nous voir revenir saines et sauves. Les femmes avaient pris l'habitude de dormir toutes d'un côté du toit, les hommes de l'autre. Mes frères passaient leur temps au téléphone, et nous voulions leur épargner nos larmes qui, nous le savions, ne feraient que les démoraliser davantage. Cette nuit-là, j'ai réussi à dormir quelques heures, jusqu'à ce que, peu avant le lever du soleil, ma mère nous réveille en nous secouant doucement. « Il est temps de redescendre », a-t-elle chuchoté, et j'ai emprunté à pas de loup l'échelle rejoignant la cour obscure, priant pour que personne ne nous voie.

Dans ma famille, c'était Hajji, un de mes demi-frères, qui parlait le plus souvent de villageois qui se rebellaient contre l'EIIL. Les combattants répétaient aux hommes réunis au djevat que, si nous ne nous convertissions pas à l'islam, ils nous conduiraient au mont Sinjar, mais Hajji était convaincu qu'ils mentaient. «Tout ce qu'ils veulent, c'est que nous ne nous agitions pas, insistait-il. Ils veulent être sûrs que nous ne riposterons pas. »

De temps en temps, je voyais Hajji discuter à voix basse avec nos voisins par-dessus le mur du jardin et j'avais l'impression qu'ils mijotaient quelque chose. Ils observaient avec attention les convois de l'État islamique qui passaient près du village. «Ils reviennent d'un massacre », remarquerait Hajji, tournant la tête tandis que les véhicules filaient. Il lui arrivait de regarder la télévision toute la nuit, la colère montant en lui jusqu'à ce que le soleil soit déjà haut le lendemain matin.

Hajji n'était pas le seul au village à avoir envie de se révolter. Bien des familles avaient, comme la nôtre, caché des armes et certains envisageaient d'aller les chercher pour donner l'assaut aux checkpoints. Les hommes avaient suivi une formation de combattants et aspiraient à prouver leur courage, mais ils savaient aussi que, quel que fût le nombre de membres de l'État islamique qu'ils réussiraient à tuer avec leurs couteaux ou avec les AK-47 qu'ils avaient enterrés, ils en trouveraient beaucoup d'autres sur la route ; en définitive et quoi qu'ils fassent, beaucoup de villageois mourraient s'ils cherchaient à lutter. Même si nous nous étions tous réunis pour tuer l'ensemble des combattants de l'EIIL positionnés autour du village, nous n'aurions pas su où aller ensuite. Ils contrôlaient toutes les routes qui sortaient de Kocho, ils avaient des voitures et des camions, sans compter les armes qu'ils nous avaient confisquées ou qu'ils avaient prises à l'armée irakienne. Se soulever n'était pas un plan ; c'était une chimère. Mais, pour des hommes comme Hajji, envisager de répliquer était le seul moyen de ne pas devenir fous pendant cette longue attente.

Tous les jours, les hommes du village se retrouvaient au djevat pour essayer d'élaborer un plan. Si nous ne pouvions ni nous enfuir, ni sortir de la nasse en combattant, serait-il possible de ruser avec les terroristes ? Si nous leur disions que nous étions prêts à nous convertir à l'islam, peut-être nous accorderaient-ils un sursis ? Nos hommes ont décidé que ce ne serait que si un combattant touchait ou menaçait une des femmes ou des filles de Kocho que nous chercherions à gagner du temps en feignant de vouloir nous convertir. Mais ce plan n'a jamais été appliqué.

Quand les femmes conspiraient, c'était pour trouver comment cacher les hommes si l'EIIL venait les tuer. Kocho ne manquait pas d'endroits où les terroristes ne penseraient sûrement pas à les chercher : des puits profonds, à peine humides, des caves aux entrées dérobées. Même des balles de foin et des sacs de fourrage pourraient mettre les hommes en sécurité le temps nécessaire pour échapper à la mort. Mais ils refusaient pareille solution. « Il n'est pas question de vous laisser seules avec Daech. Nous préférons encore nous faire massacrer », rétorquaient-ils. C'est ainsi que, tandis que nous attendions de savoir quel sort nous réservait l'EIIL et que nous désespérions de voir venir des secours, je réfléchissais à tout ce qui pouvait arriver à ma famille et à moi-même. Je commençais à penser à la mort.

Avant l'arrivée de l'EIIL, nous n'étions pas habitués à ce que des jeunes meurent, et je n'aimais pas parler de la mort. Cette idée me terrifiait trop. Et puis, au début de 2014, deux jeunes habitants de Kocho sont morts subitement. D'abord, un membre de la police des frontières nommé Ismail s'est fait tuer dans un attentat terroriste alors qu'il travaillait au sud de Kocho dans des régions sous influence d'al-Qaida où l'EIIL prenait déjà racine. Ismail avait à peu près l'âge de Hezni, c'était un garçon tranquille et pieux. Il a été le premier habitant de Kocho tué par l'EIIL et tous les villageois se sont inquiétés pour les membres de leur famille employés par le gouvernement.

Hezni était au commissariat de Sinjar quand on a ramené le corps d'Ismail, si bien que nous avons appris sa mort avant la plupart des villageois, et même avant sa femme et sa famille. C'étaient des gens pauvres, comme nous, et Ismail était entré dans l'armée, à l'image de mes frères, parce qu'ils avaient besoin d'argent. Ce matin-là, j'ai contourné sa maison en allant à l'école. Je ne supportais pas de passer devant chez lui en sachant qu'il était mort alors que sa famille, à l'intérieur, n'en avait pas encore été informée. Lorsque la nouvelle s'est répandue dans le village, les hommes ont tiré en l'air en signe de deuil et toutes les filles de ma classe ont poussé des cris stridents en entendant les coups de feu.

Les Yézidis considèrent comme une faveur de préparer un corps pour l'inhumation, et il arrive qu'ils veillent auprès du défunt pendant de longues heures, jusqu'au lever du soleil. Mon frère Hezni s'est chargé de faire la toilette d'Ismail. Il a lavé le corps, tressé ses cheveux, l'a vêtu de blanc et, quand sa veuve lui a apporté la couverture dans laquelle ils avaient passé leur nuit de noces, Hezni en a enveloppé son mari. Un long cortège de villageois a suivi sa dépouille jusqu'à la limite de la ville, avant qu'elle ne soit chargée sur un camion pour être conduite au cimetière.

Quelques mois plus tard, mon amie Shireen a été tuée accidentellement par son neveu qui jouait avec un fusil de chasse dans leur ferme. J'avais passé la soirée précédente avec elle. Nous avions parlé de nos examens et de ses deux frères, des coquins, qui s'étaient fait arrêter parce qu'ils s'étaient battus. Shireen avait évoqué Ismail. Elle avait fait un rêve la nuit précédant sa mort, m'avait-elle confié. «Dans mon rêve, il se passait quelque chose de vraiment terrible à Kocho. Tout le monde pleurait», m'avait-elle raconté. Et puis, l'air vaguement contrit, elle avait ajouté : «Je pense que c'était à cause de la mort d'Ismail.» Je suis sûre à présent que ce rêve concernait aussi sa propre mort, ou son neveu qui a refusé de sortir de chez eux après l'accident, ou peut-être même l'arrivée de l'EIIL à Kocho.

Ma mère a fait la toilette de Shireen. Les mains de mon amie ont été teintes de brun-rouge au henné, puis nouées légèrement avec une écharpe blanche. Comme elle n'était pas mariée, ses cheveux ont été coiffés en une longue tresse. Si elle avait de l'or, il a été enterré avec elle. «Si l'homme peut être enterré, l'or le peut aussi», disent les Yézidis. Comme Ismail, Shireen a été lavée et vêtue de blanc, et son corps a été porté en tête d'un long cortège de gens en pleurs jusqu'à la sortie du bourg, où un camion l'attendait pour la fin du trajet.

Ces rituels sont importants parce que l'au-delà, selon le yézidisme, est un lieu exigeant où les morts peuvent souffrir autant que les vivants. Ils comptent sur nous pour prendre soin d'eux et se servent des songes pour nous révéler leurs besoins. Souvent, quelqu'un voit en rêve un être cher qui lui dit qu'il a faim ou qu'il porte des vêtements élimés. À son réveil, le dormeur offre de la nourriture ou des vêtements aux pauvres, en échange de quoi Dieu en fait autant pour ses morts dans l'au-delà. Nous considérons que ces bonnes actions sont indispensables à un Yézidi pieux, notamment parce que nous croyons à la réincarnation. Si de votre vivant vous avez été quelqu'un de bien et un Yézidi fidèle, votre âme renaîtra et vous rejoindrez la communauté qui vous pleure. Mais, auparavant, vous devez prouver à Dieu et à ses anges que vous méritez de revenir sur terre pour mener une vie qui sera peut-être encore meilleure que celle que vous avez quittée.

Pendant que nos âmes voyagent dans l'au-delà en attendant d'être réincarnées, notre corps, la chair dont notre âme n'a plus l'usage, connaît un destin beaucoup plus simple. Nous sommes lavés et enterrés, enveloppés d'une étoffe, et l'emplacement de notre tombe est marqué par un cercle de pierres ordinaires. Il doit y avoir très peu de chose qui nous sépare du sol, afin que nous puissions restituer plus facilement notre corps, propre et intact, à la terre d'où nous sommes issus. Il est important que les Yézidis soient inhumés correctement et qu'on prie pour eux. Sans ces rituels, nos âmes risquent de ne jamais renaître. Et nos corps ne pourront jamais retrouver leur demeure.

9

Le 12 août, un commandant de l'État islamique est venu présenter un ultimatum au djevat : nous devions nous convertir et nous intégrer au califat, ou en subir les conséquences. « Nous avons trois jours pour nous décider », nous a annoncé Elias dans la cour de notre maison, les yeux étincelants d'une énergie farouche. « Dans un premier temps, si nous refusons de nous convertir, nous devrons payer une amende, voilà ce qu'ils ont dit. »

J'étais sous la douche quand Elias est venu nous transmettre cette information et je l'ai vu parler à notre mère par une fissure de la porte de la cabine. Ils se sont mis à pleurer. Sans prendre la peine de me rincer les cheveux, j'ai attrapé la première robe qui m'est tombée sous la main, une robe qui appartenait à ma mère et tombait comme une tente autour de mon corps fluet, et j'ai couru rejoindre ma famille dans la cour.

« Et si nous ne payons pas l'amende, que nous arrivera-t-il ? a demandé ma mère.

— Pour le moment, ils continuent à dire qu'ils nous conduiront dans la montagne et s'installeront eux-mêmes à Kocho », a répondu Elias. Son tricot de corps blanc fait à la maison, traditionnel chez les hommes yézidis pratiquants, était gris de crasse et de poussière. Sa voix était posée et il ne pleurait plus, mais je voyais bien qu'il était paniqué. Contrairement aux chrétiens d'Irak, aucun Yézidi du Sinjar n'avait eu le choix entre le paiement d'une amende et la conversion. Elias était convaincu que les combattants mentaient en prétendant nous offrir cette possibilité. Peut-être même se moquaient-ils tout simplement de nous. Il respirait lentement ; il avait dû se contraindre à garder son calme pour éviter de nous affoler, et préparer soigneusement ce qu'il nous dirait en rentrant du djevat. C'était un si bon frère. Mais il n'a pas pu s'empêcher d'ajouter, sans s'adresser à personne en particulier : « Il n'en sortira rien de bon. » Avant de répéter : « Il n'en sortira rien de bon. »

Ma mère n'a pas perdu de temps. « Préparez tous un sac », nous a-t-elle dit en se précipitant à l'intérieur de la maison. Nous avons rassemblé ce que nous pensions pouvoir nous être utile – des vêtements de rechange, des couches, du lait maternisé et nos cartes d'identité irakiennes, celles qui indiquent clairement que nous sommes yézidis. Nous avons ramassé les rares objets précieux que nous possédions. Ma mère a emballé la carte de rationnement distribuée par l'État qu'on lui avait remise à la mort de mon père, et mes frères ont fourré dans leurs sacs des batteries et des chargeurs de rechange pour leurs téléphones portables. Jilan, qui se languissait de Hezni, a pris une de ses chemises – une noire boutonnée sur le devant, à laquelle elle s'était cramponnée pendant tout le siège.

Ouvrant un tiroir dans la chambre que je partageais avec mes sœurs et avec Kathrine, j'en ai sorti le plus précieux de mes biens : un long collier d'argent incrusté de petits cubes de zircon avec un bracelet assorti. Ma mère m'avait acheté ces bijoux dans la ville de Sinjar en 2013, alors qu'un câble attaché à notre tracteur avait lâché pendant que je chargeais du foin dans la remorque. Le câble m'avait frappée au ventre avec la violence d'une ruade et avait bien failli me tuer. Tandis que j'étais à l'hôpital, inconsciente, ma mère avait couru au bazar m'acheter ce cadeau. « Quand tu seras guérie, je t'achèterai des boucles d'oreilles pour aller avec », m'avait-elle chuchoté en me serrant la main. C'était sa manière à elle de me montrer qu'elle était sûre que je m'en sortirais.

J'ai rangé le collier et le bracelet au-dessus de mes vêtements de rechange dans un petit sac noir dont j'ai tiré la fermeture à glissière. Puis ma mère a commencé à ôter les photos des murs. Notre maison était remplie de portraits de famille – Hezni et Jilan à leur mariage, Jalo, Dimal et Adkee assis dans un champ devant Kocho, le mont Sinjar au printemps, avec des couleurs si vives qu'on les aurait crues artificielles. Ces images racontaient notre histoire, depuis le temps où nous avions souffert de la misère dans une petite maison derrière celle de mon père, durant les années de lutte, et jusqu'à notre vie récente, plus heureuse. Des rectangles clairs marquaient désormais leur emplacement sur les murs. « Va chercher les albums, Nadia, m'a dit ma mère en me voyant plantée là. Apporte-les tous dans la cour, près du tandoor. »

J'ai obéi, empilant nos albums de photos dans mes bras et rejoignant la cour où elle était agenouillée devant le four, tendant les mains pour attraper les images que mes frères et sœurs sortaient de leurs cadres et les jeter méthodiquement dans sa gueule ouverte. Ce four trapu était le centre de notre foyer, et le pain, n'importe quel pain, pas seulement le pain de fête que l'on cuit pour Batzmi, est sacré pour les Yézidis. Ma mère en faisait toujours un peu plus pour en donner aux plus pauvres de Kocho, ce qui portait chance à notre famille. Quand nous étions dans le besoin, le pain de ce four nous avait maintenus en vie, et tous les repas dont je garde le souvenir comprenaient une haute pile de miches rondes, plates et cloquées.

À présent, alors que les photos se transformaient en cendres, le tandoor crachait une fumée noire chimique. Il y avait Kathrine bébé à Lalish, baptisée dans la Source Blanche qui prend naissance dans cette vallée et coule sous le vieux temple de pierre. Il y avait mon premier jour d'école, où j'avais pleuré parce que je ne voulais pas quitter ma mère. Il y avait le mariage de Khairy et Mona, les cheveux de la mariée couronnés de fleurs. *Notre passé est en cendres*, ai-je songé. Une par une, les photos ont disparu dans le brasier et, quand elles ont toutes été consumées, ma mère a pris une pile de ses vêtements blancs, tous sauf ceux qu'elle portait sur elle, et les a ajoutés aux flammes qui s'élevaient. « Je ne veux pas qu'ils voient qui nous étions, a-t-elle dit en regardant l'étoffe immaculée se racornir et noircir. Comme ça, au moins, ils ne mettront pas la main dessus. »

Voir ces photos brûler me faisait trop mal. À l'intérieur de la maison, dans la petite chambre que je partageais avec les autres filles, j'ai ouvert la grande armoire. M'assurant que j'étais seule, j'ai sorti mon gros album vert et je l'ai ouvert lentement, contemplant les mariées. À Kocho, les femmes consacraient plusieurs jours à se préparer pour leur mariage, et cela se voyait sur leurs portraits. Des tresses et des boucles compliquées, avec des mèches blondes ou teintes en roux au henné, étaient fixées à la laque sur la tête de la mariée, ses yeux lourdement soulignés de khôl et d'ombre à paupières bleu vif ou rose. Parfois, elles tissaient de petites perles dans leurs cheveux, ou les couronnaient d'un diadème étincelant.

Quand la mariée était prête, elle était présentée aux villageois, qui s'extasiaient, puis tout le monde dansait et buvait jusqu'à ce que le jour se lève et que l'on remarque que les jeunes mariés s'étaient éclipsés, comme le voulait la tradition, pour leur nuit de noces. Dès qu'elles le pouvaient, les amies de la jeune femme lui rendaient visite et se faisaient raconter tout ce qui s'était passé pendant cette première nuit. Elles gloussaient, inspectaient les draps tachés de quelques gouttes de sang révélatrices. Pour moi, les mariages étaient l'essence même de Kocho. Les femmes faisaient de longs essais de maquillage pendant que les hommes arrosaient des parcelles de terre pour qu'on puisse y danser le lendemain sans être couvert de poussière. Nous étions connus dans tout le Sinjar pour les fêtes superbes que nous organisions et même, au dire de certains, pour la beauté exceptionnelle de nos femmes. À mes yeux, chacune des mariées de mon album était une œuvre d'art. Quand j'ouvrirais mon salon, cet album serait la première chose que j'y mettrais.

Je comprenais pourquoi ma mère nous avait demandé de brûler nos photos de famille. J'avais moi aussi la nausée en imaginant que les combattants pourraient les regarder et les toucher. J'imaginais qu'ils se moqueraient de nous, pauvres Yézidis convaincus d'avoir le droit d'être heureux en Irak, de pouvoir aller à l'école, se marier et vivre à jamais dans le pays où ils étaient nés. Cette idée me faisait enrager. Mais, au lieu d'emporter l'album vert dans la cour pour le brûler, je l'ai rangé dans l'armoire, j'ai refermé les portes et, après un moment, j'ai même tourné la clé dans la serrure.

Si ma mère avait su que je cachais cet album, elle m'aurait fait remarquer qu'il n'était pas bien de brûler nos photos pour empêcher l'EIIL de les trouver et de garder celles qui représentaient d'autres gens, et je n'aurais pu que lui donner raison. L'armoire n'était même pas une cachette sûre ; les combattants n'auraient aucun mal à en forcer la serrure et, dès qu'ils l'ouvriraient, l'album serait la première chose qu'ils verraient. Si ma mère avait su ce que j'avais fait et m'avait demandé pourquoi je tenais tant à sauver ces photos, je n'aurais même pas su quoi lui répondre. Je ne sais toujours pas vraiment pourquoi j'y attachais une telle importance. Mais je ne supportais pas l'idée de devoir les détruire simplement parce que nous avions peur des terroristes.

Ce soir-là, alors que nous étions déjà montés sur le toit, Khairy a reçu un appel téléphonique. C'était un ami yézidi resté dans la montagne même après que le PKK avait assuré un passage vers la Syrie en toute sécurité. De nombreux Yézidis avaient préféré ne pas redescendre, malgré des conditions de vie très précaires. Ils se sentaient plus en sécurité s'ils étaient séparés de l'EIIL par un versant escarpé et rocheux, ou alors leur piété leur commandait de choisir la mort plutôt que de quitter le Sinjar, où se trouvent nos temples. Ils ont fini par aménager un vaste camp de réfugiés, s'étirant d'est en ouest à travers tout le plateau, gardé par les soldats liés au PKK, parmi lesquels beaucoup de courageux Yézidis qui avaient défendu le Sinjar aussi longtemps que possible.

« Regarde la lune », a dit cet ami à Khairy. Les Yézidis croient que le soleil et la lune sont sacrés, que ce sont deux des sept anges de Dieu. Cette nuit-là, la lune, brillante et ronde, était de celles qui auraient éclairé notre ferme quand nous travaillions la nuit et nous auraient évité de trébucher en rentrant chez nous. « Nous la prions tous en ce moment même. Dis à ceux de Kocho de se joindre à nous. »

Un par un, Khairy a réveillé ceux d'entre nous qui dormaient déjà. « Regardez la lune », a-t-il dit. Au lieu que nous restions accroupis assez bas pour que les hommes de l'EIIL ne risquent pas de nous apercevoir, il nous a demandé, pour une fois, de nous lever et de prier debout, comme nous l'aurions fait en temps normal.

« Peu importe qu'ils nous voient ! Dieu nous protégera.

— Quelques-uns à la fois seulement », est intervenue ma mère. Par petits groupes, nous nous sommes levés. La lune éclairait nos visages et faisait resplendir la robe blanche de ma mère. J'ai prié avec ma belle-sœur, allongée sur le matelas à côté de moi. J'ai embrassé le petit bracelet de ficelle rouge et blanc que je porte encore à mon poignet et j'ai chuchoté,

simplement : « Ne nous laisse pas tomber entre leurs mains »,
avant de me recoucher en silence sous cette lune immense.

Le lendemain, Ahmed Jasso, toujours partisan d'une solution diplomatique, a invité cinq chefs d'une tribu sunnite
voisine – celle-là même dont les membres avaient enlevé
Dishan – à venir déjeuner au djevat. Les femmes du village
ont préparé un repas de fête pour les chefs de tribu : elles ont
fait cuire du riz, émincé des légumes et rempli des verres en
forme de tulipe d'un bon centimètre de sucre en prévision
du thé qu'ils boiraient après le repas. Les hommes ont abattu
trois moutons pour leurs invités, un immense honneur pour
des chefs de tribu en visite.

Au cours du déjeuner, notre mukhtar a essayé de convaincre
les chefs sunnites de nous aider. De tous nos voisins, cette
tribu était la plus conservatrice sur le plan religieux, et la plus
susceptible d'avoir un peu d'influence sur l'EIIL. « Vous pouvez sûrement leur parler, a observé Ahmed Jasso. Dites-leur
qui nous sommes, et que nous ne leur voulons aucun mal. »

Les chefs ont secoué la tête. « Nous aimerions bien vous aider,
ont-ils répondu à Ahmed Jasso. Mais nous ne pouvons rien
faire. Daech n'écoute personne, pas plus nous que les autres. »

Après le départ des chefs, notre mukhtar était d'humeur
sombre. Naif Jasso, le frère d'Ahmed, l'a appelé depuis Istanbul
où il avait mené sa femme malade à l'hôpital. « Ils vous tueront
vendredi, a-t-il annoncé à son frère.

— Mais non, a protesté notre mukhtar. Ils ont dit qu'ils
nous conduiraient dans la montagne et ils le feront. » Jusqu'au
bout, il n'a cessé d'espérer une solution, bien que personne
à Bagdad ou à Erbil n'ait eu l'intention d'intervenir et que
les autorités de Washington aient expliqué à Haider, l'ami
de Jalo, qu'elles ne pouvaient pas mener de frappes aériennes
sur Kocho parce que le risque de faire des victimes dans la

population civile était trop important. Si les Américains bombardaient les alentours de Kocho, nous risquions, selon eux, de mourir tous, en même temps que les hommes de l'EIIL.

Deux jours plus tard, des combattants de l'État islamique ont traversé Kocho en distribuant de la glace. C'était une attention bienvenue en ces jours caniculaires du mois d'août, alors que nous avions passé près de deux semaines à boire de l'eau qui avait chauffé au soleil. Ahmed Jasso a appelé Naif pour lui raconter ce qui se passait. «Ils jurent qu'il ne nous arrivera rien tant que nous ferons ce qu'ils disent, a-t-il expliqué à son frère. Pourquoi nous distribueraient-ils de la glace s'ils avaient l'intention de nous tuer?»

Naif restait sceptique. Il faisait les cent pas dans la chambre d'hôpital d'Istanbul en attendant que son frère l'appelle pour lui donner les dernières nouvelles. Trois quarts d'heure plus tard, Ahmed a rappelé Naif. «Ils nous ont donné l'ordre de nous rassembler tous dans l'école primaire. De là, ils nous conduiront dans la montagne.

— Non, a répondu Naif à son frère. Ils vous tueront tous.

— Nous sommes trop nombreux pour qu'ils puissent tous nous tuer en même temps! s'est obstiné Ahmed Jasso. C'est impossible.» Et puis, comme nous tous, il a obéi à l'EIIL et a pris le chemin de l'école.

Nous faisions la cuisine quand nous avons appris la nouvelle. Indifférents à tout ce qui n'était pas leur faim, les enfants avaient pleuré pour avoir à manger et, de bonne heure ce matin-là, nous avions tué quelques jeunes poulettes et les avions mises à bouillir pour les petits. Normalement, nous les aurions laissées grandir et aurions attendu qu'elles nous aient donné des œufs pour les manger, mais nous n'avions plus rien d'autre pour nourrir les enfants.

Les poulets cuisaient encore quand ma mère nous a dit de nous préparer pour rejoindre l'école. «Empilez autant de couches de vêtements que vous pouvez, nous a-t-elle conseillé. Ils nous prendront peut-être nos sacs. » Nous avons éteint le gaz sous la marmite d'eau grasse et lui avons obéi. J'ai enfilé quatre pantalons extensibles, une robe, deux chemisiers et une veste rose – tout ce que je pouvais supporter d'avoir sur moi par cette chaleur. J'ai immédiatement senti la sueur ruisseler dans mon dos. « Ne mets rien de trop moulant, rien non plus qui laisse voir la peau, a ajouté ma mère. Débrouille-toi pour avoir l'air d'une jeune fille décente. »

J'ai encore ajouté un foulard blanc dans mon sac, avec deux robes – une des robes de coton de Kathrine et une robe jaune vif dont Dimal avait aidé à faire le patron. Elle l'avait confectionnée avec du tissu acheté dans la ville de Sinjar et l'avait à peine portée. Quand j'étais petite, nous portions nos vêtements jusqu'à ce qu'ils tombent en lambeaux. Maintenant, nous avions assez d'argent pour nous acheter une robe par an, et je ne supportais pas l'idée d'abandonner les plus neuves. Puis, sans réfléchir, j'ai rangé tous mes produits de maquillage dans l'armoire qui contenait déjà l'album de photos de mariées et je l'ai refermée à clé.

Déjà, un flot d'habitants se dirigeait vers l'école à pas lents. Je les voyais par la fenêtre, chargés de sacs. Des bébés laissaient pendre leur tête dans les bras de leurs mères, et les petits enfants traînaient les pieds, épuisés. On avait dû faire asseoir quelques personnes âgées dans des brouettes que l'on poussait ; elles avaient déjà l'air mortes. Il faisait affreusement chaud. La transpiration imprégnait les chemises des hommes et les robes des femmes, tachant leurs dos. Les villageois étaient pâles, amaigris. Je les entendais gémir, mais ne distinguais pas leurs paroles.

Hezni a téléphoné depuis la maison de notre tante. Aussi désemparé que nous, il hurlait comme un fauve qu'il voulait rentrer à Kocho. « S'il vous arrive quelque chose, je veux être là, moi aussi ! » criait-il.

Jilan tremblait en lui parlant, cherchant à le réconforter. Ils avaient récemment décidé d'avoir des enfants, et pensaient réaliser un jour leur rêve d'élever une grande famille. Quand l'EIIL était arrivé dans le Sinjar, ils venaient de finir le toit de leur nouvelle maison de béton. Ma mère nous a demandé d'apprendre par cœur les numéros de portable de Hezni et de Saoud. « Vous aurez peut-être à les appeler », nous a-t-elle dit. Je ne les ai jamais oubliés.

J'ai traversé la maison pour rejoindre la porte latérale. Plus encore que d'ordinaire, chaque pièce me paraissait toute vibrante de souvenirs. Je suis passée dans le salon, où mes frères s'asseyaient durant les longues soirées d'été pour boire du thé fort et sucré avec d'autres hommes du village ; dans la cuisine, où mes sœurs me gâtaient en préparant mon repas préféré, de l'okra et des tomates ; dans ma chambre, où Kathrine et moi enduisions nos cheveux de pleines paumes d'huile d'olive, nous endormant la tête enveloppée d'un film plastique et nous réveillant dans l'odeur poivrée de l'huile tiède. J'ai repensé aux repas que nous prenions dans la cour, toute la famille assise en rond sur un tapis, glissant des bouchées de riz luisantes de beurre entre deux morceaux de pain frais. C'était une maison toute simple où l'on pouvait se sentir à l'étroit. Elias menaçait toujours de partir avec sa famille pour qu'ils aient plus de place, mais il ne l'a jamais fait.

J'entendais nos moutons, blottis dans la cour. Leurs toisons s'épaississaient tandis que leurs corps s'affaiblissaient, faute de nourriture. Je ne supportais pas l'idée qu'ils meurent ou qu'ils soient abattus et mangés par les combattants. Ils étaient tout ce que nous possédions. Je regrette de n'avoir pas pensé à graver dans ma mémoire tous les détails de chez nous, sans exception – les couleurs vives des coussins du salon, les épices qui parfumaient la cuisine, ou même le bruit de l'eau qui gouttait dans la douche –, mais je ne savais pas que je quittais ma maison pour toujours. Je me suis arrêtée dans la cuisine à côté d'une pile de pain. Nous l'avions sorti pour que les enfants le mangent avec leur poulet, mais personne n'y avait touché. J'ai attrapé quelques miches rondes, froides à présent et un peu rassies, et je les ai fourrées dans un sac en plastique pour les emporter. J'ai pensé que c'était une bonne idée. Nous risquions d'avoir faim en attendant de connaître notre sort, ou peut-être cette nourriture sacrée nous protégerait-elle de l'EIIL. «Que le Dieu qui a créé ce pain nous aide», ai-je chuchoté, et j'ai suivi Elias dans la rue.

10

Pour la première fois depuis le 3 août, les rues et les ruelles de Kocho étaient noires de monde, mais tous ces gens n'étaient plus que l'ombre d'eux-mêmes. Personne ne se disait bonjour, personne ne s'embrassait sur les joues ou sur la tête comme d'ordinaire. Personne ne souriait. La puanteur de nos corps, sales et trempés de sueur, me piquait les narines. Les seuls bruits que l'on entendait étaient les gémissements des villageois qui souffraient de la chaleur et les cris des combattants de l'État islamique qui avaient pris position le long de la route et sur les toits, nous surveillant et nous poussant vers l'école. Leurs visages étaient couverts jusqu'aux yeux, qui suivaient notre lent défilé.

Je marchais avec Dimal et Elias. Je ne me cramponnais pas à eux, mais je me sentais moins seule avec ma famille à mes côtés. Tant que j'étais avec elle et que nous allions au même endroit, je savais que, au moins, nous partagerions le même sort, quel qu'il fût. Pourtant, je n'avais jamais rien fait d'aussi difficile que de partir de chez moi, sans autre motif que la peur.

En chemin, nous n'avons pas échangé un mot. Dans la ruelle près de notre maison, un des amis d'Elias, un certain Amr, a couru vers nous, affolé. Il était père de famille. « J'ai oublié le lait maternisé ! a-t-il crié. Il faut que je retourne chez moi. » Il était sur les nerfs, prêt à remonter à toutes jambes cette marée humaine.

Elias a posé la main sur l'épaule d'Amr. « C'est impossible, lui a-t-il dit. Ta maison est trop loin. Va à l'école : tu y trouveras sûrement des gens qui auront du lait. » Amr a hoché la tête et a repris place dans le cortège qui se dirigeait vers l'école.

Nous avons aperçu d'autres combattants aux intersections des ruelles qui débouchaient dans la rue principale. Ils nous observaient, fusils chargés. Leur simple aspect nous terrifiait. Les femmes se sont couvert la tête de leurs foulards, comme si cela pouvait les protéger de leurs regards, et ont baissé les yeux en marchant, contemplant les petits nuages de poussière sèche qui se rassemblaient à chaque pas autour de leurs pieds. Je me suis glissée prestement de l'autre côté d'Elias, pour que mon frère aîné fasse écran entre l'EIIL et moi. Les gens avançaient comme s'ils ne contrôlaient ni leurs mouvements ni leur direction. On aurait dit des corps sans âmes.

Toutes les maisons devant lesquelles nous passions m'étaient familières. La fille du médecin du village habitait sur notre chemin, tout comme deux de mes camarades de classe. L'une d'elles avait été emmenée le 3 août, quand l'EIIL était arrivé dans le Sinjar et que sa famille avait cherché à s'enfuir. Je me suis demandé ce qu'elle était devenue.

Certaines des maisons étaient allongées et faites en briques de terre crue comme la nôtre, alors que d'autres étaient en béton, comme celle de Hezni. La plupart étaient blanchies à la chaux ou restaient grises, mais certaines étaient peintes de couleurs vives et décorées de motifs de céramique compliqués. Il avait fallu toute une vie, voire deux, pour payer et construire de telles maisons et leurs propriétaires prévoyaient que leurs enfants et petits-enfants y vivraient encore longtemps après leur mort, avant de la laisser eux-mêmes à leurs enfants et à leurs petits-enfants. Les maisons de Kocho étaient toujours pleines de monde, bruyantes, surpeuplées et joyeuses. Désormais vides et tristes, elles nous regardaient passer. Le bétail, indifférent, broutait dans les cours tandis que les chiens de berger aboyaient vainement derrière les grilles.

Près de nous, un couple âgé qui avait du mal à marcher s'est arrêté au bord de la rue pour se reposer. Immédiatement, un combattant les a houspillés : «Avancez ! Ne vous arrêtez pas !», mais l'homme paraissait trop épuisé pour lui obéir. Il s'est laissé tomber sous un arbre, son corps émacié tenant exactement dans la petite tache d'ombre. «Je n'arriverai pas jusqu'à la montagne», a-t-il dit à sa femme qui le suppliait de se relever. «Laisse-moi ici à l'ombre. Je préfère mourir ici.

— Non, non, il faut que tu continues.» Sa femme l'a soulevé par l'aisselle, et il s'est appuyé sur elle pour reprendre sa route, le corps de son épouse lui servant de béquille. «Nous sommes presque arrivés.»

L'image de ce vieux couple se dirigeant lentement vers l'école m'a inspiré une telle colère que, soudain, toute ma peur s'est évanouie. Me dégageant de la foule, j'ai couru vers une maison sur le toit de laquelle un combattant montait la garde et, rejetant la tête en arrière, j'ai craché vers lui de toutes mes forces. Dans la culture yézidie, cracher est un geste inacceptable et, dans ma famille, c'était l'une des pires choses que l'on pouvait faire. Bien que j'aie été trop loin pour que mon crachat touche le combattant, je voulais qu'il sache à quel point je le haïssais.

«Salope !» Il s'est balancé sur ses talons et s'est mis à crier dans ma direction. Il semblait prêt à sauter du toit pour m'attraper. «On est là pour vous aider !»

J'ai senti sur mon coude la main d'Elias, qui me reconduisait au milieu de la foule.

«Ne t'arrête pas, a dit Dimal dans un chuchotement sonore et terrifié. Pourquoi est-ce que tu as fait ça? Ils vont nous tuer.» Mon frère et ma sœur étaient furieux, et Elias m'a tenue solidement contre lui, cherchant à me dissimuler au combattant qui hurlait toujours.

«Je suis désolée», ai-je murmuré, mais je mentais. Tout ce que je regrettais, c'était que le combattant ait été trop loin pour que je puisse lui cracher au visage.

Au loin, nous distinguions la montagne. Longue, étroite et aride au cœur de l'été, c'était notre seule source d'espoir. La simple existence du mont Sinjar me paraissait divine. Tout le district du Sinjar était plat et avait tout d'un désert pendant la majeure partie de l'année, mais en son centre se dressait la montagne, avec ses steppes défrichées par l'homme où verdoyaient les champs de tabac, ses plateaux parfaits pour les pique-niques et des sommets assez élevés pour s'enfoncer dans les nuages et se recouvrir de neige en hiver. Tout en haut, perché au bord d'une falaise escarpée, un petit temple blanc émerge des nuages. Si nous arrivions jusque-là, nous pourrions y célébrer notre culte, nous cacher dans les villages de montagne, et peut-être même mener paître nos moutons. Malgré ma peur, j'étais encore convaincue qu'on nous conduirait sur le mont Sinjar. Il me semblait que cette montagne n'existait en Irak que pour aider les Yézidis. Je ne lui voyais pas d'autre but.

Il y avait tant de choses que j'ignorais en ce jour où je me dirigeais vers l'école avec le reste du village. J'ignorais que Lalish avait été évacué de tous ses habitants, à l'exception des plus éminents de nos prêtres, et était gardé par les serviteurs du temple, des hommes et des garçons qui venaient récurer les sols et allumer les lampes à huile d'olive. Ils défendaient à présent le temple avec toutes les armes qu'ils pouvaient trouver. J'ignorais que, à Istanbul, Naif Jasso appelait comme un fou des amis arabes pour essayer de savoir ce qui se passait tandis que, en Amérique, des Yézidis suppliaient encore les autorités de Washington et de Bagdad d'intervenir. Dans le monde entier, des gens cherchaient à nous aider, vainement.

J'ignorais aussi que, à deux cent cinquante kilomètres de là, à Zakho, Hezni apprendrait ce qui se passait à Kocho et en perdrait la tête, sortant en courant de la maison de notre tante pour rejoindre un puits où les membres de notre famille devraient le retenir pour l'empêcher de se noyer. Mon frère composerait le numéro d'Elias encore et encore pendant deux jours, le laissant sonner et sonner, jusqu'à ce que la sonnerie elle-même s'interrompe.

J'ignorais à quel point l'EIIL nous détestait et ce qu'il était capable de faire. Malgré notre terreur, je crois qu'aucun de ceux qui se sont dirigés vers l'école ce jour-là n'aurait pu prédire avec quelle cruauté nous serions traités. Et pourtant, pendant que nous marchions, le génocide avait déjà commencé. À proximité d'un de nos villages, au nord du Sinjar, une Yézidie habitait une petite masure de briques de terre près de la grand-route. Elle n'était pas très âgée, mais on aurait cru qu'elle vivait depuis des siècles parce qu'elle avait passé l'essentiel de sa vie d'adulte dans la peine. Sa peau était translucide, car elle sortait rarement, et de profondes rides entouraient ses yeux, voilés par des années de larmes.

Vingt-cinq ans plus tôt, tous ses fils ainsi que son mari étaient morts en combattant lors de la première guerre Iran-Irak. Après cela, elle avait renoncé à sa vie passée. Elle avait quitté sa maison pour s'installer dans cette cabane où, pendant longtemps, elle n'avait laissé personne entrer. Tous les jours, un villageois s'arrêtait devant chez elle pour déposer de la nourriture ou des vêtements. Personne ne pouvait l'approcher, mais, visiblement, elle mangeait ce qu'on lui laissait parce qu'elle restait en vie ; les vêtements disparaissaient aussi. Elle était seule, isolée, et consacrait chacun de ses instants à penser à la famille qu'elle avait perdue. Mais, au moins, elle était en vie. Quand l'EIIL est arrivé au Sinjar et l'a trouvée à proximité du village, refusant de partir, ses hommes sont entrés dans sa chambre et l'ont brûlée vive.

Deuxième partie

1

Je n'avais pas eu conscience que mon village était aussi petit avant d'avoir constaté que tout Kocho tenait dans la cour de l'école. Nous étions tous regroupés sur l'herbe sèche. Certains chuchotaient entre eux, se demandant ce qui se passait. D'autres se taisaient, en état de choc. Personne n'avait encore compris de quoi il retournait. Dès cet instant, chacune de mes pensées, chacun de mes pas a été un appel à Dieu. Les combattants tenaient leurs fusils braqués sur nous. «Les femmes et les enfants, à l'étage! ont-ils crié. Les hommes, vous restez ici.»

Ils cherchaient encore à éviter de nous affoler. «Si vous refusez de vous convertir, nous vous laisserons partir dans la montagne», ont-ils répété. Alors nous sommes montés à l'étage comme ils nous l'avaient ordonné, prenant à peine le temps de dire au revoir aux hommes restés dans la cour. Je crois que si nous avions su ce qui allait leur arriver, aucune mère n'aurait accepté de quitter son fils ou son mari.

En haut, les femmes se sont rassemblées par petits groupes dans la salle commune. Je ne reconnaissais plus l'école où j'avais passé tant d'années à apprendre et à me faire des amies. Des pleurs résonnaient de toutes parts, mais, dès que quelqu'un criait ou demandait ce que nous allions devenir, un combattant de l'État islamique nous hurlait de nous taire, et la pièce retombait dans un silence angoissé. Tout le monde, sauf les très âgées et les plus jeunes, était debout. Il faisait très chaud, et nous avions du mal à respirer.

Une rangée de fenêtres à barreaux était ouverte pour laisser passer un peu d'air et la vue donnait au-delà des murs de l'école. Nous nous sommes précipitées pour essayer de voir ce qui se passait au-dehors ; je me suis haussée sur la pointe des pieds pour parvenir à distinguer quelque chose derrière les autres femmes. Aucune ne regardait en direction de la ville ; elles cherchaient toutes à repérer un fils, un frère ou un mari dans la foule qui attendait en bas, inquiètes pour eux. Certains hommes étaient assis tristement dans le jardin, et ils nous faisaient pitié. Ils avaient l'air si désespérés. Quand une colonne de camions est arrivée devant la grille de l'école, s'arrêtant n'importe comment, sans même éteindre leurs moteurs, nous nous sommes affolées, mais les combattants nous ont ordonné de nous taire, nous empêchant de crier les noms des hommes ou de hurler comme nous en avions envie.

Quelques combattants ont commencé à faire le tour de la salle avec de grands sacs dans lesquels nous avons dû déposer nos téléphones portables, nos bijoux et notre argent. La plupart des femmes ont fouillé dans les bagages qu'elles avaient emportés de chez elles, laissant tomber les objets demandés dans les sacs béants, terrifiées. Nous avons dissimulé ce que nous pouvions. J'ai vu des femmes sortir leurs cartes d'identité de leurs bagages et retirer leurs boucles d'oreilles, les glissant sous leurs robes et dans leurs soutiens-gorge. D'autres les ont enfoncées au fond de leurs sacs pendant que les combattants avaient les yeux ailleurs. Quant à moi, j'avais fourré mon collier, mon bracelet et mes papiers à l'intérieur de serviettes hygiéniques, dont j'avais écarté le bord avant de les remettre dans leur emballage. Nous avions peur, mais nous n'étions pas encore résignées. Nous supposions que, même s'ils nous conduisaient dans la montagne, ils voudraient nous dévaliser avant, et il y avait certains objets dont nous refusions de nous séparer.

Les combattants ont tout de même rempli trois grands sacs avec notre argent et nos téléphones, nos alliances et nos montres, les cartes d'identité et les cartes de rationnement délivrées par l'État. Ils sont allés jusqu'à fouiller les petits enfants à la recherche d'objets précieux. Un combattant a pointé son fusil vers une jeune fille qui portait des boucles d'oreilles. «Retire-les et mets-les dans le sac», lui a-t-il ordonné. Comme elle ne bougeait pas, sa mère a chuchoté : «Donne-les au monsieur pour que nous puissions aller dans la montagne.» Alors la fille a retiré ses boucles et les a mises dans le sac ouvert. Ma mère a donné sa propre alliance, son bien le plus précieux.

Par la fenêtre, j'ai vu un homme d'une petite trentaine d'années assis dans la poussière sèche contre le mur du jardin, à côté d'un arbre frêle, squelettique. J'ai reconnu un habitant du village, bien sûr – je les connaissais tous –, et je savais que, comme tous les hommes yézidis, il tirait vanité de son courage et se considérait comme un guerrier. Il n'avait pas l'allure d'un homme prêt à abandonner facilement la lutte. Pourtant, quand un combattant s'est approché de lui et a désigné son poignet, l'homme n'a rien dit et n'a pas cherché à résister. Il a tendu le bras et détourné les yeux pendant que le combattant lui retirait sa montre et la jetait dans son sac avant de lâcher la main de l'homme, qui est retombée mollement à son côté. En cet instant, j'ai pris la mesure du danger que représentait l'EIIL. Il avait poussé nos hommes au désespoir.

«Donne-leur tes bijoux, Nadia», m'a ordonné ma mère calmement. Je l'avais retrouvée dans un angle avec plusieurs de nos proches, qui se cramponnaient les unes aux autres, pétrifiées.

« S'ils les trouvent dans tes affaires, ils te tueront, c'est sûr.

— Je ne peux pas », ai-je chuchoté. J'étais accrochée au sac où mes objets précieux étaient cachés dans les serviettes hygiéniques. J'avais même poussé le pain tout au fond, craignant que les combattants ne m'obligent à le leur donner.

« Nadia ! » Ma mère a fait mine de protester, mais elle s'est reprise immédiatement. Elle ne voulait surtout pas attirer l'attention sur nous.

En bas, Ahmed Jasso était au téléphone avec son frère Naif, qui se trouvait toujours à l'hôpital d'Istanbul avec sa femme. Plus tard, Naif a parlé à Hezni de ces appels terrifiants. « Ils prennent tout ce que nous avons de précieux, a annoncé Ahmed à son frère. Puis ils nous conduiront dans la montagne, c'est ce qu'ils nous ont dit. Il y a déjà des camions devant la grille.

— Peut-être, Ahmed, peut-être », a répondu Naif. *Si c'est notre dernière conversation téléphonique*, a-t-il pensé, *autant qu'elle soit la plus heureuse possible*. Mais, après avoir parlé à Ahmed, Naif a pris contact avec un ami arabe qui vivait dans un village voisin. « Si tu entends des coups de feu, appelle-moi », lui a-t-il demandé, puis il a raccroché et attendu.

Enfin, les combattants ont réclamé le téléphone de notre mukhtar. Ils se sont adressés à lui : « Tu représentes le village. Qu'avez-vous décidé ? Acceptez-vous de vous convertir ? »

Ahmed Jasso avait passé sa vie au service de Kocho. Dès qu'il y avait une querelle entre villageois, il convoquait les hommes au djevat pour la régler. En cas de tensions entre un village voisin et nous, c'était lui qui essayait de calmer les esprits. Sa famille faisait la fierté de Kocho et nous avions confiance en lui. Et voilà qu'il devait décider du sort de tout le village.

« Conduisez-nous dans la montagne », a-t-il répondu.

Un brouhaha nous est parvenu par les fenêtres ouvertes, et j'ai joué des coudes pour m'en approcher. Dehors, les combattants avaient fait monter les hommes dans les camions parqués devant l'école ; ils les poussaient pour les mettre en rang avant d'en entasser autant qu'ils pouvaient dans chaque véhicule. Les femmes observaient la scène en chuchotant, de peur que, si elles élevaient la voix, un combattant ne ferme la fenêtre, les empêchant de voir ce qui se passait. Des garçons, dont certains n'avaient que treize ans, étaient chargés dans les camions avec les hommes. Ils avaient tous l'air désespérés.

J'ai parcouru du regard les camions et le jardin, à la recherche de mes frères. J'ai aperçu Massoud debout dans le deuxième, regardant droit devant lui avec les autres, évitant de se retourner vers le village ou de lever les yeux vers la fenêtre où nous nous bousculions. Son jumeau, Saoud, était en sécurité au Kurdistan, et Massoud avait à peine prononcé dix mots pendant tout le siège. Il avait toujours été le plus stoïque de mes frères. Il appréciait le calme et la solitude, et son travail de mécanicien lui convenait. Un de ses meilleurs amis avait été tué quand sa famille et lui avaient cherché à fuir Kocho pour la montagne, mais Massoud ne parlait jamais de lui ni de Saoud, pas plus que des autres. Il avait passé la durée du siège à regarder des reportages diffusés à la télévision depuis le mont Sinjar, comme nous tous, et, la nuit, il montait dormir sur le toit. Mais il ne mangeait pas, il ne parlait pas, et à la différence de Hezni et de Khairy, qui avaient toujours été plus sentimentaux, il ne pleurait jamais.

Puis j'ai reconnu Elias, qui se dirigeait lentement, en rang, vers le même camion. Celui qui avait été un père pour nous après la mort du nôtre paraissait complètement défait. Jetant un coup d'œil aux femmes qui m'entouraient, j'ai constaté avec soulagement que Kathrine n'était pas à la fenêtre ; je ne voulais pas qu'elle le voie dans cet état. Je ne parvenais pas à me détourner de ce spectacle. Tout ce qui m'entourait s'est estompé. Le bruit des femmes qui pleuraient, les pas lourds des combattants, le soleil brutal de l'après-midi, et même la chaleur ont semblé disparaître pendant que je voyais mes frères dans les camions, Massoud dans un angle, Elias à l'arrière. Puis les portes se sont refermées, et les véhicules se sont éloignés derrière l'école. Quelques instants plus tard, nous avons entendu des coups de feu.

Je me suis écartée brusquement de la fenêtre tandis que des cris éclataient à travers toute la pièce. « Ils les ont tués ! » hurlaient les femmes pendant que les combattants nous ordonnaient de nous taire. Ma mère était maintenant assise par terre, immobile et silencieuse, et j'ai couru vers elle. Toute ma vie, chaque fois que j'avais eu peur, je m'étais réfugiée auprès d'elle pour qu'elle me rassure. « Ça va, Nadia », me disait-elle en me caressant les cheveux quand j'avais fait un cauchemar ou que j'étais bouleversée parce que je m'étais disputée avec un de mes frères et sœurs. « Ça va aller. » Et je la croyais. Ma mère avait survécu à tant de difficultés et ne se plaignait jamais.

À présent, elle était assise par terre, la tête entre les mains. « Ils ont tué mes fils », sanglotait-elle.

« Taisez-vous immédiatement, a ordonné un combattant en arpentant la pièce. Si nous entendons encore le moindre bruit, nous vous tuerons. » Les sanglots se sont transformés en reniflements étouffés, les femmes cherchant désespérément à retenir leurs larmes. J'ai prié pour que ma mère n'ait pas vu, contrairement à moi, ses fils chargés dans les camions.

L'ami arabe de Naif lui a téléphoné depuis son village. « J'ai entendu des tirs », lui a-t-il dit. Il pleurait. Un moment plus tard, il a aperçu une silhouette d'homme au loin. « Quelqu'un court vers notre village, a-t-il annoncé au frère de notre mukhtar. C'est ton cousin. »

Quand le cousin de Naif est arrivé au village, il s'est effondré, hors d'haleine. «Ils les ont tous tués, a-t-il haleté. Ils nous ont fait mettre en rang et nous ont obligés à descendre dans les fossés (des tranchées peu profondes qui, pendant les mois humides, retenaient l'eau de pluie destinée à l'irrigation). Ils ont ordonné à ceux qui paraissaient les plus jeunes de lever les bras pour vérifier s'ils avaient des poils, et ceux qui n'en avaient pas ont été reconduits aux camions. Ils ont abattu tous les autres.» Presque tous les hommes ont été tués sur place, leurs corps tombant les uns sur les autres comme des arbres foudroyés, tous en même temps.

Ce jour-là, des centaines d'hommes ont été conduits derrière l'école et un tout petit nombre seulement a réchappé au peloton d'exécution. Mon frère Saeed a été touché à la jambe et à l'épaule, et, après être tombé, il a fermé les yeux ; il a cherché à calmer les battements de son cœur et à retenir son souffle. Un corps est tombé sur lui. C'était celui d'un homme grand et lourd, encore plus dense mort que vivant, et Saeed s'est mordu la langue pour ne pas gémir sous ce poids écrasant. *Au moins, il me cachera aux combattants*, a-t-il pensé, et il a fermé les yeux. Une odeur de sang avait envahi le fossé. À côté de lui, un autre homme gémissait et pleurait de douleur, appelant à l'aide. Saeed a entendu les pas de combattants qui s'approchaient de lui. L'un d'eux a dit : «Ce chien est encore vivant», avant de tirer une nouvelle rafale assourdissante.

Une des balles a touché Saeed au cou et il a dû mobiliser toute son énergie pour ne pas crier. Il a attendu d'avoir l'impression que les combattants s'étaient suffisamment éloignés – ils se déplaçaient le long de la tranchée contenant plusieurs centaines d'hommes – pour lever la main vers son cou et essayer d'étancher le sang. Près de lui, un professeur qui s'appelait Ali était lui aussi blessé, mais vivant. Il a chuchoté à Saeed : «Il y a une remise près d'ici. Je pense qu'ils sont assez loin pour que nous puissions la rejoindre sans qu'ils nous voient. » Mon frère a hoché la tête, en faisant une grimace de douleur.

Quelques minutes plus tard, Saeed et Ali se sont dégagés des corps de leurs voisins et se sont hissés précautionneusement hors du fossé, regardant à gauche et à droite pour s'assurer qu'il n'y avait pas de combattants à proximité. Puis ils se sont précipités vers la remise. Mon frère avait reçu six balles, la plupart dans les jambes ; il avait de la chance qu'aucune n'ait touché ses os ou des organes vitaux. Ali était blessé au dos et, bien qu'il ait été capable de marcher, la peur et la perte de sang le faisaient délirer. « J'ai laissé mes lunettes là-bas, n'arrêtait-il pas de dire à Saeed. Je n'y vois rien sans elles. Il faut qu'on retourne les chercher.

— Non, Ali, mon ami, c'est impossible, protestait Saeed. Ils nous tueront.

— D'accord », soupirait Ali en s'adossant au mur de la remise. Et, un instant plus tard, il se retournait vers Saeed en gémissant : « Mon ami, je n'y vois rien. » Et ainsi de suite pendant tout le temps qu'ils ont passé là, Ali le suppliant de retourner chercher ses lunettes, et Saeed lui répondant gentiment que c'était impossible.

Détachant de la terre du sol de la remise, mon frère l'a étalée sur leurs plaies pour stopper l'hémorragie. Il avait peur que la perte de sang ne les tue. Tout étourdi et tremblant encore de peur, il était à l'affût des bruits en provenance de l'école et du champ qui s'étendait derrière eux, s'interrogeant sur le sort réservé aux femmes et se demandant si l'EIIL avait commencé à enterrer les corps des hommes. À cet instant, un bruit évoquant celui d'un bulldozer est passé près de l'école et il s'est dit qu'ils avaient entrepris de combler le fossé de terre.

Khaled, mon demi-frère, avait été conduit à l'autre bout du village, où les hommes étaient également alignés et abattus.

Comme Saeed, il a survécu en faisant semblant d'être mort, puis en prenant ses jambes à son cou. Son bras pendait, inerte, à son côté, une balle lui ayant fracturé le coude, mais au moins ses jambes étaient intactes, et il courait aussi vite qu'il pouvait. En le voyant passer, un homme allongé a gémi, réclamant de l'aide. « Ma voiture est garée au village, a-t-il dit à Khaled. Je suis blessé et je ne peux pas bouger. Je t'en prie, va prendre ma voiture et viens me chercher. Nous irons dans la montagne. S'il te plaît. »

Khaled s'est arrêté pour le regarder. Ses jambes avaient été fracassées par les balles. Il était hors de question de le déplacer sans attirer l'attention sur eux deux, et le blessé mourrait s'il n'était pas emmené à l'hôpital. Khaled aurait bien voulu lui promettre qu'il allait revenir, mais il n'a pas pu se résoudre à lui mentir. Alors il l'a simplement dévisagé un instant. « Je suis navré », a-t-il dit, avant de repartir en courant.

Des combattants de l'EIIL ont tiré sur Khaled depuis le toit de l'école quand il est passé, et il a vu trois hommes de Kocho sortir du fossé en direction de la montagne, suivis de près par un camion de l'État islamique. Quand les combattants qui étaient sur la plate-forme du camion ont commencé à tirer, Khaled s'est jeté entre deux des balles de foin éparpillées près d'une ferme et y est resté jusqu'au coucher du soleil, tremblant et souffrant tellement qu'il était au bord de l'évanouissement, priant constamment pour qu'une bourrasque ne déplace pas les balles, révélant sa présence. Puis, à la nuit tombée, il a traversé tout seul les champs en direction du mont Sinjar.

Saeed et Ali sont restés dans la remise jusqu'au coucher du soleil. Tout en attendant, Saeed surveillait l'école par une petite fenêtre. « Qu'est-ce qu'ils font des femmes et des enfants ? Est-ce que tu vois quelque chose ? lui a demandé Ali depuis le coin où il était assis.

— Pas encore, a répondu mon frère. Pour le moment, il ne se passe rien. »

Quand il a fait presque nuit, les camions sont revenus au village et se sont rangés devant l'entrée de l'école pendant que les femmes et les enfants sortaient du bâtiment, des combattants les poussant vers les camions. Saeed a tendu le cou, essayant de nous distinguer au milieu de la foule. Quand il a reconnu le foulard de Dimal qui se déplaçait avec les autres vers un des véhicules, il s'est mis à pleurer.

« Que se passe-t-il ? » a demandé Ali.

Saeed n'en savait rien. « Ils font monter les femmes dans les camions maintenant, a-t-il dit. Je ne sais pas pourquoi. » Quand ils ont été pleins, les camions ont démarré.

Saeed a chuchoté pour lui-même : « Si je m'en sors, je jure devant Dieu que je deviendrai un combattant et que je sauverai mes sœurs et ma mère. » Et, quand le soleil a été complètement couché, Ali et lui se sont mis en route en direction de la montagne, marchant aussi vite que leurs blessures le leur permettaient.

2

Depuis l'école, nous avons entendu les coups de feu tirés contre les hommes. Les rafales ont duré une heure. Certaines femmes, restées près de la fenêtre, ont dit que des nuages de poussière s'élevaient derrière l'école. Quand le silence est revenu, les combattants ont commencé à s'intéresser à nous. De toute la population de Kocho, il ne restait que les femmes et les enfants. Nous étions paniqués, mais essayions de ne pas faire de bruit, pour ne pas susciter la colère de ceux qui nous surveillaient. « La maison de mon père est en ruine », a chuchoté ma mère, toujours assise au même endroit. C'est une expression que nous n'employons que dans les moments les plus désespérés ; elle signifie que nous avons tout perdu. Ma mère avait l'air complètement désemparée. Peut-être avait-elle tout de même vu Elias et Massoud monter dans les camions, ai-je pensé.

Un combattant nous a ordonné de descendre, et nous l'avons suivi au rez-de-chaussée. Les seuls hommes qui s'y trouvaient étaient des membres de l'État islamique. Un garçon de douze ans qui s'appelait Nuri et qui était un peu grand pour son âge avait été conduit au bord du fossé avec Amin, son grand frère. Amin avait été tué avec tous les hommes, mais Nuri avait été reconduit à l'école parce que, lorsque les combattants lui avaient fait lever les bras, ils avaient constaté que ses aisselles étaient glabres. «C'est encore un enfant, ramenez-le», avait ordonné le commandant. À son retour à l'école, le garçon a été entouré par des tantes inquiètes.

Dans l'escalier, j'ai vu Kathrine se baisser et ramasser un rouleau de dollars américains – plusieurs centaines, apparemment – qui avait dû tomber d'un sac. Elle avait les yeux rivés sur sa main, serrée autour des billets. «Garde-les, lui ai-je chuchoté. Cache-les. Nous leur avons déjà donné tout le reste.»

Mais l'idée de conserver cet argent effrayait Kathrine et elle pensait que, si les combattants se rendaient compte qu'elle était prête à collaborer, ils auraient pitié d'elle et de sa famille. «Peut-être que, si je leur donne cet argent, ils ne nous feront rien», a-t-elle dit, et elle a tendu le rouleau au premier combattant qu'elle a vu. Il l'a pris sans un mot.

Quand nous avons constaté que les camions étaient revenus devant la grille de l'école, nous avons cessé de pleurer sur les hommes du village et avons commencé à sangloter en songeant à notre propre sort. Les combattants ont entrepris de nous répartir en groupes, mais la pagaille était générale. Personne ne voulait quitter sa sœur ou sa mère, et nous demandions inlassablement: «Qu'avez-vous fait de nos hommes? Où nous emmenez-vous?» Les combattants nous ignoraient, nous tirant par le bras pour nous faire monter sur le plateau des camions.

J'ai eu beau essayer de m'accrocher à Kathrine, on nous a séparées. Dimal et moi avons été chargées avec seize ou dix-sept autres filles sur le premier camion, un pick-up rouge à plateau ouvert comme ceux où j'adorais rouler. Je ne sais trop comment, d'autres filles se sont faufilées entre ma sœur et moi, et, alors que je restais à l'arrière, Dimal a été poussée dans un angle à l'avant où elle s'est assise, serrée contre d'autres femmes et enfants, les yeux fixés sur le sol. Nous avons démarré avant que j'aie pu voir ce qui arrivait aux autres.

Le chauffeur s'est éloigné rapidement de Kocho, roulant à vive allure sur la route étroite et criblée de nids-de-poule. Il conduisait comme s'il était en colère et pressé, et chaque embardée nous projetait les unes contre les autres ou contre les rambardes de métal si brutalement que j'ai cru que mon dos allait se rompre. Une demi-heure plus tard, nous avons toutes poussé un soupir de soulagement quand il a ralenti en atteignant les faubourgs de Sinjar.

Alors que la ville ne contenait plus que des musulmans sunnites, j'ai constaté avec étonnement que la vie poursuivait son cours normalement. Les femmes allaient au marché, pendant que leurs maris fumaient des cigarettes dans les maisons de thé. Des chauffeurs de taxi parcouraient du regard les trottoirs en quête de clients, et les paysans menaient leurs moutons vers les pâturages. Devant et derrière nous, des véhicules civils roulaient pare-choc contre pare-choc, leurs conducteurs jetant à peine un œil à ces camions remplis de femmes et d'enfants. Nous ne pouvions pas avoir l'air de passagères ordinaires, écrasées comme nous l'étions à l'arrière des véhicules, en larmes et cramponnées les unes aux autres. Mais alors, pourquoi personne ne cherchait-il à nous aider ?

J'essayais de garder espoir. L'aspect familier de la ville me réconfortait. Je reconnaissais certaines rues, bordées d'épiceries bondées et de restaurants qui vendaient des sandwiches odorants, je voyais les entrées de garages maculées d'huile et les étals couverts de monceaux de fruits et de légumes multicolores. Peut-être, après tout, nous conduisait-on tout de même dans la montagne. Peut-être les combattants n'avaient-ils pas menti ; peut-être leur seule intention était-elle de se débarrasser de nous en nous déposant au pied du mont Sinjar et en nous laissant fuir vers le sommet et vers les conditions de vie précaires qui nous y attendaient. Ils pouvaient estimer que ce sort n'était pas plus enviable qu'une condamnation à mort. Je l'espérais. Nos maisons étaient déjà occupées et nos hommes probablement morts, mais au moins, dans la montagne, nous rejoindrions d'autres Yézidis. Nous retrouverions Hezni et pourrions commencer à pleurer ceux que nous avions perdus. Et, après un certain temps, nous pourrions essayer de rassembler les vestiges de notre communauté.

J'apercevais au loin les contours de la haute montagne au sommet plat, exhortant mentalement notre chauffeur à poursuivre sa route droit devant lui. Mais le camion a obliqué vers l'est, s'éloignant du mont Sinjar. Je n'ai rien dit, et pourtant le vent qui soufflait à travers les grilles du camion faisait tant de bruit que j'aurais pu hurler sans que personne s'en aperçoive.

À l'instant même où j'ai compris qu'on ne nous conduisait pas dans la montagne, j'ai fouillé dans mon sac, cherchant le pain que j'avais emporté. J'étais furieuse. Pourquoi personne ne nous avait-il aidés? Qu'était-il arrivé à mes frères? Le pain était dur et rassis, couvert de poussière et de peluches. Il aurait dû nous protéger, ma famille et moi, et il ne l'avait pas fait. Alors que la ville de Sinjar reculait derrière nous, j'ai sorti le pain de mon sac et je l'ai jeté par-dessus bord, le regardant rebondir sur la route avant d'atterrir dans un tas de détritus.

Nous sommes arrivés à Solagh peu avant le coucher du soleil et nous sommes arrêtés devant l'institut de Solagh, une école située en bordure de la ville. Le grand bâtiment était silencieux et sombre. Nous avons été parmi les premières à descendre des camions, Dimal et moi, et nous nous sommes assises dans la cour, épuisées, regardant les femmes et les enfants quitter en trébuchant les autres véhicules au fur et à mesure qu'ils s'immobilisaient. D'autres membres de notre famille ont franchi les grilles et se sont dirigés vers nous, hébétés. Nisreen pleurait sans pouvoir s'arrêter. «Attends, lui ai-je dit. Nous ne savons même pas ce qui va se passer.»

Solagh était célèbre à Kocho pour ses balais et, une fois l'an, ma mère ou quelqu'un d'autre de la famille s'y rendait pour en acheter un neuf. Je n'y étais allée qu'une fois, peu avant l'arrivée de l'EIIL. Lors de ce voyage, toute fière qu'on m'ait permis de venir, j'avais trouvé la ville belle, luxuriante et verdoyante. Désormais, elle me faisait l'effet d'un pays inconnu.

Ma mère se trouvait dans l'un des derniers camions. Je n'oublierai jamais son aspect. Le vent avait repoussé son foulard blanc à l'arrière de sa tête et ses cheveux noirs, généralement séparés par une raie au milieu, étaient tout ébouriffés, l'étoffe ne couvrant plus que sa bouche et son nez. Ses vêtements blancs étaient couverts de poussière, et elle a trébuché quand on l'a tirée au sol. «Allons, avance!» lui a crié un combattant, et il l'a poussée vers la cour, tout en se moquant d'elle et des autres femmes âgées qui ne pouvaient pas marcher rapidement. Elle a franchi les grilles et s'est dirigée vers nous dans un état second. Sans un mot, elle s'est assise et a posé la tête sur mes genoux. Ma mère ne s'allongeait jamais en présence d'hommes.

Un combattant a tambouriné contre la porte fermée de l'institut jusqu'à ce qu'elle s'ouvre. Il nous a alors ordonné d'entrer. «Retirez d'abord vos foulards, a-t-il dit. Déposez-les en tas ici, près de la porte.»

Nous avons obéi. Nos cheveux n'étant plus couverts, les combattants nous ont examinées plus attentivement avant de nous envoyer à l'intérieur du bâtiment. Au fur et à mesure que les femmes arrivaient par pleins camions – des enfants s'accrochant aux jupes de leurs mères, de jeunes épouses aux yeux rougis d'avoir pleuré leurs maris disparus –, la pile de foulards s'est élevée, les étoffes blanches diaphanes traditionnelles se mêlant aux écharpes de couleur prisées des jeunes Yézidies. Le soleil était presque entièrement couché et les camions n'arrivaient plus quand un combattant, dont les cheveux longs étaient partiellement recouverts d'une écharpe blanche, a enfoncé le canon de son fusil dans la pile de foulards en riant. «Je vous le revends pour deux cent cinquante dinars», nous a-t-il dit, sachant que c'était une somme ridiculement faible – l'équivalent de vingt cents américains –, mais aussi que nous n'avions pas du tout d'argent.

Comme nous étions toutes dans la même pièce, il y régnait une chaleur épouvantable. Je me suis même demandé si je n'avais pas de la fièvre. Des femmes enceintes gémissaient et étendaient leurs jambes devant elles, s'adossant au mur et fermant les yeux comme pour échapper à cet environnement. Pour le reste, les seuls bruits perceptibles étaient le froissement des vêtements et des sanglots étouffés. Soudain, une femme un peu plus jeune que ma mère s'est mise à hurler à pleins poumons. «Vous avez tué nos hommes!» criait-elle sans discontinuer, et sa révolte a fait tache d'huile. D'autres se sont mises à pleurer et à crier, exigeant des réponses ou bien hurlant simplement, comme si l'explosion de cette femme avait rompu les digues de leur propre chagrin.

Les combattants se sont mis en colère. «Cessez de pleurer ou je vous abats toutes immédiatement», a lancé l'un d'eux, pointant son fusil vers la première et la frappant au front. Mais elle était comme possédée – il lui était impossible de s'arrêter. Certaines femmes sont allées la consoler, passant devant le combattant et son fusil. «Ne pense pas à ce qui est arrivé aux hommes, lui a dit l'une d'elles. Il faut maintenant penser à nous en sortir.»

Ils nous ont distribué des chips et du riz, ainsi que des bouteilles d'eau. Peu d'entre nous avaient eu quoi que ce soit à manger ou à boire depuis notre départ le matin, mais nous n'avions pas faim et nous avions trop peur pour accepter ce qu'ils nous avaient donné. Comme nous refusions, ils nous ont fourré les paquets dans les mains en nous ordonnant:

«Mangez!» On aurait dit que nos réticences les offensaient. Enfin, ils ont tendu aux plus grands des garçons des sacs en plastique en leur demandant de faire le tour de la salle pour rassembler les déchets.

Il était tard, et nous étions épuisées. La tête de ma mère reposait toujours sur mes genoux. Elle n'avait pas prononcé un mot depuis son arrivée, mais elle avait les yeux ouverts et ne dormait pas. Supposant que nous passerions la nuit serrées les unes contre les autres à l'intérieur de l'institut, j'ai craint de ne pas arriver à trouver le sommeil. J'ai eu envie de demander à ma mère à quoi elle pensait, mais il était trop difficile de parler. Je regrette de m'être tue. Une fois que nous avons eu mangé, les combattants ont commencé à nous répartir en plus petits groupes et ont donné l'ordre à la plupart d'entre nous de ressortir et de nous rassembler à des extrémités opposées de la cour. «Les femmes mariées, par ici avec vos enfants, mais seulement les petits, ont-ils crié en désignant le fond de la pièce. Les plus âgées et les jeunes filles, dehors.»

Nous nous sommes affolées, ignorant ce qu'il fallait en conclure. Les mères s'accrochaient à leurs enfants plus grands, refusant de les quitter. Les combattants se sont répandus dans toute la pièce pour séparer les familles de force et pousser les jeunes filles vers la porte. De retour dans la cour, Kathrine et moi nous sommes cramponnées à notre mère, qui s'était rassise par terre ; Kathrine était encore plus pétrifiée que moi à l'idée de la quitter, et elle enfonçait la tête dans le bras de ma mère. Un combattant s'est dirigé vers nous. «Toi!» a-t-il aboyé en désignant à ma mère la partie sud du jardin. «Par là.»

J'ai secoué la tête, me rapprochant encore de ma mère. Le combattant s'est accroupi et a tiré sur mon pull. «Allons», a-t-il dit, mais je n'ai pas bougé. Comme il tirait plus fort, j'ai détourné les yeux. Il a glissé ses mains sous mes aisselles et m'a soulevée, m'arrachant à ma mère et me poussant vers le mur du jardin. J'ai hurlé. Puis il en a fait autant avec Kathrine, qui s'accrochait à la main de ma mère comme si elle y était collée, tout en le suppliant de ne pas les séparer. « Laissez-moi rester avec elle ! gémissait-elle. Elle est souffrante. » Ils ne l'ont pas écoutée, ils ont arraché Kathrine à ma mère malgré nos hurlements.

« Je ne peux pas bouger, je crois que je vais mourir, ai-je entendu ma mère dire au combattant.

— Allons, allons, lui a-t-il répondu d'un ton impatient. Nous vous conduirons bientôt ailleurs. Il y aura la climatisation. » Alors ma mère s'est relevée et l'a suivi lentement, s'éloignant de nous.

Cherchant à éviter le pire, certaines célibataires adultes ont menti, affirmant aux combattants qu'elles étaient mariées ou prenant avec elles des enfants qu'elles connaissaient et prétendant que c'étaient les leurs. Nous ignorions ce qui nous attendait, mais, selon toute évidence, les combattants s'intéressaient moins aux mères et aux femmes mariées. Dimal et Adkee ont serré deux de nos neveux contre elles. « Ce sont nos fils », ont-elles dit aux combattants, qui les ont dévisagées un moment avant de poursuivre leur chemin. Dimal n'avait pas vu ses enfants depuis son divorce, mais elle était tout à fait convaincante dans son rôle de mère, et Adkee elle-même, qui n'avait jamais été mariée et était moins maternelle de nature, a très bien joué la comédie. Elles ont pris cette décision en une fraction de seconde : c'était une question de vie ou de mort. Je n'ai pas pu dire au revoir à mes sœurs avant qu'elles ne soient envoyées à l'étage, les petits garçons cramponnés à elles.

La répartition des femmes a pris une bonne heure. J'étais assise dehors avec Kathrine, Rojian et Nisreen ; nous attendions, serrées les unes contre les autres. À nouveau, les combattants nous ont apporté des chips et de l'eau, et, bien que la peur nous ait empêchées de manger, j'ai bu un peu, et puis encore un peu. Je ne m'étais pas rendu compte à quel point j'avais soif. Pensant à ma mère et à mes sœurs à l'étage, je me demandais si l'EIIL aurait pitié d'elles et quelle forme pouvait prendre cette pitié. Les visages des filles qui m'entouraient étaient rougis par les pleurs. Leurs cheveux s'étaient échappés de leurs tresses et de leurs queues-de-cheval, leurs mains s'accrochaient convulsivement à la personne la plus proche d'elles. J'étais tellement fatiguée que j'avais l'impression que ma tête s'enfonçait dans mon corps et que le monde allait s'abîmer dans l'obscurité d'un instant à l'autre. Mais je n'ai pas perdu espoir avant de voir trois énormes cars s'arrêter devant l'école. Ils ressemblaient à ceux qui transportent habituellement des touristes ou des pèlerins à travers tout l'Irak et à La Mecque, et nous avons immédiatement compris qu'ils étaient là pour nous.

« Où vont-ils nous conduire ? » a gémi Kathrine. Elle ne l'a pas dit, mais nous étions toutes terrifiées à l'idée qu'ils nous emmènent en Syrie. Tout paraissait possible, et j'étais certaine que, si nous allions en Syrie, nous mourrions.

J'ai rapproché mon sac de moi. Il était un peu plus léger sans le pain, que je regrettais à présent d'avoir jeté. Gaspiller du pain était un péché. Dieu ne juge pas les Yézidis sur la fréquence de nos prières ou de nos pèlerinages. Nous ne sommes pas tenus de construire des cathédrales extravagantes ni de suivre plusieurs années d'enseignement religieux pour être de bons Yézidis. Les rites, comme le baptême, ne sont accomplis que quand la famille a suffisamment d'argent ou de temps pour faire le voyage.

Notre foi s'incarne dans nos actes. Nous accueillons les étrangers sous notre toit, nous donnons de l'argent et de la nourriture à ceux qui n'en ont pas, nous veillons le corps d'un être aimé avant son inhumation. Être bon élève ou être gentil avec son conjoint est tout aussi important que prier. Tout ce qui nous maintient en vie et permet à des pauvres d'en aider d'autres, comme un simple morceau de pain, est sacré.

Mais, l'erreur étant inhérente à la nature humaine, nous possédons des frères et sœurs de l'au-delà – des membres de la caste des cheikhs yézidis que nous choisissons pour qu'ils nous enseignent la religion et nous aident dans l'autre monde. Ma sœur de l'au-delà était un peu plus âgée que moi, elle était belle et savait énormément de choses sur le yézidisme. Elle avait été mariée une fois, puis avait divorcé et, quand elle était revenue vivre dans sa famille, elle s'était consacrée à Dieu et à la religion. Elle avait réussi à s'enfuir avant l'approche de l'EIIL et vivait désormais en sécurité en Allemagne. La tâche essentielle de ces frères et sœurs est de siéger aux côtés de Dieu ainsi que de Tawusi Melek et de nous défendre après notre mort. « J'ai connu cette personne quand elle était vivante, disait votre sœur ou votre frère. Elle mérite que son âme retourne sur terre. C'est quelqu'un de bien. »

Je savais que, à ma mort, ma sœur de l'au-delà aurait à prendre ma défense à cause de certains péchés que j'avais commis de mon vivant – voler des bonbons au magasin de Kocho, par exemple, ou avoir été trop paresseuse certains jours pour aller travailler à la ferme avec mes frères et sœurs. Elle aurait désormais à me défendre pour bien plus de manquements, et j'espérais avant tout qu'elle pourrait me pardonner – d'avoir désobéi à ma mère en cachant les photos de mariées, d'avoir perdu la foi et d'avoir jeté du pain, et, maintenant, de monter dans ce car et de tout qui m'attendait encore.

3

Les filles comme moi ont dû monter dans deux cars. Le troisième était réservé aux garçons, parmi lesquels des préadolescents comme Nuri et mon neveu Malik, épargnés à Kocho en raison de leur jeune âge. Ils étaient aussi terrifiés que nous. Des jeeps blindées remplies de combattants de l'État islamique étaient stationnées là, chargées d'escorter les cars, comme si nous devions nous rendre dans une zone de guerre, ce qui était peut-être le cas.

Pendant que j'attendais avec les autres, un combattant s'est approché de moi. C'était celui qui avait enfoncé son fusil dans les foulards, et il tenait toujours cette arme entre les mains. « Es-tu prête à te convertir ? » m'a-t-il demandé. Comme au moment où il avait joué avec nos foulards, il avait les lèvres plissées dans un petit sourire narquois, moqueur.

J'ai secoué la tête.

« Si tu te convertis, tu pourras rester ici, a-t-il poursuivi en se retournant vers l'institut où se trouvaient ma mère et mes sœurs. Tu pourras rester avec ta mère et tes sœurs, et leur dire de se convertir, elles aussi. »

J'ai de nouveau secoué la tête. J'avais trop peur pour prononcer un seul mot.

« Très bien. » Son sourire s'est effacé et il m'a jeté un regard dur. « Puisque c'est comme ça, monte avec les autres. »

C'était un énorme car, avec au moins quarante rangées de six sièges divisées par une longue allée centrale éclairée et entourées de fenêtres que masquaient des rideaux. Dès que toutes les places ont été occupées, l'atmosphère est devenue lourde et presque irrespirable ; mais, quand nous avons essayé de baisser les vitres, ou même de tirer les rideaux pour voir à l'extérieur, un combattant nous a hurlé de rester assises. Ayant pris place à l'avant, j'entendais le chauffeur parler au téléphone. Je me suis demandé s'il allait mentionner où nous allions. Mais il parlait turkmène et je ne comprenais pas ce qu'il disait. Depuis mon siège côté couloir, je pouvais observer le chauffeur et la route par le large pare-brise. Il faisait nuit quand nous nous sommes éloignés de l'institut, si bien que tout ce que j'ai pu distinguer lorsqu'il a allumé les phares était une petite tache d'asphalte et, de temps en temps, un arbre ou un buisson. Tout était noir derrière nous, ce qui m'a évité de voir l'institut de Solagh, où se trouvaient ma mère et mes sœurs, disparaître au loin.

Nous roulions vite, les deux cars de filles devant et celui des garçons derrière, les jeeps blanches encadrant notre cortège sur l'avant et sur l'arrière. Un silence inquiétant régnait dans notre véhicule. Je n'entendais que le bruit de pas d'un combattant qui arpentait l'allée centrale et le ronronnement du moteur. J'ai commencé à avoir la nausée et j'ai fermé les yeux. Une odeur de transpiration et de corps entassés remplissait le bus. À l'arrière, une fille a vomi dans sa main, bruyamment d'abord, puis, quand un combattant lui a crié d'arrêter, aussi silencieusement que possible. Une odeur aigre s'est répandue dans tout le bus, presque insupportable, provoquant les haut-le-cœur de ses voisines. Personne ne pouvait rien faire pour les soulager. Nous n'avions pas le droit de nous toucher ni de nous parler.

Le combattant qui arpentait l'allée centrale était un homme de haute taille qui devait avoir à peu près trente-cinq ans et

s'appelait Abou Batat. Il semblait apprécier son travail, s'arrêtant devant certaines rangées pour regarder les filles, repérant
celles qui se recroquevillaient ou faisaient semblant de dormir. Il a fini par en extraire certaines de leurs sièges et par les
envoyer à l'arrière du bus, où il les a obligées à rester debout
dans le fond. « Souriez », leur a-t-il dit, avant de les prendre
en photo sur son téléphone portable, tout en riant comme si
la panique qui s'emparait de chacune de celles qu'il choisissait
l'amusait. Quand elles baissaient les yeux de peur, il hurlait :
« Lève la tête ! », et son audace semblait grandir à chaque fille
qu'il tourmentait ainsi.

J'ai fermé les yeux, essayant de ne plus penser à ce qui se
passait. Malgré mon angoisse, j'étais tellement épuisée que je
me suis rapidement endormie. Je n'arrivais pas à me reposer,
pourtant, et, chaque fois que le sommeil s'emparait de moi,
ma tête se relevait brusquement et j'ouvrais les yeux en sursaut.
Je restais là à regarder à travers le pare-brise, me rappelant,
après un moment, où j'étais.

Je n'en étais pas certaine, mais il me semblait que nous
nous trouvions sur la route de Mossoul, qui servait de capitale
à l'État islamique en Irak. La prise de la ville avait été une
grande victoire pour l'EIIL et des vidéos diffusées sur internet montraient les réjouissances qui avaient suivi l'occupation
des rues et des bâtiments municipaux, ainsi que le blocage
des routes qui entouraient Mossoul. Les forces kurdes et irakiennes juraient pourtant de reprendre la ville, même s'il leur
fallait des années pour y parvenir. *Nous n'avons pas des années
devant nous*, ai-je pensé avant de me rendormir.

Soudain, j'ai senti une main se poser sur mon épaule et,
ouvrant les paupières, j'ai vu Abou Batat debout à côté de moi,
ses yeux verts brillants et sa bouche tordue dans un sourire.
Mon visage était presque au niveau du pistolet attaché à son
côté et j'avais l'impression d'être un bloc de pierre, incapable

de bouger ou de parler. J'ai refermé les yeux, priant pour qu'il s'éloigne, mais j'ai senti sa main se déplacer lentement sur mon épaule, effleurant mon cou, avant de glisser le long de ma robe pour s'arrêter sur mon sein gauche. C'était comme une brûlure ; jamais encore on ne m'avait touchée ainsi. J'ai ouvert les yeux, mais je ne les ai pas levés vers lui, j'ai regardé droit devant moi. Abou Batat a glissé la main à l'intérieur de ma robe et a empoigné mon sein, brutalement, comme pour me faire mal, puis il s'est éloigné.

Chaque seconde en présence des hommes de l'EIIL s'inscrivait dans un processus de mort lente et douloureuse – du corps et de l'âme –, et c'est à cet instant, dans ce car en compagnie d'Abou Batat, que j'ai commencé à mourir. Je venais d'un village, et j'avais été élevée dans une bonne famille. Chaque fois que je sortais de chez nous, quelle que fût ma destination, ma mère m'inspectait. « Boutonne ton chemisier jusqu'au cou, Nadia, me disait-elle. Sois une bonne fille. »

Et, maintenant, cet étranger se permettait de me toucher sauvagement, et je ne pouvais rien faire. Abou Batat a continué à aller et venir dans le bus, pelotant les filles assises du côté du couloir, passant la main sur nous comme si nous n'étions pas des êtres humains, comme s'il ne craignait pas que nous nous dérobions ou nous mettions en colère. Quand il est revenu vers moi, je lui ai attrapé la main pour l'empêcher de la glisser sous ma robe. J'avais trop peur pour parler. Je me suis mise à pleurer et les larmes ruisselaient sur sa main, mais il n'a pas arrêté. *C'est ce que font les amoureux quand ils se marient*, ai-je pensé. Je n'avais pas eu d'autre vision du monde et de l'amour au cours de toute ma vie, depuis le moment où j'avais été assez grande pour comprendre ce qu'était le mariage à travers les rituels de cour et les célébrations à Kocho, jusqu'à celui où Abou Batat m'a touchée, fracassant cette image.

156

« Il fait pareil à toutes celles qui sont assises près du couloir, m'a chuchoté ma voisine, assise sur le siège du milieu. Il les a toutes touchées.

— Je t'en supplie, change de place avec moi, lui ai-je demandé. Je ne veux plus qu'il fasse ça.

— Je ne peux pas, a-t-elle répondu. J'ai trop peur. »

Abou Batat a continué à faire les cent pas dans l'allée, s'arrêtant devant ses préférées. Quand je fermais les yeux, j'entendais le bruissement de son large pantalon blanc et le claquement de ses sandales contre ses plantes de pied. De temps en temps, une voix sortait de la radio qu'il tenait dans une main ; elle parlait arabe, mais il y avait trop de grésillements pour que je puisse comprendre ce qu'elle disait.

Chaque fois qu'il arrivait à mon niveau, il posait la main sur mon épaule et la faisait glisser jusqu'à mon sein gauche, puis il s'éloignait. Je transpirais tellement que j'avais l'impression d'être sous la douche. Ayant remarqué qu'il évitait les filles qui avaient vomi, j'ai enfoncé ma main jusqu'au fond de ma gorge, espérant souiller ma robe et le dissuader ainsi de me toucher – en vain. J'ai eu de terribles haut-le-cœur, mais j'avais l'estomac vide.

Le car s'est arrêté à Tal Afar, une ville majoritairement turkmène située à une cinquantaine de kilomètres de Sinjar, et les combattants ont commencé à discuter dans leurs portables et leurs radios, cherchant à savoir ce que leurs supérieurs attendaient d'eux. « Ils disent de laisser les garçons ici », a annoncé le chauffeur à Abou Batat, et tous les deux sont descendus du car. Par le pare-brise, j'ai vu Abou Batat s'adresser aux autres combattants, et je me suis demandé ce qu'ils se disaient. Les trois quarts des habitants de Tal Afar étaient des Turkmènes sunnites et, plusieurs mois avant l'arrivée de l'EIIL dans le Sinjar, les chiites de la ville avaient fui, laissant ainsi la voie libre aux combattants.

J'avais mal sur tout le côté gauche de mon corps, là où Abou Batat m'avait touchée. J'espérais de tout cœur qu'il ne remonterait pas dans le car. Malheureusement, il est revenu et nous avons redémarré. Pendant que nous faisions marche arrière, j'ai vu par le pare-brise que nous laissions l'un des cars derrière nous. J'ai appris plus tard que c'était celui qui était rempli de garçons, dont mon neveu, Malik, auxquels l'EIIL ferait subir un lavage de cerveau pour les persuader de rejoindre leur groupe terroriste. Les années passant et la guerre se prolongeant, ils utiliseraient ces garçons comme boucliers humains et leur feraient perpétrer des attentats suicides.

Dès qu'il est remonté dans le car, Abou Batat a recommencé à nous harceler. Il avait choisi ses favorites qu'il venait voir le plus souvent. Il n'arrêtait pas de nous tripoter et nous tiraillait si fort que j'avais l'impression qu'il était prêt à nous déchirer le corps. Dix minutes après notre départ de Tal Afar, je n'ai plus supporté ses attouchements. Quand sa main s'est reposée sur mon épaule, j'ai hurlé. Mon cri a déchiré le silence. D'autres filles ont suivi mon exemple et, bientôt, le vacarme a été tel qu'on se serait cru sur une scène de massacre. Abou Batat s'est figé. «Bouclez-la, toutes!» a-t-il vociféré, mais nous n'avons pas obéi. *S'il me tue, ça m'est bien égal*, ai-je pensé. *Je préfère encore être morte.* Le chauffeur turkmène s'est rangé sur le bas-côté et le car s'est immobilisé dans un cahot, me secouant sur mon siège. Le chauffeur a crié quelque chose dans son téléphone. Un instant plus tard, une des jeeps blanches qui nous précédaient s'est arrêtée, elle aussi; un homme est sorti du côté passager et s'est dirigé vers notre véhicule.

J'ai reconnu ce combattant: c'était un commandant qui s'appelait Nafah et qui venait de Solagh. À l'institut, il s'était montré particulièrement cruel et brutal, s'en prenant à nous sans la moindre trace d'humanité. On aurait dit une machine. Le chauffeur lui a ouvert la portière et Nafah s'est précipité à

l'intérieur. «Qui a commencé?» a-t-il demandé, et mon persé-
cuteur m'a désignée. «C'est elle.» Nafah s'est approché de moi.

J'ai pris la parole sans lui laisser le temps d'agir. Nafah était
un terroriste, certes, mais l'EIIL n'avait-il pas des règles très
strictes concernant les femmes? S'ils se considéraient comme
de bons musulmans, ils ne pouvaient pas approuver les harcè-
lements que nous faisait subir Abou Batat. «Vous nous avez
conduites ici, dans ce car. Vous nous avez obligées à venir,
nous n'avons pas eu le choix, et cet homme (j'ai tendu un
doigt tremblant de peur vers Abou Batat) a passé son temps à
poser la main sur nos seins. Il nous touche et refuse de nous
laisser tranquilles!»

Quand je me suis tue, Nafah a gardé le silence. J'ai espéré
un moment qu'il allait sanctionner Abou Batat, mais j'ai perdu
toute illusion dès que ce dernier a parlé. «À ton avis, vous êtes
ici pour quoi? m'a-t-il demandé d'une voix suffisamment forte
pour se faire entendre de toutes les passagères. Franchement,
tu ne sais pas?»

Abou Batat s'est dirigé vers Nafah et m'a attrapée par le cou,
collant ma tête contre le dossier de mon siège et pointant son
fusil sur mon front. Les filles qui m'entouraient ont poussé des
cris perçants, mais j'avais trop peur pour émettre le moindre
son. «Si tu fermes les yeux, je tire», a-t-il dit.

Nafah a regagné la portière du car. Avant de descendre, il
s'est tourné vers nous. «Je ne sais pas pour quelle raison vous
pensez que nous vous avons prises, a-t-il dit. Sachez que vous
n'avez pas le choix. Vous êtes ici pour être des *sabaya* et vous
ferez exactement ce que nous vous dirons de faire. Si l'une
d'entre vous se remet à crier, croyez-moi, vous le regretterez.»
Tandis qu'Abou Batat me tenait toujours en joue, Nafah est
sorti du car.

C'était la première fois que j'entendais quelqu'un utiliser
ce mot arabe à mon propos. Quand l'EIIL avait pris le Sinjar

et avait commencé à enlever des Yézidis, les combattants appelaient leur butin humain *sabaya* (*sabiyya* au singulier), désignant ainsi les jeunes femmes qu'ils avaient l'intention d'acheter et de vendre comme esclaves sexuelles. Cet élément de leur projet nous concernant reposait sur une interprétation du Coran bannie depuis longtemps des communautés musulmanes du monde entier, mais qui figurait dans les fatwas et les brochures officielles de l'EIIL avant qu'il n'attaque le Sinjar. Les filles yézidies étaient considérées comme des infidèles : or, selon l'interprétation que ces combattants donnaient du Coran, violer une esclave n'est pas un péché. Nous étions censées attirer de jeunes recrues qui viendraient gonfler les rangs des combattants, sachant que nous leur serions offertes en récompense pour leur loyauté et leur bonne conduite. Ce sort attendait toutes les filles qui se trouvaient dans le car. Nous n'étions plus des êtres humains – nous étions des sabaya.

Abou Batat a fini par lâcher mon cou et par écarter son fusil. Mais, à partir de cet instant et jusqu'à notre arrivée à Mossoul environ une heure plus tard, j'ai été sa cible privilégiée. Il en tripotait encore d'autres, mais il s'en prenait tout particulièrement à moi, s'arrêtant devant mon siège plus fréquemment que devant les autres, et m'attrapant les seins avec une telle brutalité que j'étais certaine d'avoir des bleus. Le côté gauche de mon corps était complètement engourdi, et – tout en gardant le silence, car j'étais persuadée qu'Abou Batat me tuerait si je craquais de nouveau – je ne cessais de hurler mentalement.

La nuit était claire et je voyais par le pare-brise le ciel rempli d'étoiles. Il m'a rappelé une très ancienne histoire d'amour arabe, celle de Leïla et Majnoun, que nous racontait ma mère. Un homme appelé Qaïs était tombé si profondément amoureux d'une certaine Leïla et avait fait connaître ses sentiments si ouvertement, composant toute une série de poèmes pour exprimer la passion qu'elle lui inspirait, que son entourage l'avait surnommé *Majnoun*, ce qui veut dire «possédé» ou «fou» en arabe. Quand Majnoun avait demandé la main de Leïla, le père de la jeune fille la lui avait refusée, sous prétexte qu'il était trop instable pour faire un bon mari.

C'est une histoire tragique. Obligée d'en épouser un autre, Leïla meurt, le cœur brisé. Majnoun quitte son village et erre seul dans le désert, parlant pour lui-même et écrivant des poèmes dans le sable, jusqu'au jour où il découvre la tombe de Leïla. Il reste à côté d'elle jusqu'à ce qu'il expire, lui aussi. J'adorais écouter ma mère raconter cette histoire, même si le sort des deux amants me faisait pleurer. Le ciel nocturne qui m'effrayait d'ordinaire se parait d'un charme romantique. En arabe, *Leïla* veut dire «nuit» et ma mère concluait l'histoire en me montrant deux astres au firmament. «Comme ils n'ont pas pu être ensemble dans la vie, ils ont prié Dieu de leur accorder de se retrouver dans la mort, me disait-elle. Alors il les a transformés en étoiles.»

Dans le bus, je me suis mise à prier, moi aussi. «Je t'en supplie, Dieu, transforme-moi en étoile pour que je puisse monter au ciel, au-dessus de ce car, ai-je chuchoté. Si tu l'as fait une fois, tu peux le refaire.» Mais nous avons poursuivi notre route en direction de Mossoul.

4

Abou Batat n'a pas cessé de nous agresser jusqu'à notre arrivée à Mossoul. L'horloge située au-dessus du pare-brise indiquait deux heures du matin quand nous nous sommes arrêtés devant un grand bâtiment, une maison qui avait dû appartenir, ai-je pensé, à une très riche famille. Les jeeps se sont dirigées vers un garage, alors que les cars se rangeaient devant la maison, portières ouvertes. «Allez! Dehors!» a crié Abou Batat, et nous nous sommes levées lentement. La plupart d'entre nous n'avaient pas dormi et nous étions restées assises si longtemps que nous étions complètement ankylosées. J'avais mal là où Abou Batat m'avait touchée, mais j'avais tort de croire que, maintenant que notre voyage était fini, il allait me laisser tranquille. Nous avons fait la queue pour sortir, cramponnées à nos maigres bagages, et il attendait devant la portière ouverte, tendant les mains pour peloter les filles qui descendaient du car. Il a passé les mains sur tout mon corps, de la tête aux pieds.

Nous sommes entrées par le garage. Je n'avais jamais vu de demeure aussi belle. Elle était immense, avec de grands salons, des chambres à coucher spacieuses et suffisamment de meubles, ai-je estimé, pour une demi-douzaine de familles. Personne à Kocho, pas même Ahmed Jasso, ne vivait dans une

162

telle maison. Les pièces contenaient encore les horloges et les tapis qui avaient dû appartenir à la famille qui l'avait habitée, et j'ai remarqué qu'un des combattants buvait dans une tasse décorée d'une photo de famille. Je me suis demandé ce qui était arrivé à ces gens.

Le bâtiment grouillait de combattants de l'État islamique en uniforme, équipés de radios qui crépitaient constamment. Ils nous ont surveillées pendant qu'on nous répartissait dans trois pièces, donnant toutes sur un petit palier. Depuis l'endroit où j'étais assise avec Kathrine et quelques autres, je pouvais voir l'intérieur des autres pièces, dans lesquelles des femmes et des filles s'avançaient, hébétées, cherchant des proches dont elles avaient été séparées dans les cars. La pièce était bondée, et nous nous sommes assises par terre, nous appuyant les unes aux autres. Il était presque impossible de ne pas céder au sommeil.

Les deux petites fenêtres étaient fermées et les rideaux tirés, mais, heureusement, un climatiseur portatif – du genre bon marché et encombrant qui était courant dans tout l'Irak – rafraîchissait l'air et nous permettait de mieux respirer. Le mobilier de la pièce où nous étions se résumait à des matelas empilés contre les murs. Une odeur écœurante émanait des toilettes de l'entrée. « Une fille avait un téléphone portable, a chuchoté quelqu'un, et, quand ils sont venus la fouiller, elle a voulu le jeter dans les cabinets. Je les ai entendus en parler quand nous sommes arrivées. » À l'entrée des toilettes, j'ai aperçu une pile de foulards comme ceux que nous avions laissés à Solagh, étalés sur le carrelage, semblables aux pétales d'une fleur.

Une fois que tout le monde a été installé, un combattant a tendu le doigt vers moi. « Toi, viens avec moi », a-t-il dit avant de pivoter sur ses talons et de se diriger vers la porte.

« N'y va pas ! » Kathrine m'a entourée de ses petits bras, cherchant à me retenir.

Je ne savais pas ce qu'il voulait, mais je voyais mal comment m'y opposer. « Si je ne le fais pas, ils m'obligeront, c'est tout », ai-je expliqué à Kathrine, et j'ai suivi le combattant.

Il m'a conduite au garage du rez-de-chaussée, où Abou Batat et Nafah attendaient en compagnie d'un autre combattant. Ce troisième homme parlait kurde et je l'ai reconnu, bouleversée ; c'était Suhaib, le propriétaire d'une des rares boutiques de téléphones portables de la ville de Sinjar. Les Yézidis étaient ses clients réguliers et je suis sûre que beaucoup le considéraient comme un ami. Ils m'ont jeté des regards noirs, tous les trois, encore furieux de la scène que j'avais faite dans le car. « Comment tu t'appelles ? » m'a demandé Nafah, et, comme je faisais mine de reculer, il m'a attrapée par les cheveux et m'a collée contre le mur.

Je lui ai répondu :

« Nadia.

— Ta date de naissance ?

— 1993.

— Il y a d'autres membres de ta famille ici avec toi ? » m'a-t-il encore demandé.

J'ai réfléchi. Je craignais qu'ils ne s'en prennent à Kathrine et aux autres simplement parce qu'elles étaient de ma famille, alors j'ai menti. « Je suis ici avec les autres filles, ai-je dit. Je ne sais pas ce qui est arrivé à ma famille.

— Pourquoi as-tu crié ? » Nafah m'a tiré les cheveux plus fort.

J'étais pétrifiée. Je sentais mon corps, petit et fluet, disparaître littéralement entre ses mains. J'ai décidé de dire tout ce qui pourrait les inciter à me laisser rejoindre Kathrine à l'étage. « J'avais peur, ai-je répondu honnêtement. Ce type-là (j'ai fait un geste vers Abou Batat) m'a touchée. Pendant tout le trajet depuis Solagh, il nous a touchées.

— À ton avis, pourquoi est-ce que vous êtes ici ? » Nafah a répété la question qu'Abou Batat avait posée dans le car. « Tu es une infidèle, une sabiyya, et tu appartiens maintenant à l'État islamique. Il va bien falloir que tu t'y fasses. » Et il m'a craché au visage.

Abou Batat a pris une cigarette, il l'a allumée et l'a tendue à Nafah. Cela m'a étonnée, car je croyais que la loi de l'État islamique interdisait qu'on fume. Mais ils n'avaient pas l'intention de fumer. *Je vous en prie, ne l'écrasez pas sur mon visage*, ai-je pensé, encore soucieuse de ma beauté. Nafah a appuyé la cigarette allumée sur mon épaule, l'enfonçant à travers les couches de robes et de chemisiers que j'avais empilées sur moi le matin, jusqu'à ce que l'extrémité embrasée atteigne ma peau. La cigarette s'est éteinte. L'odeur d'étoffe et de peau brûlées était atroce, et j'ai serré les dents pour ne pas hurler de douleur. J'avais compris que crier risquait de m'attirer encore plus d'ennuis.

Mais, quand il a allumé une nouvelle cigarette et l'a posée sur mon ventre, je n'ai plus pu me retenir – j'ai poussé un cri.

« Elle crie maintenant, est-ce qu'elle criera demain ? » a demandé Abou Batat à ses compagnons. Il voulait qu'ils soient encore plus sévères avec moi. « Il faut qu'elle comprenne qui elle est, et pour quoi elle est ici.

— Laissez-moi tranquille, je ne le ferai plus », ai-je promis.

Nafah m'a giflée violemment, deux fois, puis il m'a lâchée. « Retourne avec les autres sabaya, m'a-t-il dit. Et qu'on ne t'entende plus. »

Il faisait sombre dans la pièce bondée de l'étage. Tirant mes cheveux sur mon épaule et posant la main sur mon ventre pour cacher mes brûlures à mes nièces, j'ai retrouvé Kathrine, assise à côté d'une femme qui avait l'air d'avoir entre vingt-cinq et trente ans. Elle n'était pas de Kocho et avait dû arriver au centre avant nous. Elle était accompagnée de deux jeunes enfants, dont un bébé encore assez petit pour être allaité, et était enceinte d'un troisième. Elle tenait le nourrisson contre sa poitrine, se balançant doucement pour le calmer, et m'a demandé ce qui s'était passé en bas. J'ai simplement secoué la tête.

«Tu as mal?» a-t-elle insisté.

C'était une inconnue, mais je me suis appuyée contre elle. Je me sentais affreusement faible. J'ai hoché la tête.

Puis je lui ai tout dit, je lui ai raconté que j'avais quitté Kocho, que j'avais été séparée de ma mère et de mes sœurs, que j'avais vu emmener mes frères. Je lui ai parlé du car et d'Abou Batat. «Ils m'ont frappée», ai-je avoué, et je lui ai montré les brûlures de cigarette sur mon épaule et sur mon ventre, à vif et douloureuses.

«Tiens, a-t-elle dit en fouillant dans son sac dont elle a sorti un tube. C'est de la pommade pour les fesses de bébé, mais ça devrait apaiser tes brûlures.»

Je l'ai remerciée et j'ai emporté le tube dans les toilettes, où j'ai étalé un peu de pommade sur mon épaule et sur mon ventre. La douleur s'est légèrement atténuée. Puis j'en ai enduit les parties de mon corps qu'avait touchées Abou Batat. J'ai remarqué que j'avais mes règles et j'ai demandé des serviettes hygiéniques à un combattant. Il me les a tendues sans me regarder.

Quand je suis revenue m'asseoir dans la pièce, j'ai interrogé la femme: «Que s'est-il passé ici? Qu'est-ce qu'il vous ont fait?»

Elle a soupiré. «Tu tiens vraiment à le savoir?» a-t-elle demandé, et j'ai acquiescé d'un signe de tête. «Le premier jour, le 3 août, près de quatre cents femmes et enfants yézidis ont été amenés ici. C'est un centre de l'État islamique où les combattants logent et travaillent. C'est pour ça qu'ils sont si nombreux.» Elle s'est interrompue et m'a regardée. «Mais c'est aussi ici que nous sommes vendues et offertes.

— Pourquoi est-ce que tu n'as pas été vendue, toi? lui ai-je demandé.

— Parce que je suis mariée. Ils attendront quarante jours avant de me donner à un combattant pour que je devienne sa sabiyya, m'a-t-elle expliqué. C'est une de leurs règles. Je ne sais pas quand ils viendront te chercher. S'ils ne te choisissent pas aujourd'hui, ce sera demain. Chaque fois qu'ils viennent, ils emmènent des femmes. Ils les violent, puis ils les ramènent ici. Je crois qu'il arrive aussi qu'ils les gardent. Dans certains cas, ils les violent sur place, dans une pièce de cette maison, et les font revenir ici quand ils ont fini. »

Je n'ai rien dit. Mes brûlures devenaient de plus en plus douloureuses, comme une casserole d'eau qui arrive peu à peu à ébullition, et je n'ai pu réprimer une grimace. « Tu veux un comprimé contre la douleur ? » m'a-t-elle demandé, mais j'ai secoué la tête. « Je n'aime pas trop prendre des médicaments, lui ai-je dit.

— Bois quelque chose, alors », a-t-elle insisté, et j'ai accepté avec reconnaissance la bouteille qu'elle me tendait, buvant quelques gorgées d'eau tiède. Son bébé s'était calmé et semblait sur le point de s'assoupir.

« Il n'y en a plus pour longtemps, a-t-elle repris plus bas. Ils vont venir te prendre, toi aussi, et ils te violeront. Il y a des filles qui se barbouillent le visage de cendre ou de terre, ou qui s'ébouriffent les cheveux, mais ça ne sert à rien. Ils leur font prendre une douche et se recoiffer. Certaines se sont suicidées, ou ont tenté de le faire, en se coupant les veines du poignet, juste là (elle a fait un geste vers les toilettes). Si tu regardes bien, tu verras le sang sur les murs, tout en haut, là où ceux qui ont nettoyé ne l'ont pas remarqué. » Elle ne m'a pas dit de ne pas m'inquiéter ni que tout allait s'arranger. Quand elle s'est tue, j'ai reposé la tête sur son épaule, tout près de son bébé qui venait de s'endormir.

Cette nuit-là, quand il m'est arrivé de fermer les yeux, cela n'a jamais duré longtemps. J'étais épuisée, mais trop terrifiée pour dormir. Comme c'était l'été, le soleil s'est levé de bonne heure et, quand le jour est entré – vaporeux et trouble à travers les épais rideaux –, j'ai constaté que la plupart des filles avaient veillé toute la nuit comme moi. Elles étaient flapies, se frottaient les yeux et bâillaient dans les manches de leurs robes. Des combattants nous ont apporté du riz et de la soupe de tomates pour le petit déjeuner, dans des assiettes en plastique qu'ils ont jetées ensuite. J'avais tellement faim que je me suis précipitée dessus dès qu'ils l'ont posée devant moi.

Plusieurs filles avaient passé la nuit à pleurer, et elles ont été plus nombreuses encore à en faire autant le matin. Une habitante de Kocho qui avait à peu près l'âge de Dimal, mais qui, contrairement à elle, n'avait pas réussi à faire croire aux combattants qu'elle était mariée, était assise près de moi. « Où sommes-nous ? » m'a-t-elle demandé. Elle n'avait pas reconnu les bâtiments ni les routes pendant que nous roulions.

« Je ne sais pas exactement, lui ai-je répondu. Quelque part à Mossoul.

— Mossoul », a-t-elle chuchoté. Nous avions toutes grandi à proximité de cette ville, mais peu d'entre nous y avaient déjà mis les pieds.

Un cheikh est entré et nous nous sommes tues. C'était un homme âgé aux cheveux blancs, vêtu de l'ample pantalon noir et des sandales que portaient beaucoup de combattants de l'EIIL. Bien que son pantalon ait été trop court et plutôt mal coupé, il a déambulé à travers la pièce en nous dévisageant avec une arrogance qui m'a donné à penser que c'était un personnage important. « Quel âge a-t-elle ? » Il a désigné une fille de Kocho, tapie dans un coin. Elle avait à peu près treize ans. « Elle est très jeune », lui a répondu fièrement un combattant.

J'ai reconnu que le cheikh était de Mossoul à son accent. Il avait dû aider les terroristes à prendre la ville. Peut-être était-ce un riche homme d'affaires capable de contribuer au développement de l'EIIL, ou bien une personnalité religieuse. Peut-être aussi avait-il exercé de hautes fonctions du temps où Saddam était au pouvoir et avait-il attendu le moment où il retrouverait l'autorité dont l'avaient privé les Américains et les chiites. Il n'était pas non plus exclu qu'il ait été sincèrement convaincu par toute cette propagande religieuse ; c'est ce qu'ils nous répondaient tous quand nous leur demandions pourquoi ils faisaient partie de l'État islamique, même ceux qui ne parlaient pas arabe et ne savaient pas prier. Ils nous disaient qu'ils avaient raison et que Dieu était avec eux.

Le cheikh nous désignait du doigt comme s'il était déjà propriétaire de toutes les filles assises dans la pièce et, après quelques minutes de réflexion, il en a choisi trois – toutes de Kocho. Après avoir tendu au combattant une poignée de dollars américains, il est sorti et les trois filles ont été traînées derrière lui jusqu'au rez-de-chaussée, où ses acquisitions ont été dûment consignées et enregistrées.

La panique a été générale. Nous n'ignorions plus rien des intentions de l'EIIL à notre sujet, mais nous ne pouvions pas savoir quand d'autres acheteurs viendraient ni comment ils nous traiteraient. L'attente était une torture. Des filles échangeaient tout bas des plans d'évasion, mais ils étaient irréalisables. Même si nous avions pu fuir par la fenêtre, la maison, qui était de toute évidence une sorte de centre de l'État islamique, grouillait de combattants. Il était impossible de filer sans se faire voir. De plus, Mossoul est une ville immense, que nous ne connaissions pas. Même si, par miracle, nous avions réussi à échapper à tous les combattants rassemblés au rez-de-chaussée, nous n'aurions même pas su où aller. Nous avions été conduites ici de nuit, dans des véhicules aux fenêtres masquées. Ils feraient tout ce qui était en leur pouvoir pour que nous n'en sortions pas vivantes.

La conversation n'a pas tardé à porter sur le suicide. Je dois avouer que cette idée m'avait déjà effleurée. Tout était préférable à ce que la femme m'avait décrit la nuit précédente. Kathrine et moi avons conclu un pacte avec plusieurs autres. «Plutôt mourir que d'être achetées et utilisées par Daech», avons-nous dit. Nous jugions plus honorable de nous donner la mort que de nous soumettre aux combattants; c'était notre seule riposte possible. En revanche, regarder l'une de nous attenter à sa vie était au-dessus de nos forces. Une fille a enroulé son foulard autour de son cou, annonçant son intention de s'étrangler, mais ses compagnes le lui ont arraché des mains. D'autres ont dit: «Nous ne pouvons pas nous sauver d'ici, mais si nous pouvions monter sur le toit, nous n'aurions qu'à sauter dans le vide.» Je pensais constamment à ma mère. Pour elle, rien dans la vie n'était suffisamment grave pour justifier le suicide. «Tu dois croire que Dieu veillera sur toi», me disait-elle chaque fois que je me heurtais à une difficulté. Après mon accident à la ferme, elle était restée assise à côté de moi à l'hôpital, priant pour ma vie, et avait dépensé beaucoup d'argent pour acheter les bijoux qu'elle m'avait donnés quand j'avais repris conscience. Elle voulait tellement que je reste en vie. Je ne pouvais pas me tuer maintenant.

Nous avons donc révisé notre pacte. Nous ne nous donnerions pas la mort; nous nous aiderions mutuellement autant que nous le pourrions, et saisirions la première possibilité de nous enfuir qui se présenterait à nous. Pendant que nous attendions dans cette maison, nous avons pris conscience de l'ampleur du commerce des esclaves dans Mossoul sous occupation de l'EIIL. Plusieurs milliers de filles yézidies avaient été arrachées à leurs foyers et étaient achetées et négociées, offertes en cadeau à des combattants de haut rang et aux cheikhs, et transférées dans des villes à travers tout l'Irak et la Syrie. Qu'une fille, voire une centaine de filles, se tuent ne ferait aucune différence. Nos morts ne feraient ni chaud ni froid à l'EIIL et ne changeraient rien à ses agissements. De plus, ayant déjà perdu quelques esclaves, les combattants nous surveillaient de près, s'assurant que, même si nous nous tranchions les veines ou nous étranglions avec nos foulards, nous ne mourrions pas de nos blessures.

Un combattant a traversé la pièce, réclamant tous les documents que nous avions conservés. «Vous devez nous donner tous les papiers indiquant que vous êtes yézidies», nous a-t-il ordonné en les fourrant dans un sac. Au rez-de-chaussée, ils ont fait un tas de tous ces documents – cartes d'identité, cartes de rationnement, certificats de naissance – et ils les ont brûlés. Il n'en est resté qu'un petit tas de cendres. C'était comme s'ils pensaient que, en détruisant ces documents, ils pouvaient effacer l'existence des Yézidis d'Irak. Je leur ai remis tout ce que je possédais, à l'exception de la carte de rationnement de ma mère que je gardais cachée dans mon soutien-gorge. C'était tout ce qui me restait d'elle.

Dans les toilettes, je me suis aspergé le visage et les bras au robinet. Il y avait un miroir au-dessus du lavabo, mais je n'ai pas levé les yeux. Je n'avais pas le courage de me regarder. Je craignais de ne plus reconnaître déjà celle que j'y verrais. Sur le mur au-dessus de la douche, j'ai aperçu les traces de sang dont m'avait parlé la femme, la nuit précédente. Les petites taches brun-rouge tout en haut du carrelage étaient tout ce qui subsistait de certaines Yézidies qui m'avaient précédée.

Après cela, on nous a de nouveau séparées, en deux groupes cette fois. J'ai réussi à rester avec Kathrine. On nous a fait mettre en rang et refait monter dans les cars. Certaines – toutes les filles de Kocho que je connaissais – sont demeurées sur place. Nous ne leur avons pas dit au revoir et nous avons appris plus tard que leur groupe avait été conduit au-delà de la frontière, à Rakka, la capitale de l'État islamique en Syrie.

J'étais profondément soulagée d'être restée en Irak. Quoi qu'il advînt, je croyais pouvoir survivre aussi longtemps que je serais dans mon pays.

Je me suis dépêchée de rejoindre l'arrière du bus pour trouver une place près d'une fenêtre, pensant qu'ainsi Abou Batat ou un autre combattant aurait plus de mal à me harceler. Ça m'a fait un drôle d'effet de me retrouver dehors, sous la lumière crue de l'été après avoir passé les derniers jours les rideaux tirés ou déplacée de ville en ville dans le noir. Quand le car a démarré, j'ai jeté un coup d'œil à l'extérieur, à travers les rideaux, inspectant les rues de Mossoul. Au premier abord, elles paraissaient tout à fait normales, comme celles de la ville de Sinjar : les passants faisaient leurs courses et conduisaient leurs enfants à l'école. Mais, à la différence de Sinjar, Mossoul grouillait de combattants de l'État islamique. Des hommes montaient la garde aux checkpoints, ils patrouillaient dans les rues, se serraient à l'arrière des camions ou menaient tout simplement leur vie nouvelle dans cette ville transformée, achetant des légumes et bavardant avec leurs voisins. Toutes les femmes étaient entièrement couvertes d'abayas et de niqabs noirs ; l'EIIL leur avait interdit de sortir de chez elles seules ou sans être couvertes, si bien qu'elles flottaient dans les rues, presque invisibles.

Nous étions silencieuses, hébétées et terrifiées. J'ai rendu grâces à Dieu d'avoir pu rester avec Kathrine, Nisreen, Jilan et Rojian. Leur présence me donnait l'infime parcelle de force nécessaire pour ne pas perdre entièrement l'esprit. Tout le monde n'avait pas eu autant de chance. Une fille qui avait été séparée de toutes ses connaissances de Kocho s'est mise à pleurer sans pouvoir s'arrêter. «Vous avez toutes quelqu'un alors que moi, je n'ai personne», gémissait-elle en se tordant les mains sur ses genoux. Nous aurions bien voulu la consoler, mais aucune de nous n'a eu le courage de s'y aventurer.

Il était un peu moins de dix heures du matin quand nous nous sommes arrêtés devant une maison verte à deux étages, légèrement plus petite que la précédente. On nous a poussées à l'intérieur. À l'étage, une pièce avait déjà été débarrassée de presque toutes les possessions de la famille qui y avait habité, bien qu'une bible oubliée sur une étagère et un crucifix au mur nous aient révélé qu'elle était chrétienne. Plusieurs filles étaient déjà là à notre arrivée. Originaires de Tel Ezeir, elles étaient blotties les unes contre les autres. Là aussi, de minces matelas étaient empilés le long des murs et les petites fenêtres avaient été occultées ou masquées par d'épaisses couvertures, filtrant les rayons du soleil matinal pour ne laisser passer qu'un jour terne, déprimant. Toute la pièce empestait le désinfectant, une pâte bleu fluo que les femmes utilisaient à Kocho pour nettoyer les cuisines et les salles de bains.

Pendant que nous attendions là, un combattant est entré pour vérifier que les fenêtres étaient correctement camouflées et que personne ne pouvait voir ni à l'intérieur, ni à l'extérieur. Remarquant la bible et le crucifix, il a marmonné dans sa barbe, a ramassé une caisse en plastique, les a fourrés dedans et est reparti avec.

En sortant, il nous a crié de prendre une douche. «Vous puez toujours comme ça, vous, les Yézidis?» a-t-il demandé avec une grimace de dégoût exagérée. J'ai repensé à Saoud, de retour du Kurdistan, qui nous avait dit que les gens se moquaient des Yézidis, prétendant que nous sentions mauvais. Cette accusation avait le don de me mettre en colère. Mais, avec l'EIIL, j'espérais que j'empestais vraiment. Notre crasse était une armure, qui nous protégeait des mains des hommes comme Abou Batat. J'aurais voulu que les combattants soient tellement rebutés par notre puanteur – nous étions restées dans des cars surchauffés où plusieurs d'entre nous avaient vomi de peur – qu'ils n'auraient même plus envie de nous toucher. « Débarrassez-vous de toute cette saleté ! ont-ils exigé. Nous en avons plus qu'assez de sentir votre odeur. » Nous avons obtempéré, aspergeant nos visages et nos bras devant les lavabos, mais réticentes à nous déshabiller et à nous retrouver nues aussi près de ces hommes.

Une fois le combattant parti, certaines filles se sont parlé tout bas, pointant le doigt vers un bureau. Un ordinateur portable noir était posé dessus, fermé. « Je me demande s'il fonctionne, a murmuré une fille. Il a peut-être une connexion internet ! On pourrait aller sur Facebook et envoyer des messages pour prévenir des gens que nous sommes à Mossoul. »

Comme je ne savais pas faire marcher un ordinateur – c'était le premier que je voyais de ma vie –, j'ai regardé d'autres filles s'approcher lentement de la table. La perspective de nous connecter sur le réseau social nous avait redonné un peu d'espoir, et un frémissement d'optimisme s'est répandu dans la pièce. Certaines filles ont arrêté de pleurer. D'autres se sont levées spontanément pour la première fois depuis notre départ de Solagh. Mon cœur a battu un peu plus vite. Si seulement cet ordinateur pouvait marcher !

Une fille a ouvert le portable et l'écran s'est éclairé. Nous retenions notre souffle, tout excitées, surveillant la porte de crainte que quelqu'un ne vienne. La fille s'est mise à taper sur les touches, de plus en plus brutalement, visiblement exaspérée. Puis elle a claqué le couvercle et s'est retournée vers nous, tête basse. « Je n'y arrive pas, a-t-elle dit, au bord des larmes. Je suis désolée. »

Ses amies l'ont entourée pour la réconforter. Nous étions toutes profondément déçues. « Ça ne fait rien, au moins tu as essayé, lui ont-elles chuchoté. De toute façon, s'il fonctionnait, Daech ne l'aurait pas laissé ici. »

J'ai tourné les yeux vers le mur au pied duquel les filles de Tel Ezeir étaient assises. Elles n'avaient pas bougé ni prononcé un mot depuis notre arrivée. Elles se tenaient si près les unes des autres qu'elles formaient une masse compacte et indistincte. Leurs visages, quand elles m'ont rendu mon regard, étaient comme des masques de chagrin concentré, et j'ai songé que mon expression devait être la même.

5

Le marché aux esclaves a ouvert à la nuit tombée. Nous avons entendu du tohu-bohu au rez-de-chaussée où les combattants s'inscrivaient et réglaient les questions d'organisation, et, quand le premier homme est entré, toutes les filles se sont mises à hurler. On aurait dit qu'une bombe venait d'exploser. Nous gémissions comme si nous étions blessées, nous pliant en deux pour vomir, mais rien n'arrêtait les combattants. Ils ont fait le tour de la pièce, nous examinant attentivement, indifférents à nos cris et à nos supplications. Celles d'entre nous qui savaient l'arabe les imploraient dans cette langue, et celles qui ne parlaient que le kurde hurlaient à pleins poumons. Les hommes réagissaient à notre désarroi comme si nous étions des enfants pleurni-cheurs – agaçants, mais ne méritant pas qu'on s'y intéresse.

Ils se sont d'abord dirigés vers les plus jolies. Ils leur demandaient : « Quel âge as-tu ? », avant d'inspecter leurs cheveux et leurs dents. Puis ils s'adressaient à un garde : « Elles sont vierges, tu es sûr ? » Et celui-ci hochait la tête. « Évidemment ! » répondait-il, comme un boutiquier fai-sant l'article. Certaines filles m'ont dit qu'elles avaient été examinées par un médecin pour vérifier qu'elles ne men-taient pas en affirmant qu'elles étaient vierges, tandis qu'à d'autres, comme moi, on avait simplement posé la question. Quelques-unes prétendaient obstinément n'être plus vierges, avoir été souillées, espérant se rendre ainsi moins désirables, mais les combattants voyaient bien qu'elles mentaient. « Elles sont si jeunes, et elles sont yézidies », faisaient-ils remarquer. « Aucune Yézidie n'a de relation sexuelle avant d'être mariée. » Les combattants se sont alors mis à nous tripoter à leur guise, palpant nos seins et nos jambes comme si nous étions du bétail.

Un chaos absolu régnait pendant que les hommes arpentaient la pièce, passant les filles en revue et leur posant des questions en arabe ou en turkmène. Nafah, qui était arrivé dès l'ouverture du marché, a choisi une fille très jeune, ce qui a fait rire ses compagnons. « On était sûrs que tu prendrais celle-là, l'ont-ils taquiné. Préviens-nous quand tu auras fini avec elle – tu nous la passeras. »

« Calmez-vous ! » continuaient à nous ordonner les combattants. « Taisez-vous ! » Mais ces ordres ne faisaient que nous faire crier plus fort. Un combattant plus âgé, un gros type avec un énorme ventre, qui s'appelait Hajji Shakir (*Hajji* est à la fois un prénom courant et un titre désignant les hommes particulièrement respectés) et était un des chefs de Mossoul, est apparu sur le seuil, suivi d'une fille. Elle portait le niqab et l'abaya obligatoires pour toutes les femmes dans les villes de l'État islamique. « Elle est à moi, a-t-il annoncé en la poussant dans la pièce. Elle va vous dire combien elle est heureuse, maintenant qu'elle est musulmane. »

La fille a soulevé son niqab. Elle était chétive, mais très belle, avec une peau sombre et lisse, et, quand elle a ouvert la bouche, j'ai vu étinceler une petite dent en or. Je ne lui donnais pas plus de seize ans. « Elle est devenue ma sabiyya le 3 août, quand nous avons libéré Hardan des infidèles », a repris Hajji Shakir. « Raconte à ces filles que tu es en paix, maintenant que tu es avec moi et que tu n'es plus kafir, lui a-t-il répété alors qu'elle gardait le silence. Allons, parle-leur!»

Elle a baissé les yeux vers le tapis, mais n'a rien dit. On aurait cru qu'une déficience physique l'empêchait de parler. Le brouhaha du marché a rapidement repris le dessus et, un instant plus tard, quand je me suis retournée vers la porte, la fille avait disparu. Sur ces entrefaites, Hajji Shakir s'est approché d'une autre sabiyya, une fille de Kocho que je connaissais.

Je suis devenue folle. Si je ne pouvais pas empêcher qu'un combattant me prenne, je pouvais au moins lui compliquer la tâche. J'ai hurlé et crié, essayant d'écarter les mains qui se tendaient pour s'emparer de moi. D'autres filles en faisaient autant, se roulant en boule par terre ou se jetant devant leurs sœurs et leurs amies pour tenter de les protéger. Nous n'avions plus peur d'être frappées, et nous étions plusieurs à nous demander si nous arriverions à les pousser à bout au point qu'ils nous tuent. Quand un combattant m'a giflée en disant : «C'est déjà elle qui a fait toutes ces histoires hier», j'ai constaté avec étonnement que je ne sentais presque rien. J'ai eu beaucoup plus mal un instant plus tard quand il m'a touché le sein et, dès qu'il s'est éloigné, je me suis effondrée par terre. Nisreen et Kathrine se sont accroupies à côté de moi, essayant de me réconforter.

J'étais encore allongée quand un autre combattant s'est arrêté devant nous. J'avais les genoux remontés contre mon front et je ne voyais que ses chaussures et ses mollets, gros comme des troncs, qui en émergeaient. C'était un combattant de haut rang nommé Salwan qui était venu avec une autre fille, une autre jeune Yézidie de Hardan, qu'il avait l'intention d'échanger contre une nouvelle sabiyya. J'ai levé les yeux vers lui. Je n'avais jamais vu de type aussi immense. Ce géant vêtu d'une dichdacha blanche vaste comme une tente jetait des regards mauvais derrière une barbe rousse. Nisreen, Rojian et

Kathrine ont eu beau me faire un rempart de leurs corps pour essayer de me dissimuler, il est resté planté là.

« Lève-toi ! » a-t-il aboyé. Et, comme je ne bougeais pas, il m'a donné un coup de pied. « Toi ! La fille en veste rose ! Debout, j'ai dit. »

Nous avons crié et nous sommes blotties encore plus étroitement les unes contre les autres, ce qui a achevé d'exaspérer Salwan. Il s'est penché et a cherché à nous séparer, nous agrippant par les épaules et par les bras. Nous avons continué à nous cramponner comme si nous ne faisions qu'une. Notre résistance l'a rendu fou, et il nous a hurlé de nous lever, nous donnant des coups de pied dans les épaules et les mains. La bagarre a fini par attirer l'attention d'un garde, qui est venu l'aider, nous frappant les mains avec un bâton jusqu'à ce que la douleur soit si vive que nous soyons obligées de nous lâcher. Quand nous avons été séparées, Salwan s'est dressé devant moi de toute sa taille, avec un sourire narquois, et j'ai pu voir son visage pour la première fois. Ses yeux étaient profondément enfoncés dans la chair de sa grosse figure, qui semblait presque entièrement couverte de poils. Il ne ressemblait pas à un homme, mais à un monstre.

Nous ne pouvions plus rien faire. « J'irai avec vous, ai-je alors déclaré. Mais vous devrez prendre aussi Kathrine, Rojian et Nisreen. »

Nafah est venu voir ce qui se passait. Dès qu'il m'a reconnue, il s'est empourpré : « C'est encore toi ? » a-t-il demandé, et il nous a toutes giflées. « Je ne partirai pas sans elles », ai-je crié, et Nafah s'est mis à nous frapper de plus en plus violemment, jusqu'à ce que nos visages soient complètement insensibles et que la bouche de Rojian se mette à saigner.

Salwan et lui m'ont ensuite attrapée en même temps que Rojian, nous arrachant à Kathrine et Nisreen avant de nous traîner dans l'escalier. Les pas de Salwan faisaient un bruit de tonnerre. Je n'ai pas pu dire au revoir à Kathrine et Nisreen, ni même me retourner pendant qu'ils m'emmenaient.

La décision d'attaquer le Sinjar et de nous emmener pour faire de nous des esclaves sexuelles n'avait pas été prise spontanément sur le champ de bataille par un soldat cupide. L'EIIL avait tout prévu : comment ils entreraient chez nous, ce qui rendait une fille plus ou moins précieuse, quels combattants méritaient une sabiyya comme avantage en nature et lesquels devraient payer. Ils évoquaient même les sabaya dans leur revue de propagande, *Dabiq*, pour essayer d'attirer de nouvelles recrues. Depuis leurs centres de Syrie et leurs cellules dormantes d'Irak, ils avaient organisé leur commerce d'esclaves pendant des mois, définissant ce qui était légal ou non à leurs yeux en vertu de la loi islamique, et ils avaient tout consigné par écrit afin que tous les membres de l'État islamique puissent respecter les mêmes règles brutales. Tout le monde peut les lire – tous les détails du programme concernant les sabaya figurent dans une brochure publiée par le Département de la recherche et de la fatwa de l'EIIL. Ce document est écœurant, d'abord à cause de son contenu, mais aussi en raison du prosaïsme avec lequel l'EIIL expose ses règles, comme n'importe quel État présentant sa législation, certain que ses agissements sont autorisés par le Coran.

Les sabaya peuvent être offertes en cadeau et vendues au gré de leur propriétaire, « car elles sont simple propriété », dit la brochure de l'État islamique. Les femmes ne doivent pas être séparées de leurs jeunes enfants – raison pour laquelle Dimal et Adkee avaient reçu l'ordre de rester à Solagh –, mais les adolescents, comme Malik, peuvent être enlevés à leurs mères. Certaines règles précisent ce qu'il convient de faire si une sabiyya tombe enceinte (elle ne peut pas être vendue) ou si son propriétaire meurt (elle est distribuée « dans le cadre de sa succession »). Un propriétaire peut avoir des rapports sexuels avec une esclave prépubère si, dit le texte, elle « est capable de rapports » ; sinon, il doit se contenter d'« en jouir sans rapport ».

Une grande partie de ces règles s'appuie sur des versets du Coran et sur des lois islamiques médiévales dont l'EIIL use sélectivement et qu'il demande à ses partisans de respecter à la lettre. C'est un document aussi atroce que stupéfiant. Mais l'EIIL n'est pas aussi original que ses membres le croient. Le viol a été utilisé dans toute l'histoire comme une arme de guerre. Je n'avais jamais pensé que j'aurais un jour quoi que ce soit de commun avec les femmes du Rwanda – avant tout cela, je ne savais même pas que ce pays existait –, alors que, maintenant, je me rattache à elles par le pire des liens possibles, celui qui unit les victimes d'un crime de guerre dont on a tant de mal à parler que, seize ans seulement avant l'arrivée de l'EIIL dans le Sinjar, aucune poursuite n'avait été engagée contre ceux qui s'en étaient rendus coupables, où que ce soit dans le monde.

Au rez-de-chaussée, un combattant enregistrait les transactions dans un registre, notant nos noms et ceux des combattants qui nous emmenaient. Par rapport au tintamarre de l'étage, un ordre et un calme surprenants régnaient ici. Je me suis assise sur un canapé à côté de plusieurs autres filles, mais nous avions trop peur, Rojian et moi, pour leur parler. Je pensais à ce qui m'arriverait si Salwan m'emmenait. Il avait l'air si fort qu'il aurait facilement pu m'écraser entre ses mains. Quoi qu'il fît, et malgré toute la résistance que je pourrais lui opposer, je ne réussirais jamais à le repousser. Il dégageait une odeur atroce, un mélange d'œufs pourris et d'eau de Cologne.

Je gardais les yeux au sol, regardant les pieds et les chevilles des combattants et des filles qui défilaient devant moi. Au milieu de la foule, j'ai repéré une paire de sandales d'homme surmontée par des chevilles maigres, presque féminines, et, sans prendre le temps de réfléchir, je me suis jetée sur ces pieds. Je me suis mise à gémir : « Je vous en supplie, prenez-moi. Faites de moi ce que vous voudrez, mais, vraiment, je ne peux pas aller avec ce géant. » Je m'étonne encore des décisions que nous avons toutes prises, convaincues que tel choix nous conduirait au supplice et tel autre au salut, sans comprendre que nous vivions à présent dans un monde où tous les chemins menaient au même lieu d'épouvante.

Je ne sais pas pourquoi cet homme a accepté, mais, après m'avoir jeté un rapide regard, il s'est tourné vers Salwan et lui a dit : « Elle est à moi. » Salwan n'a pas discuté. Le maigre était un juge de Mossoul, et personne ne lui tenait tête. Je me suis redressée et j'étais sur le point d'adresser un sourire triomphant à Salwan quand il m'a empoignée par les cheveux et a violemment tiré ma tête en arrière. « C'est lui qui t'aura pour le moment, m'a-t-il dit. Mais, dans quelques jours, ce sera moi. » Puis il m'a laissée retomber en avant.

J'ai suivi l'homme mince jusqu'au bureau. « Comment t'appelles-tu ? » m'a-t-il demandé. Il parlait d'une voix douce, mais sévère. « Nadia », ai-je répondu, et il s'est tourné vers celui qui écrivait et qui a paru reconnaître mon accompagnateur sur-le-champ. Il a entrepris de noter nos identités, tout en prononçant nos noms tout haut – « Nadia, Hajji Salman » –, et, quand il a dit le nom de mon ravisseur, il m'a semblé percevoir un léger tremblement de peur dans sa voix. J'ai commencé à me demander si je n'avais pas commis une terrible erreur.

6

Salwan a pris Rojian, si jeune et si innocente, et, malgré toutes les années qui se sont écoulées depuis, je pense encore à lui avec une colère intacte. Je rêve de traduire un jour en justice tous les combattants de l'État islamique, pas seulement les responsables comme Abou Bakr al-Baghdadi, mais tous les gardes et propriétaires d'esclaves, tous ceux qui ont appuyé sur la gâchette et ont poussé les corps de mes frères dans la fosse commune, tous les militants qui ont soumis de jeunes garçons à un lavage de cerveau pour leur faire haïr leurs mères d'être yézidies, tous les Irakiens qui ont accueilli les terroristes dans leurs villes et les ont aidés, en pensant : *Enfin, nous serons débarrassés de ces incroyants.* Ils devraient tous être jugés à la face du monde, comme les responsables nazis après la Seconde Guerre mondiale, sans avoir la moindre possibilité d'échapper à leur sort.

Dans mes rêves, Salwan est toujours le premier à passer en jugement, et toutes les filles de cette deuxième maison de Mossoul sont présentes dans la salle d'audience pour témoigner contre lui. « C'est lui, dis-je en désignant le monstre. C'est le géant qui nous a toutes terrorisées. Il a regardé quand on me battait. » Puis Rojian, si elle veut bien, dira au tribunal ce qu'il lui a fait. Si elle a trop peur ou est trop traumatisée, je parlerai à sa place. « Non seulement Salwan l'a achetée et a abusé d'elle à mainte et mainte reprise, mais il la frappait sous n'importe quel prétexte, expliquerai-je. Même la première nuit, alors que Rojian avait trop peur et était trop épuisée pour songer même à résister, Salwan l'a battue quand il a constaté qu'elle portait plusieurs couches de vêtements, et il l'a battue encore en lui reprochant que je lui aie échappé. Quand Rojian a réussi à s'enfuir, il a acheté sa mère et, en représailles, il en a fait son esclave. Sa mère avait un bébé de seize jours que Salwan lui a retiré, alors que vos propres règles interdisent de séparer une mère de ses enfants. Il lui a dit qu'elle ne reverrait plus jamais son bébé. » (Un grand nombre des règles de l'EIIL n'existaient, ai-je appris plus tard, que pour être enfreintes.) Je raconterai au tribunal tout ce qu'il lui a fait, jusque dans le moindre détail, et je prie Dieu que, le jour où l'EIIL sera vaincu, Salwan soit pris vivant.

Cette nuit-là, quand la justice n'était encore qu'une lointaine chimère et que nous ne pouvions nous accrocher à aucune lueur d'espoir, Rojian et Salwan sont sortis de la maison avec Hajji Salman et moi. Les cris du marché aux esclaves nous ont suivis dans le jardin, assez bruyants pour que leurs échos résonnent à travers toute la ville. J'ai pensé aux familles qui habitaient dans ces rues. Étaient-elles en train de dîner ? De coucher leurs enfants ? Elles entendaient forcément ce qui se passait dans la maison. La musique et la télévision, qui auraient pu couvrir nos cris, étaient interdites par l'EIIL. Peut-être prenaient-elles plaisir à assister à nos souffrances, preuve du pouvoir des responsables du nouvel État islamique. Que pensaient-elles qu'il leur arriverait tout à la fin, quand les forces irakiennes et kurdes se battraient pour reprendre Mossoul ? Croyaient-elles que l'EIIL les protégerait ? Cette idée m'a fait frissonner.

Nous sommes montés en voiture, Rojian et moi à l'arrière, les hommes devant, et nous nous sommes éloignés de la maison. « On va chez moi, a annoncé Hajji Salman dans son téléphone. Il y a huit filles là-bas en ce moment. Débarrassez-vous d'elles. »

Nous nous sommes arrêtés devant une vaste construction ; on aurait dit un bâtiment destiné aux mariages avec une entrée à double porte entourée de colonnes de béton, mais il avait l'air de servir de mosquée. L'intérieur était rempli de combattants de l'État islamique ; ils devaient être près de trois cents, tous en prière. Personne n'a fait attention à nous et je suis restée près de la porte pendant que Hajji Salman attrapait deux paires de sandales sur une grosse pile et nous les tendait. C'étaient des sandales d'hommes, en cuir, trop grandes et trop raides pour que nous puissions marcher avec, mais des combattants nous avaient retiré nos chaussures et nous étions pieds nus. Nous avons pris garde à ne pas trébucher en passant devant les hommes en prière et sommes ressorties.

Salwan attendait à côté d'une autre voiture. De toute évidence, ils avaient l'intention de nous séparer, Rojian et moi. Nous nous sommes prises par la main et les avons suppliés de nous permettre de rester ensemble. « Je vous en prie, ne nous obligez pas à partir seules », avons-nous dit, mais ni Salwan ni Hajji Salman ne nous ont écoutées. Salwan a attrapé Rojian par les épaules et me l'a arrachée des bras. Elle avait l'air si petite, si jeune. Nous avons hurlé, chacune criant le nom de l'autre, mais cela n'a servi à rien. Rojian a disparu dans un véhicule avec Salwan, me laissant seule avec Hajji Salman. J'ai cru que j'allais mourir de chagrin là, sur place.

Nous sommes montés dans une petite voiture blanche où nous attendaient un chauffeur et un jeune garde qui s'appelait Morteja. Celui-ci m'a dévisagée avec insistance au moment où je me suis assise à côté de lui, et j'ai pensé que, si Hajji Salman n'avait pas été là, il aurait cherché à me toucher comme les hommes au marché aux esclaves. Je me suis serrée contre la portière, m'écartant de lui le plus possible.

Les rues étroites étaient à présent presque désertes et il faisait nuit noire ; on ne distinguait que les lumières de quelques maisons équipées de bruyants groupes électrogènes. Nous avons roulé en silence pendant une vingtaine de minutes, dans des ténèbres si épaisses que c'était presque comme si nous roulions dans l'eau, puis nous nous sommes arrêtés. «Sors, Nadia», a ordonné Hajji Salman. Il m'a tirée brutalement par le bras, me faisant franchir une grille donnant sur un jardin. Il m'a fallu un moment pour m'apercevoir que nous étions revenus à la première maison, le centre de l'État islamique où les combattants avaient mis à part un groupe de filles pour leur faire franchir la frontière. «Vous m'emmenez en Syrie?» ai-je demandé tout bas, mais Hajji Salman n'a pas réagi.

Du jardin, nous entendions des filles hurler à l'intérieur du bâtiment et, quelques minutes plus tard, huit filles en abaya et en niqab ont franchi la porte, traînées par des combattants. En passant, elles se sont tournées vers moi et m'ont dévisagée. Peut-être me connaissaient-elles. Peut-être étaient-ce Nisreen et Kathrine, trop terrifiées, exactement comme moi, pour prononcer un seul mot. De toute manière, leurs visages étaient dissimulés derrière le niqab, et on les a rapidement poussées dans un minibus. Les portières se sont refermées, et il a démarré.

Un garde m'a conduite dans une pièce vide. Je ne voyais pas d'autres filles et n'en entendais pas non plus, mais, comme dans les autres maisons, l'EIIL avait laissé des foulards et des vêtements yézidis en tas, témoignage de toutes celles qui étaient passées par là. Des documents qu'ils nous avaient pris, il ne restait qu'un petit monticule de cendres. Seule la carte d'identité d'une fille de Kocho était demeurée partiellement intacte et surgissait des cendres comme une plante minuscule.

L'EIIL n'ayant pas pris la peine de débarrasser la maison des affaires personnelles de la famille à qui elle appartenait, des vestiges de sa vie, qui devaient lui manquer à présent, traînaient encore un peu partout. Dans une pièce, visiblement destinée au sport, les murs étaient couverts de photos encadrées d'un garçon, sans doute le fils aîné, soulevant des poids énormes. Une autre pièce était réservée aux jeux, de cartes par exemple. Mais le plus désolant était les chambres des enfants, encore pleines de jouets et de couvertures aux couleurs vives, attendant le retour de leurs petits occupants.

« À qui appartenait cette maison ? ai-je demandé à Hajji Salman quand il m'a rejointe.

— À un chiite, m'a-t-il répondu. Un juge.

— Que lui est-il arrivé ? » J'espérais que ces gens avaient pu s'échapper à temps et qu'ils étaient en sécurité en zone kurde. Même s'ils n'étaient pas yézidis, j'avais de la peine pour eux. Comme à Kocho, l'EIIL avait tout pris à cette famille.

« Il est en enfer », a lancé Hajji Salman, et j'ai cessé de poser des questions.

Hajji Salman est allé prendre une douche. Il ne s'est pas changé et, quand il est revenu, je sentais la faible odeur de transpiration de ses vêtements et de son eau de Cologne qui luttait contre celle du savon. Il a refermé la porte derrière lui et s'est assis sur le matelas à côté de moi. J'ai balbutié précipitamment : « J'ai mes règles », et j'ai détourné les yeux, mais il n'a pas réagi.

« D'où viens-tu ? m'a-t-il demandé en se rapprochant de moi.

— De Kocho. » Dans ma terreur, j'avais à peine pensé à ma maison et à ma famille. Je n'avais en tête que ce qui allait m'arriver d'un moment à l'autre. Prononcer le nom de mon village m'a fait mal. Les souvenirs de chez moi et de ceux que j'aimais ont soudain afflué, surtout les images de ma mère posant silencieusement sa tête découverte sur mes genoux pendant que nous attendions à Solagh.

« Les Yézidis sont des infidèles, tu le sais », a repris Hajji Salman. Il parlait doucement, presque à voix basse, et pourtant il n'y avait aucune douceur en lui. « Dieu veut que nous vous convertissions. Si nous n'y parvenons pas, nous sommes libres de vous faire ce que nous voulons. »

Il s'est interrompu un instant avant de me demander :

« Qu'est-il arrivé à ta famille ?

— Presque tous les autres ont réussi à s'enfuir, ai-je menti. Nous ne sommes que trois à avoir été capturées.

— Je me suis rendu dans le Sinjar le 3 août, quand tout a commencé », a-t-il repris, installé sur le lit, détendu comme s'il racontait une histoire joyeuse. « J'ai aperçu au bord de la route trois Yézidis en uniformes de policiers. Ils cherchaient à s'enfuir, mais je les ai rattrapés et je les ai tués. »

J'ai regardé par terre, muette.

« Nous sommes venus dans le Sinjar pour tuer tous les hommes, a poursuivi mon ravisseur, et pour prendre les femmes et les enfants, tous, sans exception. Malheureusement, certains ont pu rejoindre les montagnes. »

Hajji Salman a discouru pendant près d'une heure, pendant que j'étais assise au bord du matelas, essayant de rester sourde à ses paroles. Il a maudit mon foyer, ma famille et ma religion. Il m'a dit qu'il avait passé sept ans dans la prison de Badouch, à Mossoul, et voulait se venger des infidèles d'Irak. Ce qui s'était passé dans le Sinjar était une bonne chose, et je devais être contente que l'EIIL ait décidé d'éradiquer le yézidisme du pays. Il voulait me convaincre de me convertir, mais j'ai refusé. Je n'arrivais pas à le regarder. Au bout d'un moment, ses paroles ont perdu tout sens. Il n'a interrompu son monologue que pour prendre un appel téléphonique de sa femme, qu'il appelait Oum Sara.

Bien que ses propos n'aient cherché qu'à me blesser, j'espérais qu'il ne cesserait jamais de parler. Aussi longtemps qu'il discourait, il ne me toucherait pas, pensais-je. Les règles des Yézidis concernant les relations entre garçons et filles n'étaient pas aussi strictes que dans d'autres communautés d'Irak, et il m'était arrivé à Kocho de faire des trajets en voiture avec des garçons qui étaient mes amis et d'aller à l'école avec des camarades garçons sans m'inquiéter de ce que les gens diraient. Mais ces garçons ne m'auraient jamais touchée ni fait le moindre mal et, avant Hajji Salman, je ne m'étais jamais trouvée seule avec un homme dans ce genre de situation.

« Tu es ma quatrième sabiyya, a-t-il repris. Les trois autres sont musulmanes, maintenant. J'ai fait ça pour elles. Les Yézidis sont des infidèles – c'est pour cela que nous agissons ainsi. C'est pour vous aider. » Puis il m'a ordonné de me déshabiller.

Je me suis mise à pleurer.

« J'ai mes règles, ai-je répété.

— Prouve-le, a-t-il dit en commençant à retirer ses vêtements. Ma précédente sabiyya disait la même chose. »

Je me suis déshabillée. Comme j'avais vraiment mes règles, il ne m'a pas violée. Le manuel de l'État islamique n'interdit pas les relations sexuelles avec une sabiyya en période de menstruation, mais il prescrit que le ravisseur doit attendre que le cycle menstruel de son esclave soit terminé avant d'avoir des relations avec elle, pour s'assurer qu'elle n'est pas enceinte. Peut-être est-ce ce qui a arrêté Hajji Salman cette nuit-là.

Il ne m'a pas laissée tranquille pour autant. Toute la nuit, nous sommes restés allongés sur le matelas, nus l'un à côté de l'autre, et il n'a pas arrêté de me toucher. C'était comme dans le bus quand Abou Batat glissait la main sous ma robe et me serrait brutalement le sein – mon corps était endolori et ankylosé partout où Hajji Salman posait les doigts. J'avais trop peur pour essayer de le repousser et, de toute façon, cela n'aurait servi à rien. J'étais petite, mince et faible. Je n'avais pas pris de vrai repas depuis des jours, voire des semaines en tenant compte de la période où nous étions restés assiégés dans Kocho. Rien n'aurait pu l'empêcher de faire ce qu'il voulait.

Le matin, quand j'ai ouvert les yeux, Hajji Salman était déjà réveillé. J'ai commencé à m'habiller, mais il m'a arrêtée. «Va prendre une douche, Nadia, m'a-t-il dit. La journée sera longue.»

Après ma douche, il m'a tendu une abaya et un niqab noirs, que j'ai enfilés sur ma robe. C'était la première fois que je portais la tenue musulmane conservatrice et, malgré la légèreté du tissu, j'avais l'impression d'étouffer. Dehors, dissimulée sous mon niqab, j'ai pu, pour la première fois, voir à la lumière du jour le quartier où nous étions. Ce juge chiite devait être riche ; il vivait dans une partie chic de Mossoul, où d'élégantes maisons étaient séparées de la rue par des jardins eux-mêmes entourés de murs. La propagande religieuse de l'État islamique était une puissante motivation pour les djihadistes potentiels, mais les combattants du monde entier étaient également attirés par la promesse d'argent. Quand ils sont arrivés à Mossoul, ils ont commencé par occuper les plus belles demeures et ont pillé tout ce qu'ils voulaient dans les autres. On a annoncé aux habitants qui n'avaient pas quitté la ville qu'ils retrouveraient l'autorité qu'ils avaient perdue après 2003, quand les États-Unis avaient démantelé les institutions du parti Baas et redistribué le pouvoir aux chiites d'Irak, mais ils étaient également lourdement imposés par l'EIIL, qui m'a fait l'effet d'être un groupe terroriste où la rapacité régnait en maître.

Apparemment, l'EIIL s'enorgueillissait de s'être emparé des plus grands bâtiments de la ville, hissant son drapeau noir et blanc partout où il allait. L'aéroport local ainsi que la totalité du vaste campus de l'université de Mossoul, qui avait été l'un des meilleurs établissements scolaires d'Irak, avaient été transformés en bases militaires. Les combattants avaient donné l'assaut au musée de Mossoul, le deuxième plus grand du pays, détruisant certaines œuvres qu'ils prétendaient anti-islamiques et vendant les autres au marché noir créé pour financer leur guerre. L'hôtel Nineveh Oberoi, un établissement cinq étoiles curieusement de travers construit dans les années 1980 sous Saddam, hébergeait d'éminents membres du groupe terroriste. Les plus belles chambres, disait-on, étaient réservées à ceux qui s'apprêtaient à mener des attentats suicides.

À l'arrivée de l'EIIL en 2014, plusieurs centaines de milliers d'habitants avaient quitté Mossoul, faisant la queue pendant des heures aux checkpoints du GRK pour pouvoir entrer au Kurdistan, et l'on distinguait encore des traces de leur fuite le long des routes que nous avons empruntées, Hajji Salman et moi. Des voitures abandonnées dont il ne restait que des squelettes calcinés, des fers à béton jaillissant des décombres de maisons à demi écroulées, des lambeaux d'uniformes de la police irakienne laissés par des policiers qui pensaient avoir plus de chances de s'en sortir vivants s'ils se débarrassaient de leur tenue. Les consulats, les tribunaux, les écoles, les commissariats et les bases militaires étaient désormais sous contrôle de l'EIIL, lequel laissait son empreinte partout, hissant des drapeaux, diffusant des discours tonitruants par les haut-parleurs des mosquées et allant jusqu'à noircir les visages d'enfants sur une fresque dessinée sur le mur extérieur d'une école élémentaire parce qu'il considérait ces portraits comme *haram*, illicites.

Les détenus de la prison de Badouch avaient été libérés en échange d'un serment d'allégeance à l'État islamique. Rejoignant les combattants, ils avaient fait sauter des sanctuaires et des lieux saints chrétiens, soufis et chiites, dont certains faisaient aussi intimement partie de l'Irak que ses montagnes. Au moins, la grande mosquée de Mossoul était toujours intacte dans la vieille ville, enlaidie pourtant à l'instant où Baghdadi avait pris place derrière le pupitre pour déclarer que la deuxième plus grande ville d'Irak était à présent la capitale de l'État islamique en Irak. Elle a cependant été détruite en 2017, comme une large partie de la ville.

Nous nous sommes enfin arrêtés devant le tribunal de Mossoul, un vaste édifice couleur sable situé sur la rive ouest du Tigre et dont les flèches élancées m'ont fait penser à une mosquée. Un grand drapeau de l'État islamique flottait sur le toit du tribunal. Ce bâtiment jouait un rôle majeur dans le programme d'instauration à Mossoul d'un ordre nouveau, qui ne serait plus gouverné par les lois du gouvernement central irakien, mais par les convictions intégristes de l'EIIL. Les cartes d'identité de l'État islamique avaient remplacé nos cartes irakiennes, et les voitures étaient déjà équipées de nouvelles plaques d'immatriculation. Dans Mossoul sous contrôle de l'EIIL, les femmes devaient être couvertes en permanence – portant le niqab et l'abaya – et accompagnées d'un homme si elles voulaient sortir de chez elles. L'EIIL avait interdit la télévision, la radio et même les cigarettes. Les civils qui n'avaient pas rejoint le groupe terroriste devaient payer une amende s'ils voulaient sortir de Mossoul et n'étaient autorisés à quitter la ville que pendant un laps de temps précis. S'ils ne rentraient pas à la date prévue, un membre de leur famille pouvait en subir les conséquences, et leur maison ainsi que leurs biens risquaient d'être confisqués pour «abandon du califat». Un grand nombre de procès se tenaient dans ce tribunal.

À l'intérieur, les gens se massaient, attendant d'être reçus par les juges et les greffiers. Une longue file de combattants accompagnés de femmes vêtues de noir, que j'ai supposées être des sabaya, comme moi, patientait devant une salle. Nous allions devoir y remplir des formulaires reconnaissant

De gauche à droite : ma sœur Adkee, mon frère Jalo et ma sœur Dimal.

Mon père, Basee Murad Taha, jeune homme.

Ma nièce Kathrine lors d'un mariage en 2013.

De gauche à droite : ma belle-sœur Sester, ma sœur Adkee, mon frère Khairy, ma nièce Baso, ma sœur Dimal, ma nièce Maisa et moi, en 2011.

Dans le sens des aiguilles d'une montre, depuis le dernier rang : ma belle-sœur Jilan, ma belle-sœur Mona, ma mère, ma nièce Baso, ma sœur Adkee, mes nièces Nazo, Kathrine, Maisa et moi, chez nous, à Kocho, en 2014.

Hezni conduisant notre tracteur, avec moi et Kathrine (à droite) derrière.

Mes frères et mes demi-frères en 2014. Au dernier rang, de gauche à droite : Hezni, un voisin, mon demi-frère Khaled, mon frère Saeed. Au premier rang : mon demi-frère Walid, mon frère Saoud et moi.

Jilan et Hezni lors de leur mariage en 2014.

Ma mère au mariage de son petit-fils.

De gauche à droite : mes frères Massoud, Saoud et Hezni.

Mon demi-frère Hajji.

À l'école avec une camarade en 2011.

Ma mère, Shami.

officiellement quelles Yézidies appartenaient à quels combattants. Nous serions obligées de nous convertir à l'islam – une conversion qui serait dûment consignée, elle aussi. Un juge nous déclarerait ensuite propriété de notre acheteur. C'était une autorisation de viol que les combattants, et Hajji Salman comme les autres, appelaient « mariage ».

Quand ceux qui travaillaient sur place ont reconnu Hajji Salman, ils nous ont fait passer en tête de la file. En surprenant des conversations, j'ai commencé à mieux comprendre quel était le rôle de mon ravisseur dans l'État islamique. En qualité de juge, Hajji Salman était chargé de décider si un accusé dont la culpabilité avait été établie devait être exécuté.

La salle était vide, à l'exception d'un juge à barbe grise assis derrière un long bureau, entouré de paperasserie. Derrière lui, un grand drapeau de l'État islamique voltigeait dans le courant d'air du climatiseur, tandis que deux autres de ces emblèmes ornaient les épaules de son uniforme. Quand nous sommes entrés, j'ai prié de tout mon cœur Dieu de me pardonner ce que j'allais faire. *Je croirai toujours en toi*, ai-je promis en silence, *je serai toujours yézidie*.

Le juge, Husayn, était un homme sérieux et efficace. « Relève ton niqab », m'a-t-il ordonné, et j'ai obéi, lui montrant mon visage. « Connais-tu la *chahada* ? m'a-t-il demandé. – Oui », ai-je répondu. Tout le monde connaissait cette prière islamique très simple qui affirme l'engagement d'un converti à l'égard de l'islam et que récitent les musulmans quand ils prient. Quand j'ai eu fini, le visage du juge Husayn s'est éclairé. « Que Dieu te bénisse, a-t-il dit. Ce que tu fais est très bien. » Puis, attrapant un appareil posé sur son bureau, il a pris une photo de mon visage découvert.

Il s'est ensuite tourné vers Hajji Salman et lui a dit : « Elle est ta sabiyya, maintenant. Fais-en ce que tu veux », et nous sommes sortis du tribunal.

Par ces « mariages », l'EIIL a poursuivi son lent assassinat des filles yézidies. Il a commencé par nous arracher à notre foyer et par tuer nos hommes. Puis il nous a séparées de nos mères et de nos sœurs. Partout où nous étions, il s'employait à nous rappeler que nous n'étions qu'un bien meuble, que l'on pouvait toucher et maltraiter, à l'image d'Abou Batat quand il me serrait le sein comme s'il avait voulu l'arracher ou de Nafah écrasant des cigarettes sur mon corps. Toutes ces profanations étaient destinées à faire mourir notre âme.

Nous dépouiller de notre religion était la plus cruelle de ces mesures. Au sortir du tribunal, je me sentais vide. Qui étais-je si je n'étais pas yézidie ? J'espérais que Dieu savait que, même si j'avais dû réciter la *chahada*, je n'en pensais pas un mot. Tant que mon âme, assassinée par l'EIIL, pouvait rejoindre Dieu et Tawusi Melek dans l'au-delà, l'EIIL pouvait bien avoir mon corps.

« Il a pris ma photo pour me faire une carte d'identité ? ai-je demandé à Hajji Salman.

— Non. Cette photo permet de garder la trace du lieu où tu te trouves et de l'homme avec qui tu es. » Il resserra sa main sur mon bras. « Et si tu cherches à t'enfuir, ce qui est absolument impossible, mais si tu cherches à le faire, ils imprimeront des centaines d'exemplaires de ce portrait accompagné de mon nom et de mon numéro de téléphone, et ils l'afficheront à tous les checkpoints de façon que tu me sois rendue. Et tu le seras. »

Je l'ai cru, bien sûr.

7

Nous avons quitté le tribunal pour nous rendre dans une autre maison où Morteja, le garde, vivait avec sa famille. Par rapport à la résidence de Hajji Salman, c'était une modeste demeure d'un seul étage, plus luxueuse tout de même que celle dans laquelle j'avais grandi. Comme je venais de me convertir, je me suis dit que Hajji Salman aurait peut-être pitié de moi et accepterait de me dire ce qu'était devenue ma famille. Je lui ai donc demandé : «Je vous en prie, conduisez-moi auprès de Kathrine, Nisreen et Rojian. Je voudrais simplement m'assurer qu'elles vont bien.»

À ma grande surprise, il a répondu qu'il essaierait. «Je sais où elles sont. Je vais passer un coup de fil. Tu pourras peut-être les voir, juste un instant; mais, pour le moment, tu dois attendre ici.»

Dans la cuisine, nous avons immédiatement été accueillis par une grande femme d'un certain âge qui s'est présentée comme la mère de Morteja. «Nadia était une infidèle, mais elle vient de se convertir», a annoncé Morteja à sa mère, et elle a levé les bras pour féliciter Hajji Salman avec enthousiasme. «Ce n'est pas ta faute si tu es née yézidie, m'a-t-elle dit. C'est celle de tes parents, mais, maintenant, tu seras heureuse.»

Je ne m'étais pas encore trouvée dans la même pièce qu'une femme non yézidie depuis mon arrivée à Mossoul, et j'ai observé la mère de Morteja, espérant voir une lueur de compassion sur son visage. C'était une mère, après tout, et je pensais que cela comptait peut-être plus pour elle que le fait qu'elle soit sunnite et moi yézidie. Savait-elle ce que Hajji Salman m'avait fait la nuit précédente et ce qu'il avait l'intention de me faire dès que je n'aurais plus mes règles ? Même si elle l'ignorait, elle savait que j'avais été obligée de venir ici, que j'avais été séparée de ma famille et que les hommes de Kocho avaient été tués. Elle ne m'a manifesté ni affection ni compassion ; elle était simplement ravie d'apprendre que, comme j'avais été contrainte de me convertir à l'islam, l'Irak comptait une yézidie de moins.

Je la détestais, pas seulement parce qu'elle avait laissé l'EIIL prendre Mossoul, mais parce qu'elle avait laissé les *hommes* prendre Mossoul. Sous le régime de l'EIIL, les femmes ont disparu de la vie publique. Les hommes avaient des raisons évidentes de se rallier à ce mouvement : ils voulaient de l'argent, du pouvoir et du sexe. Ils étaient trop faibles, me disais-je, pour comprendre comment obtenir tout cela sans violence et, en tout état de cause, les combattants de l'État islamique que j'avais rencontrés jusqu'à présent semblaient prendre plaisir à faire souffrir les autres. Ces hommes s'appuyaient sur les lois islamiques médiévales reprises par l'EIIL, qui leur accordaient un pouvoir absolu sur leurs épouses et sur leurs filles.

En revanche, je ne comprenais pas qu'une femme puisse rejoindre les djihadistes et célébrer ouvertement l'asservissement de jeunes filles comme le faisait la mère de Morteja. Toutes les Irakiennes, quelle que fût leur religion, étaient obligées de se battre pour tout. Sièges parlementaires, droits sexuels et génésiques, postes à l'université – tout cela était le fruit de longues luttes. Comme les hommes ne demandaient qu'à conserver le pouvoir, il fallait bien que des femmes fortes le leur arrachent. L'insistance d'Adkee pour conduire notre tracteur était elle-même un geste de revendication d'égalité et un défi lancé à ces hommes.

Et pourtant, quand l'EIIL était arrivé à Mossoul, des femmes comme la mère de Morteja l'avaient accueilli à bras ouverts et avaient approuvé les politiques brutales contraignant des femmes comme elle à rester cachées et exploitant les filles comme moi. De même, elles avaient regardé sans broncher les terroristes assassiner ou expulser les chrétiens et les chiites de la ville, des gens avec lesquels les sunnites cohabitaient depuis plus de mille ans. Elles avaient préféré rester spectatrices, et vivre sous le joug de l'EIIL.

Si j'avais vu des Yézidis du Sinjar s'en prendre à des musulmans comme l'EIIL s'en était pris à nous, jamais je n'aurais été témoin de ces mauvais traitements sans réagir. Personne dans ma famille ne l'aurait fait, hommes ou femmes. Tout le monde pense que les femmes yézidies sont faibles, parce que nous sommes pauvres et que nous vivons à l'extérieur des villes, et j'ai entendu des gens dire que, à leur façon, les combattantes qui se trouvent dans les rangs de l'EIIL prouvent leur force au milieu des hommes. Mais aucune – pas plus la mère de Morteja que celles qui accomplissent des attentats suicides – n'était, et de loin, aussi forte que ma mère qui a surmonté tant de difficultés et n'aurait jamais accepté qu'une autre femme soit vendue comme esclave, quelle que fût sa religion.

Je sais aujourd'hui que les femmes terroristes n'ont rien de nouveau. À travers le monde et dans toute l'histoire, il y a eu des femmes qui ont adhéré à des organisations terroristes, y jouant parfois des rôles majeurs ; mais ces agissements continuent à étonner les observateurs. On a tendance à tenir pour admis que les femmes sont trop dociles, surtout au Moyen-Orient, pour être violentes. Il y a pourtant de nombreuses femmes au sein de

197

l'EIIL et, comme les hommes, elles rejettent toutes les confessions hormis l'islam et pensent que, en rejoignant les terroristes, elles contribuent à la cause supérieure que, est l'établissement de leur califat sunnite. Comme les hommes, elles se tiennent pour victimes d'une oppression sectaire et de l'invasion américaine. Elles ont cru les membres de l'EIIL quand ils leur ont dit que, si elles les soutenaient, leurs familles obtiendraient plus d'argent, leurs maris de meilleurs emplois, et que leurs enfants se verraient accorder le statut qu'ils méritaient au sein de leur pays. On leur a dit qu'il était de leur devoir religieux de soutenir les hommes, et elles ont accepté cette idée.

J'ai entendu parler de femmes de l'État islamique qui ont aidé des Yézidies. Une fille de Kocho s'est vu offrir un téléphone portable par l'épouse de son ravisseur, un combattant étranger venu d'Occident, qui avait entrepris avec toute sa famille le long voyage jusqu'à la Syrie. Cette femme s'était laissé séduire un moment par la propagande de l'État islamique, mais, rapidement, l'asservissement des Yézidies l'avait scandalisée. Grâce à elle, les filles de cette maison ont pu organiser leur fuite de Syrie et se mettre en lieu sûr.

Mais les récits évoquant des femmes encore plus cruelles que les hommes sont plus nombreux. Elles frappent et affament les sabaya de leurs maris par jalousie, par colère ou simplement parce que nous sommes des proies faciles. Elles se considèrent peut-être comme des révolutionnaires – voire comme des féministes – et se sont persuadées, comme d'autres l'ont fait à travers toute l'histoire, que la violence au service d'un bien supérieur est acceptable. J'ai entendu parler de tout cela et, quand j'envisage de faire juger l'EIIL pour génocide, j'éprouve une certaine pitié pour ces femmes. Je comprends mieux qu'on puisse les considérer comme des victimes. En revanche, je n'admets pas que qui que ce soit ait pu assister sans réagir à la vente de milliers de Yézidies comme esclaves sexuelles, les condamnant à se faire violer jusqu'à ce que leurs corps se brisent. Rien ne saurait justifier ce genre de cruauté, et aucun bien supérieur ne saurait en résulter.

La mère de Morteja a continué à s'entretenir avec Hajji Salman, cherchant à l'impressionner. «En plus de Morteja, j'ai une fille de douze ans, lui a-t-elle raconté. Et un fils en Syrie qui se bat avec *Dawla*» – une abréviation arabe désignant l'État islamique. Elle a souri en pensant à lui. «Il est tellement beau! s'est-elle extasiée. Dieu le bénira.»

Après les échanges de civilités, la mère de Morteja m'a fait entrer dans une petite chambre. «Tu vas attendre Hajji Salman ici, m'a-t-elle annoncé. N'essaie pas de sortir, et ne touche à rien.» Elle est repartie en refermant la porte derrière elle.

Je me suis assise au bord d'un canapé, les bras serrés autour de moi. Je me suis demandé si Hajji Salman cherchait réellement à trouver mes nièces et si je pourrais les voir. Il n'était pas rare que des sabaya entretiennent quelques relations – les hommes se déplaçaient souvent avec elles – et il n'était pas impossible qu'il m'accorde ce que je voulais pour que je me tienne tranquille et que je me débatte moins quand il s'approcherait de moi. Pourvu que je puisse constater que Kathrine et les autres étaient encore vivantes, peu m'importait la suite.

Soudain, la porte s'est ouverte et Morteja est entré. Je n'avais pas encore remarqué à quel point il était jeune – il devait avoir à peine un an de plus que moi. Il portait une courte barbe hirsute. De toute évidence, il occupait un rang subalterne parmi les combattants, et je n'étais même pas sûre qu'il ait eu une sabiyya; le cas échéant, rien n'indiquait qu'elle vivait avec lui. Comme Hajji Salman n'était pas dans les parages, il s'est approché avec plus d'autorité, mais celle-ci paraissait factice, comme quand un petit garçon enfile les chaussures de son père.

Il a refermé la porte derrière lui et s'est assis sur le canapé à côté de moi. Instinctivement, j'ai remonté mes jambes contre ma poitrine et j'ai posé mon front sur mes genoux, évitant de le regarder. Cela ne l'a pas empêché de m'adresser la parole. «Tu es contente d'être ici ? m'a-t-il demandé. Ou bien tu aimerais mieux t'enfuir et retrouver ta famille ?» Il se moquait de moi ; il savait quelle réponse n'importe quel être humain ferait à pareille question.

«J'ignore tout de ce qui est arrivé à ma famille, lui ai-je dit, suppliant Dieu qu'il s'éloigne.

— Qu'est-ce que tu me donnerais si je t'aidais à t'échapper ?

— Je n'ai rien à vous donner, ai-je répondu sincèrement, tout en comprenant très bien à quoi il faisait allusion. Mais si vous m'aidez, je téléphonerai à mon frère et il vous donnera tout ce que vous voulez.»

Il a ri et a poursuivi : «Tu as peur ?», tout en se rapprochant de moi.

«Oui, j'ai peur. Bien sûr que j'ai peur.

— Montre-moi, a-t-il dit en tendant la main vers ma poitrine. Fais-moi voir si la peur fait battre ton cœur plus vite.»

Dès que j'ai vu sa main approcher, j'ai cessé de lui parler et j'ai hurlé de toutes mes forces. J'aurais voulu que mes cris fassent s'écrouler les murs qui nous entouraient, que le plafond s'effondre et nous tue.

La porte s'est ouverte sur la mère de Morteja. Elle a lancé un regard furieux à son fils. «Laisse-la tranquille, lui a-t-elle dit. Elle n'est pas à toi.» Et Morteja est sorti, la tête basse, honteux comme un enfant pris en faute. «C'est une kafir, a ajouté sa mère avant de me jeter un coup d'œil hargneux. En plus, elle appartient à Hajji Salman.»

Pendant un moment, je me suis demandé comment elle se comporterait si nous étions seules toutes les deux. Malgré sa

200

religion et l'indifférence avec laquelle elle avait réagi à ce qui s'était passé, si elle était simplement venue s'asseoir à côté de moi en me montrant qu'elle comprenait ce qui m'arrivait, je crois que je lui aurais pardonné. Elle avait à peu près l'âge de ma mère, et son corps était replet et moelleux comme le sien. Si elle m'avait dit : « Je sais qu'ils t'ont emmenée ici de force », et si elle m'avait demandé : « Où sont ta mère et tes sœurs ? », ces simples mots m'auraient inspiré un soulagement infini. J'imaginais qu'elle attendait le départ de Morteja pour venir me rejoindre sur le lit, qu'elle me prendrait la main, m'appellerait sa fille et me chuchoterait : « Ne t'en fais pas. Je t'aiderai à t'évader. Je suis une mère et j'ai pitié de toi. » Ces paroles auraient été douces comme un morceau de pain après des semaines de jeûne. Mais elle n'a rien dit. Elle est sortie, et je suis restée seule dans cette petite chambre.

Quelques minutes plus tard, Hajji Salman est entré. « Nous pouvons aller voir Kathrine », m'a-t-il dit, et j'ai eu l'impression que mon cœur était à la fois plein et vide. Je m'inquiétais plus pour ma nièce que pour quiconque.

Kathrine était née en 1998, c'était la fille aînée d'Elias et, dès sa naissance, elle avait occupé une place spéciale dans notre famille. C'étaient ses protestations et ses larmes qui avaient empêché Elias de partir de chez nous avec sa famille. Elle adorait ma mère presque autant que moi, et elle m'adorait aussi. Nous partagions tout, même nos vêtements, et il nous arrivait de nous habiller de façon identique. Au mariage de ma cousine, nous étions toutes les deux en rouge et, au mariage d'un de mes frères, nous portions toutes les deux du vert.

J'étais plus âgée qu'elle, mais, comme j'avais quelques années de retard à l'école, nous étions dans la même classe. Kathrine était intelligente, dotée d'un sens pratique supérieur à celui de la plupart des enfants de son âge, et le travail ne lui faisait pas peur. Elle a quitté l'école après la sixième pour travailler à la ferme. Elle préférait être dehors avec toute la famille plutôt que d'étudier. Surtout, elle aimait se rendre utile. Malgré son jeune âge, son physique fluet et un caractère plutôt réservé, elle était capable de se charger de tout ce qu'il y avait à faire dans la maison et à la ferme. Kathrine trayait les brebis et faisait la cuisine aussi bien que Dimal. Quand quelqu'un était malade, elle en pleurait et prétendait être capable de sentir sa maladie en elle jusqu'à ce qu'il soit guéri. Avant de nous endormir le soir, nous parlions de nos projets d'avenir. « Je me marierai à vingt-cinq ans, me disait-elle. Je veux avoir beaucoup d'enfants et une grande famille. »

Pendant le siège de Kocho, Kathrine est à peine sortie du salon, où elle restait assise devant la télévision, pleurant pour ceux qui avaient fui dans les montagnes. Elle a refusé de manger quand elle a appris que Baso, sa sœur, avait été capturée à Tel Kassr. « Il faut rester optimiste, lui disais-je en caressant son petit visage jauni par le manque de nourriture et de sommeil. On va peut-être s'en sortir. » Ma mère renchérissait : « Prends exemple sur ton père. Tu dois être forte comme lui. » Mais Kathrine avait perdu espoir très rapidement, et définitivement.

Nous avions dû monter dans des camions différents, Kathrine et moi, au moment de quitter Kocho, et je ne l'avais pas revue avant Solagh, où elle se cramponnait à ma mère de toutes ses forces, cherchant à empêcher l'EIIL de l'emmener. « Je dois accompagner ma mère, avait-elle dit à un combattant de l'État islamique. Elle ne peut pas marcher toute seule. » Mais il lui avait hurlé de se rasseoir, et elle avait obéi.

À Mossoul, c'était Kathrine qui s'était fait le plus de souci pour moi. « Il ne faut plus que tu cries, me disait-elle. Je sais ce que t'a fait Abou Batat. Il m'a fait la même chose. » Elle n'ignorait pas que j'avais du mal à me maîtriser – elle me connaissait mieux que quiconque – et voulait m'épargner d'être punie. «Évite de parler arabe, Nadia, m'avait-elle conseillé dans la maison de Mossoul pendant que nous attendions d'être distribuées. Il ne faudrait pas qu'ils t'emmènent en Syrie.» Je l'avais vue pour la dernière fois lorsque Salwan m'avait arrachée à son étreinte pour me traîner au rez-de-chaussée.

Nous avons quitté la maison de Morteja, Hajji Salman et moi. Alors que nous nous approchions de la porte, j'ai aperçu la mère de Morteja à la cuisine, où elle appliquait des ventouses de verre chaudes sur le dos d'un homme – un type de massage qui laisse de gros cercles rouges sur la peau et est censé activer la circulation. Consciente qu'il était poli de remercier la maîtresse de maison – et parce que, en dépit de tout, les habitudes acquises dans l'enfance deviennent une seconde nature –, je me suis tournée vers elle en disant :

«Salman est ici, je pars, merci.

— Que Dieu soit avec toi», a-t-elle répondu avant de se remettre à sa tâche.

Nous avons regagné le bâtiment où s'était tenu le marché aux esclaves la nuit précédente. «Elles sont en haut», m'a-t-il dit, et il m'a laissée.

Ayant gravi les marches quatre à quatre, j'ai trouvé Kathrine et Nisreen seules dans la grande salle aux fenêtres masquées. Leur épuisement m'a sauté aux yeux. Kathrine était allongée sur un des minces matelas, les yeux mi-clos, Nisreen assise à côté d'elle. Quand j'ai ouvert la porte, elles m'ont jeté un regard vide. J'avais oublié de relever mon niqab. «Vous êtes venue nous réciter le Coran?» m'a demandé Kathrine tout bas.

«C'est moi, Nadia», ai-je dit, et, quand elles ont vu mon visage, elles se sont précipitées sur moi. Nous avons tellement pleuré que nous avons cru en mourir. Nos muscles étaient contractés au point que c'est à peine si nous pouvions respirer. «Ils nous ont dit d'attendre une femme qui devait venir

203

vérifier que nous sommes vierges, m'ont-elles expliqué. Nous t'avons prise pour elle!»

Les yeux de Kathrine étaient gonflés et entourés d'hématomes.

«Je ne vois pas très bien, s'est-elle plainte quand je me suis assise près d'elle.

— Tu as l'air si faible, ai-je remarqué en lui prenant la main.

— Je jeûne pour que Dieu nous vienne en aide», m'a-t-elle avoué. J'ai eu peur qu'elle ne s'évanouisse de faim, mais je n'ai rien dit. Les Yézidis observent deux jeûnes officiels par an (bien que seuls les plus pieux respectent les deux) et nous pouvons décider de jeûner à d'autres moments pour renforcer notre engagement envers Dieu et faciliter notre communication avec Tawusi Melek. Loin de nous affaiblir, le jeûne peut nous donner de la force.

«Que t'est-il arrivé? ai-je demandé à Kathrine.

— Un certain Abou Abdullah m'a achetée et m'a emmenée dans une autre maison de Mossoul. Je lui ai dit que j'avais le cancer et qu'il ferait mieux de ne pas me toucher, alors il m'a battue et m'a ramenée au marché. C'est pour ça que j'ai les yeux au beurre noir.

— Moi, j'ai cherché à m'échapper, a dit Nisreen. Ils m'ont rattrapée et ils m'ont ramenée ici.

— Pourquoi est-ce que tu t'es habillée comme ça? m'a demandé Kathrine, qui portait toujours deux robes yézidies superposées.

— Ils ont pris mes vêtements et m'ont obligée à enfiler ça, lui ai-je répondu. J'ai perdu mon sac. Je n'ai rien d'autre.

— Ton sac? C'est moi qui l'ai!» s'est écriée Kathrine en me le tendant. Puis elle a retiré sa robe du dessus et me l'a donnée. C'était une robe rose et brun, une des plus neuves qu'elle avait, et, aujourd'hui encore, Dimal et moi la portons

204

à tour de rôle parce qu'elle est jolie et qu'elle nous rappelle notre nièce. «Porte-la sous l'abaya», m'a-t-elle dit, et je l'ai embrassée sur la joue.

Un des gardes a surgi sur le seuil : «Vous avez cinq minutes, a-t-il annoncé. Ensuite, Hajji Salman veut que tu descendes.»

Après son départ, Kathrine a enfoncé la main dans la poche de sa robe et m'a tendu une paire de boucles d'oreilles. «Garde-les. C'est peut-être la dernière fois que nous nous voyons. Si tu as l'occasion de t'échapper, fais-le, m'a-t-elle encore chuchoté en me prenant la main et en descendant l'escalier avec moi. J'essaierai de le faire, moi aussi.» Nous nous sommes tenues par la main jusqu'à la cuisine et Hajji Salman m'a entraînée dehors.

Nous avons roulé en silence jusqu'à la maison du juge. Je pleurais tout bas en pensant à Kathrine et à Nisreen, priant Dieu pour qu'elles survivent quoi qu'il advienne. À notre arrivée, Hajji Salman m'a ordonné d'entrer avec un des gardes et de l'attendre. «Je n'en ai pas pour longtemps», a-t-il ajouté, et j'ai commencé à prier en silence.

Avant que j'entre, Hajji Salman m'a regardée longuement. «Quand je reviendrai, peu importe que tu aies tes règles ou non, a-t-il repris au bout d'un moment. Je te le promets, je viendrai à toi.»

C'est ainsi qu'il l'a dit : «Je viendrai à toi.»

8

Au cours des trois dernières années, j'ai entendu bien des histoires sur d'autres Yézidies capturées et réduites en esclavage par l'EIIL. Pour l'essentiel, nous avons toutes été victimes de la même violence. Nous avons été achetées au marché, ou bien offertes à une nouvelle recrue ou à un commandant de haut rang, puis conduites chez notre acquéreur où nous avons été violées et humiliées, et généralement battues de surcroît. On nous a ensuite revendues ou redonnées en cadeau, nous avons été encore violées et battues, puis vendues ou données à un autre combattant qui nous a violées et battues, puis vendues ou données, violées et battues, et ainsi de suite, aussi longtemps que nous avons été suffisamment désirables et encore vivantes. Les tentatives d'évasion étaient sévèrement punies. Comme me l'avait clairement fait savoir Hajji Salman, l'EIIL placardait nos photos à tous les checkpoints, et les habitants de Mossoul avaient l'ordre de raccompagner les esclaves fugitives au centre de l'État islamique le plus proche. On leur avait promis une récompense de cinq mille dollars.

Le pire de tout était le viol. Il nous dépouillait de notre humanité et nous empêchait d'envisager un quelconque avenir – rejoindre la société yézidie, nous marier, avoir des enfants, être heureuses. Nous aurions préféré qu'ils nous tuent.

L'EIIL savait combien il était destructeur pour une Yézidie célibataire de se convertir à l'islam et de perdre sa virginité ; il exploitait ainsi notre pire crainte – être repoussées par notre communauté et par nos chefs religieux. «Tu peux toujours essayer de t'échapper, peu importe, me disait Hajji Salman. Même si tu arrivais à rentrer chez toi, ton père ou ton oncle te tueraient. Tu n'es plus vierge et, en plus, tu es musulmane !»

Certaines femmes racontent qu'elles ont résisté à leurs agresseurs, qu'elles ont cherché à repousser de force des hommes infiniment plus vigoureux qu'elles. Même si elles savaient qu'elles ne pouvaient pas l'emporter contre des combattants résolus à les violer, une fois la chose accomplie, elles se sentaient mieux parce qu'elles s'étaient défendues. « Nous ne les avons pas laissés faire ça tranquillement une seule fois », disaient-elles. « J'ai résisté. Je l'ai frappé, je lui ai craché au visage, j'ai tout essayé. » J'ai entendu parler d'une fille qui s'était enfoncé une bouteille dans le vagin pour ne plus être vierge quand son acheteur voudrait la prendre, et d'autres qui avaient voulu s'immoler par le feu. Une fois libres, elles ont pu déclarer fièrement qu'elles avaient griffé leur ravisseur si férocement qu'elles l'avaient fait saigner, ou qu'elles lui avaient fait un bleu à la joue pendant qu'il les violait. « Au moins, je ne l'ai pas laissé faire tout ce qu'il voulait », disaient-elles, et le moindre geste de résistance, si infime fût-il, faisait comprendre à l'EIIL qu'il ne les possédait pas complètement. Bien sûr, les voix les plus bruyantes étaient celles des femmes qui n'étaient plus là, qui avaient préféré se donner la mort plutôt que de se faire violer.

Je ne l'ai jamais avoué à personne, mais je n'ai pas résisté quand Hajji Salman ou d'autres sont venus me violer. J'ai simplement fermé les yeux et attendu que ce soit fini. On ne cesse de me dire : «Vous êtes si courageuse, vous êtes si forte », et je me mords la langue pour ne pas protester et rétorquer que si d'autres filles ont frappé et mordu leurs agresseurs, moi, je n'ai fait que pleurer. «Je ne suis pas aussi courageuse qu'elles», ai-je envie de reconnaître, mais je m'inquiète de ce qu'on pensera de moi. Il m'arrive d'avoir l'impression que tout ce qui intéresse les gens à propos du génocide, ce sont les sévices sexuels subis par les jeunes Yézidies, et qu'ils tiennent à nous entendre dire que nous nous sommes débattues. Moi, je veux parler de tout – de l'assassinat de mes frères, de la disparition de ma mère, du lavage de cerveau infligé aux jeunes garçons –, et pas seulement du viol. Ou peut-être ai-je encore peur de ce que les gens penseront. Il m'a fallu longtemps pour admettre que ce n'est pas parce que je n'ai pas riposté comme d'autres que j'approuvais ce que faisaient ces hommes.

Avant l'arrivée de l'EIIL, je me considérais comme une fille courageuse et honnête. Quels qu'aient été mes problèmes ou mes erreurs, je n'hésitais pas à les avouer à ma famille. Je leur disais : «Voilà, je suis comme ça», et j'étais prête à accepter leurs réactions. Tant que j'étais avec ma famille, je pouvais tout affronter. Mais sans elle, captive à Mossoul, j'étais tellement seule que c'est à peine si je me sentais humaine. Quelque chose en moi était mort.

La maison de Hajji Salman grouillait de gardes, et je suis immédiatement montée à l'étage. Une demi-heure plus tard environ, Hossam, l'un d'eux, est arrivé avec une robe, des produits de maquillage et de la crème dépilatoire. «Salman veut que tu prennes une douche et que tu te prépares avant qu'il revienne», a-t-il dit avant de redescendre en laissant toutes ces affaires sur le lit.

J'ai pris une douche et j'ai obéi à Hossam, utilisant la crème pour m'épiler des pieds aux aisselles. C'était une marque que ma mère nous avait souvent donnée et que j'avais toujours détestée, préférant la cire au sucre populaire au Moyen-Orient.

Cette crème dégageait une puissante odeur chimique qui me donnait le tournis. Dans la salle de bains, j'ai constaté que mes règles étaient terminées.

J'ai ensuite enfilé la robe que Hossam m'avait laissée. Elle était noir et bleu, avec une jupe courte arrivant au-dessus du genou et de fines bretelles. Elle avait un soutien-gorge intégré, ce qui m'évitait d'avoir à en mettre un. C'était le genre de robe du soir que j'avais pu voir à la télévision, pas assez pudique pour Kocho ni, en fait, pour Mossoul – l'une de ces tenues qu'une femme ne portait que pour son mari.

Je l'ai enfilée devant le miroir de la salle de bains. Sachant que, si je ne me maquillais pas du tout, je serais punie, j'ai passé en revue les produits que m'avait donnés Hossam. En temps normal, Kathrine et moi aurions été ravies d'avoir tous ces articles de maquillage ; de plus, c'était une marque que je connaissais et qui était généralement trop chère pour moi. Nous nous serions installées devant le miroir de notre chambre, essayant différentes ombres à paupières, entourant nos yeux d'épaisses lignes de khôl et recouvrant nos taches de rousseur de fond de teint. Chez Hajji Salman, je supportais à peine de me regarder dans la glace. J'ai mis du rouge à lèvres rose et me suis légèrement maquillé les yeux – juste assez, espérais-je, pour éviter d'être battue.

C'était la première fois que je me regardais dans un miroir depuis que j'avais quitté Kocho. Autrefois, quand j'avais fini de me maquiller, j'avais toujours l'impression d'être quelqu'un d'autre et cette transformation me plaisait. Ce jour-là, chez Hajji Salman, je ne me suis pas sentie changée. J'aurais eu beau me barbouiller de rouge à lèvres, le visage que je voyais reflétait exactement celle que j'étais devenue – une esclave qui, d'un moment à l'autre, allait être offerte à un terroriste. Je me suis assise sur le lit et j'ai attendu que la porte s'ouvre.

Quarante minutes plus tard, j'ai entendu les gardes postés à l'extérieur accueillir mon ravisseur, puis Hajji Salman est entré dans la chambre. Il n'était pas seul, mais les hommes qui l'accompagnaient sont restés dans le couloir. Dès que je l'ai vu, je me suis effondrée, me roulant en boule pour l'empêcher de me toucher, comme une enfant.

« *Salam alakum* », m'a dit Salman, et il m'a regardée de la tête aux pieds. Il a paru surpris que j'aie enfilé la robe qu'il m'avait fait porter. « J'ai eu d'autres sabaya que j'ai dû revendre au bout de quelques jours. Elles ne faisaient pas ce que je leur disais. Tu es très bien comme ça », a-t-il conclu d'un ton approbateur, avant de ressortir, fermant la porte derrière lui. Je me sentais nue, humiliée.

La porte s'est rouverte en début de soirée. Cette fois, Hossam a passé la tête dans l'embrasure.

« Hajji Salman veut que tu serves le thé à ses invités, m'a-t-il annoncé.

— Combien sont-ils ? Où sont-ils ? » Je ne voulais pas sortir de la chambre dans cette tenue, mais Hossam a refusé de me répondre. « Viens et ne pose pas de questions. Et puis dépêche-toi, ils t'attendent. »

L'espace d'un instant, j'ai espéré que je ne serais pas violée cette nuit-là. *Il va simplement me donner à l'un de ces hommes*, me suis-je dit, et je suis descendue à la cuisine.

Un des gardes avait préparé le thé, versant le liquide noir et fort dans de petites tasses en verre et les disposant autour d'une assiette contenant du sucre blanc. Il avait laissé le tout sur un plateau à même les marches. Je l'ai ramassé et l'ai apporté au salon, où un groupe de combattants était assis sur des canapés en peluche. « *Salam alakum* », ai-je dit en entrant, puis j'ai fait le tour de la pièce, posant les tasses à thé sur de petites tables dressées près des genoux des hommes. Je les entendais rire et parler un arabe distinctement syrien, mais j'étais incapable de prêter attention à ce qu'ils disaient. Ma main tremblait en servant le thé. Je sentais leurs yeux sur mes épaules et sur mes jambes nues. Leur dialecte me terrifiait plus que tout. Je continuais à être convaincue que, un jour ou l'autre, on allait m'obliger à quitter l'Irak.

« Les soldats syriens sont des bons à rien », a dit un des hommes, et les autres ont ri. « Ils abandonnent tout de suite. Ils sont morts de trouille !

— Je m'en souviens bien, a approuvé Hajji Salman. Ils nous ont cédé leur pays si facilement. Presque aussi facilement que le Sinjar ! » Ce dernier commentaire m'était adressé, et j'ai serré les dents pour ne pas montrer combien il me blessait. J'ai tendu une tasse de thé à Hajji Salman. « Pose-la sur la table », m'a-t-il dit sans me regarder.

Je suis retournée dans le couloir, où je me suis accroupie dans un coin. J'attendais. Vingt minutes plus tard, les hommes se sont levés et, quand le dernier a quitté la maison, Hajji Salman s'est approché de moi, tenant une abaya. « C'est l'heure de la prière, m'a-t-il dit. Couvre-toi pour que nous puissions prier ensemble. »

J'étais incapable de réciter les paroles, mais je connaissais les gestes de la prière islamique et je suis restée à côté de lui, essayant d'imiter ce qu'il faisait pour qu'il soit content et ne me fasse pas de mal. De retour dans la chambre, il a allumé la radio, qui diffusait des chants religieux, avant de passer dans la salle de bains. Quand il est revenu, il a arrêté la musique et la chambre est redevenue silencieuse.

« Enlève ta robe », m'a-t-il ordonné comme la veille au soir, et il a retiré ses vêtements. Puis il est venu à moi, comme il avait dit qu'il le ferait.

Chaque seconde a été terrifiante. Si je reculais, il me rapprochait de lui brutalement. Il faisait tellement de bruit que les gardes ne pouvaient que l'entendre – il criait comme s'il voulait que tout Mossoul sache qu'il violait enfin sa sabiyya – et personne n'est intervenu. Tout ce qu'il me faisait était outré, cruel, destiné à me faire mal. Aucun homme ne touche jamais sa femme comme cela. Hajji Salman était grand comme une maison, grand comme la maison où nous étions. Et moi, je n'étais qu'une enfant qui appelait sa mère en pleurant.

9

J'ai passé quatre ou cinq nuits avec Hajji Salman avant qu'il se débarrasse de moi. Je souffrais constamment. Tous les jours, chaque fois qu'il avait un moment libre, il me violait et, tous les matins, il partait après m'avoir laissé ses instructions : « Nettoie la maison. Prépare ce repas. Enfile cette robe. » À part cela, tout ce qu'il me disait était « *salam alakum* ». Il m'ordonnait de me conduire comme son épouse et j'avais tellement peur que je faisais tout ce qu'il me demandait. Si quelqu'un nous avait observés de loin, d'assez loin pour ne pas voir mes larmes et ne pas remarquer que je tremblais de tous mes membres dès qu'il me touchait, il aurait pu croire que nous étions vraiment mariés. J'accomplissais tous les gestes d'une épouse, comme il m'en donnait l'ordre. Mais il ne m'appelait jamais sa femme, seulement sa sabiyya.

Yahya, un des gardes, apportait des repas et du thé dans la chambre que je partageais avec Salman. Il était jeune, vingt-trois ans peut-être, et ne me regardait même pas quand il posait le plateau de l'autre côté de la porte. Ils n'avaient pas l'intention de me laisser mourir de faim ou de soif – une sabiyya était trop précieuse pour qu'on la tue –, mais je n'avalais que quelques bouchées de riz et de soupe, juste assez pour apaiser mes vertiges. Je faisais le ménage comme Hajji Salman me disait de le faire, nettoyant la maison de bas en haut, récurant les toilettes – qui étaient répugnantes, car elles servaient aux six gardes et à Salman – et balayant l'escalier. Je ramassais les vêtements qui traînaient dans toute la maison – des pantalons noirs de l'État islamique et des dichdachas blanches – et les mettais dans la machine à laver. Je jetais à la poubelle les restes de riz et enlevais les traces de lèvres sur les tasses à thé. Il y avait tellement de gardes dans la maison qu'on ne craignait pas que je m'évade ni que je fourre mon nez où il ne fallait pas, et j'avais le droit d'entrer dans toutes les pièces sauf le garage, où je crois qu'ils rangeaient leurs armes.

Par la fenêtre, j'observais l'animation de la ville. Hajji Salman habitait un quartier très peuplé de Mossoul, près d'une autoroute où la circulation était dense. Les vitres de la cage d'escalier donnaient sur une bretelle d'accès circulaire, et j'imaginais que je courais jusque-là pour appeler au secours. Hajji Salman passait son temps à me mettre en garde, cherchant à me dissuader de toute velléité d'évasion. « Si tu essaies, Nadia, tu t'en repentiras, crois-moi, disait-il. La punition sera sévère. » Ses rappels incessants m'inspiraient un léger espoir. Il n'aurait pas été aussi inquiet si d'autres filles n'avaient pas réussi à échapper à leurs ravisseurs.

Si prévoyant qu'il fût quand il s'agissait d'asservir les jeunes Yézidies, l'EIIL nous offrait certaines opportunités et commettait des erreurs. La plus grave d'entre elles était de nous obliger à nous vêtir comme toutes les femmes de Mossoul, de nous faire enfiler l'abaya et le niqab noirs anonymes. Dans cette tenue, nous nous fondions dans la masse. De plus, sous le régime de l'EIIL, les hommes étaient beaucoup moins enclins à aborder une inconnue dans la rue, diminuant ainsi les risques que nous soyons repérées. Tout en balayant l'escalier, je regardais les femmes se promener dans la ville, toutes vêtues à l'identique. Il était impossible de dire laquelle était une sunnite se rendant au marché et laquelle était peut-être une Yézidie en train de fuir son ravisseur.

Plusieurs centres de l'État islamique étaient situés dans des quartiers très peuplés comme celui de Hajji Salman, ce qui, pensais-je, me serait fort utile s'il m'arrivait de me retrouver seule dehors. J'imaginais que je sortais en passant par la grande fenêtre de la cuisine, que j'enfilais mon abaya et me mêlais à la foule. Je ne sais trop comment, je me débrouillais pour rejoindre le garage des taxis et trouvais une place dans un véhicule à destination de Kirkouk, un checkpoint très fréquenté à la limite du Kurdistan irakien. Si quelqu'un m'adressait la parole, je n'aurais qu'à prétendre que j'étais une musulmane de Kirkouk et que je voulais rendre visite à ma famille. Ou alors, je dirais que j'avais fui la guerre en Syrie. J'avais appris par cœur le bref premier verset du Coran, dans l'éventualité où un combattant voudrait me mettre à l'épreuve, et mon arabe était irréprochable. En plus, je connaissais déjà la *chahada*. J'avais même retenu deux chansons populaires de l'État islamique, dont l'une célébrait des victoires militaires et l'autre Dieu : «Nous avons pris Badouch et nous avons pris Tal Afar, tout va bien désormais.» Je les détestais, mais ces chansons tournaient en boucle dans ma tête pendant que je faisais le ménage. L'autre disait : «Donnez votre vie à Dieu et à la religion.» J'étais bien décidée, quoi qu'il advînt, à ne jamais avouer que j'étais yézidie.

Je savais pourtant au fond de moi-même que c'était un projet chimérique. Le centre où vivait Salman grouillait de combattants de l'État islamique, et je n'aurais jamais pu grimper par la fenêtre ni escalader la grille du jardin sans me faire voir. De plus, Hajji Salman ne me laissait porter mon abaya et mon niqab que quand je sortais avec lui ou accompagnée d'un garde qui me surveillait de près. Chez lui, je revêtais les robes que j'avais apportées de Kocho ou celles que Hajji Salman choisissait pour moi. La nuit, allongée dans le lit en attendant d'entendre le grincement de la porte annonçant que Hajji Salman venait me rejoindre, je ressassais mes rêves d'évasion et étais bien obligée de reconnaître qu'ils ne se réaliseraient jamais. Je sombrais ensuite dans une tristesse si profonde que je priais pour que la mort vienne me prendre.

Un après-midi, après m'avoir violée, Hajji Salman m'a ordonné de me préparer parce qu'il recevait un invité dans la soirée. « Tu connais peut-être sa sabiyya, a-t-il ajouté. Elle a demandé à te voir. »

Mon cœur a fait un bond dans ma poitrine. Qui était-ce ? Je mourais d'envie de voir enfin un visage familier. En même temps, je n'étais pas sûre de supporter de retrouver Kathrine ou l'une de mes sœurs dans les tenues que Hajji Salman m'obligeait à porter. Généralement, quand il me demandait de m'habiller pour des visiteurs, il voulait que je porte des vêtements du genre de la courte robe bleu et noir, et j'étais mortifiée à l'idée qu'une autre Yézidie me voie habillée de la sorte. Heureusement, j'ai réussi à trouver une robe noire qui, malgré ses fines bretelles, me couvrait au moins les genoux. J'ai tiré mes cheveux en arrière et j'ai mis un peu de rouge à lèvres, mais rien sur les yeux. Quand Hajji Salman a été satisfait, nous sommes descendus.

Le visiteur en question était Nafah, le combattant du premier centre qui m'avait punie pour avoir crié dans le bus. Il m'a jeté un regard mauvais, mais ne s'est adressé qu'à Hajji Salman. « Ma sabiyya n'a pas arrêté de demander à voir la tienne, a-t-il dit. Il faudra que nous restions avec elles et que nous écoutions de quoi elles parlent. Je me méfie de Nadia. »

La sabiyya de Nafah était Lamia, la sœur de mon amie Walaa, et nous sommes tombées dans les bras l'une de l'autre, nous embrassant sur la joue, soulagées de voir enfin un visage connu. Puis nous avons pris place tous les quatre et, quand

Salman et Nafah ont commencé à bavarder ensemble sans faire attention à nous, Lamia et moi sommes passées de l'arabe au kurde.

Lamia portait une longue robe et ses cheveux étaient couverts d'un hidjab. Ne sachant pas de combien de temps nous disposions, nous parlions vite, cherchant à échanger le plus d'informations possible.

« Il t'a touchée ? m'a-t-elle demandé.

— Il t'a touchée ? » ai-je demandé en réponse, et elle a acquiescé.

« Il m'a obligée à me convertir, puis nous avons été mariés au tribunal », m'a-t-elle avoué, et je lui ai dit qu'il m'était arrivé la même chose.

« Ne considère pas ça comme un mariage, ai-je poursuivi. Ce n'est pas comme quand on se marie à Kocho.

— Je veux me sauver, a-t-elle repris. Mais il y a tout le temps du monde chez Nafah, et je ne peux pas sortir.

— C'est pareil avec Salam. Il y a des gardes partout, et il m'a dit que, si j'essayais de m'évader, il me punirait.

— Il te ferait quoi, à ton avis ? » a-t-elle demandé tout bas, en jetant un coup d'œil en biais à nos ravisseurs. Ils bavardaient, sans faire attention à nous.

« Je n'en sais rien. Quelque chose d'horrible, c'est sûr.

— Nous vous avons dit de parler arabe, les filles ! » a hurlé Salman. Ils avaient surpris nos propos et étaient furieux de ne pas comprendre ce que nous disions.

« Et Walaa ? Qu'est-ce qu'elle est devenue ? » ai-je demandé à Lamia en arabe. Je n'avais pas revu mon amie depuis notre départ de Kocho.

« La nuit où ils m'ont prise, ils ont distribué toutes les autres filles, m'a répondu Lamia. Je ne sais pas ce qui est arrivé à Walaa. J'ai demandé plusieurs fois à Nafah de la retrouver, mais il ne l'a pas fait. Et Dimal ? Et Adkee ?

— Elles sont restées à Solagh, avec ma mère. » Nous nous sommes tues un moment, écrasées par le poids de ces absences.

Trente-cinq minutes plus tard, Nafah s'est levé pour prendre congé. Lamia et moi nous sommes embrassées. « Fais bien attention à toi et ne t'inquiète pas trop, lui ai-je dit tandis qu'elle rabattait son niqab sur son visage. Nous en sommes toutes au même point. » Puis ils sont partis et je me suis retrouvée seule avec Salman.

Nous sommes montés dans ma chambre. « C'est la première fois que je vois ton expression changer », a-t-il remarqué sur le seuil de ma chambre.

Je me suis tournée vers lui, sans pouvoir dissimuler ma colère. « Quelle tête voulez-vous que je fasse alors que vous m'enfermez et m'obligez à faire des choses que je ne veux pas faire ? ai-je répliqué.

— Tu t'y feras, m'a-t-il dit. Entre. » Il a ouvert la porte et est resté avec moi jusqu'au matin.

Hajji Salman me répétait encore et encore : « Si tu essaies de t'enfuir, tu t'en repentiras », mais il ne précisait jamais ce qu'il me ferait. Il me battrait, j'en étais sûre, mais, après tout, ce ne serait pas la première fois. Il me frappait tout le temps. Il me frappait quand il n'était pas content de la façon dont j'avais fait le ménage, quand quelque chose au travail l'avait irrité, il me frappait si je pleurais ou si je fermais les yeux pendant qu'il me violait. Si je cherchais à m'enfuir, peut-être me battrait-il si violemment que j'en serais défigurée ou que j'en garderais des cicatrices, mais ça m'était bien égal. Si une blessure ou une cicatrice le dissuadait ou dissuadait les autres d'abuser de moi, je la porterais comme un bijou.

Parfois, après m'avoir violée, il me rappelait qu'il était inutile de m'enfuir. « Tu n'es plus vierge, disait-il, et tu es musulmane désormais. Ta famille te tuera. Tu es définitivement détruite. »

J'avais fait tout cela contrainte et forcée, mais je le croyais. Je me sentais effectivement détruite.

J'avais déjà imaginé des façons de m'enlaidir – au centre, des filles s'étaient barbouillées de cendres et de terre, elles s'étaient emmêlé les cheveux ou abstenues de prendre des douches dans l'espoir que leur odeur rebuterait les acheteurs potentiels –, mais je ne trouvais pas d'autre idée que de me balafrer le visage ou de me couper les cheveux à ras, ce qui inciterait certainement Salman à me battre. Si je cherchais à me défigurer, me tuerait-il ? Je ne le pensais pas. J'étais plus précieuse vivante, et il savait que la mort m'apporterait un soulagement bienvenu. Je ne pouvais qu'imaginer ce que Salman m'infligerait si je tentais de m'enfuir. Jusqu'au jour où j'ai eu l'occasion de le mettre à l'épreuve.

Ce soir-là, Salman est rentré avec deux hommes, des combattants que je n'avais encore jamais vus et qui voyageaient sans leurs sabaya. « Tu as fini le ménage ? » m'a-t-il demandé, et, quand je lui ai répondu par l'affirmative, il m'a ordonné d'aller passer le reste de la soirée dans notre chambre, seule. « Il y a à manger à la cuisine. Si tu as faim, préviens Hossam et il t'apportera quelque chose. » Je devais l'attendre et ne pas les déranger.

Mais, d'abord, il m'a demandé de venir servir le thé. Il voulait exhiber sa sabiyya. J'ai obéi. J'ai enfilé l'une des robes qu'il aimait et j'ai apporté le thé de la cuisine au salon. Comme d'habitude, les combattants parlaient des victoires de l'État islamique en Syrie et en Irak. J'ai tendu l'oreille, espérant qu'ils mentionneraient Kocho, mais ils n'ont pas dit un mot sur mon village.

La pièce était remplie d'hommes, dont deux seulement étaient des visiteurs. J'ai eu l'impression que tous les gardes du centre avaient rejoint Salman et ses invités pour le dîner, abandonnant leurs postes pour la première fois depuis que j'étais là. Peut-être, ai-je pensé, était-ce pour cela qu'il avait tellement insisté pour que je ne quitte pas ma chambre jusqu'au départ des invités. Si tous les gardes étaient avec eux, il n'y avait plus personne pour patrouiller dans le jardin ou vérifier que je ne cherchais pas à m'enfuir par la fenêtre de la salle de bains, après avoir fermé la porte. Il n'y aurait personne sur mon seuil à épier ce qui se passait à l'intérieur.

Quand j'ai eu fini de servir le thé, Hajji Salman m'a renvoyée et je suis remontée. Un plan se formait déjà dans mon esprit, et j'ai agi promptement, sachant que si je prenais le temps de réfléchir, je risquais d'hésiter et de renoncer. Une occasion pareille ne se représenterait peut-être plus jamais. Au lieu de regagner ma chambre, je suis entrée dans un salon dont les placards, je le savais, étaient remplis de vêtements laissés par des Yézidies et par la famille à qui avait appartenu la maison. Je cherchais une abaya et un niqab. J'ai immédiatement trouvé une abaya, que j'ai enfilée sur ma robe. J'ai pris une longue écharpe noire en guise de niqab pour me couvrir les cheveux et le visage, espérant qu'on n'y verrait que du feu jusqu'à ce que je sois en lieu sûr. Puis je me suis approchée de la fenêtre.

Nous étions au premier étage, mais il n'était pas très élevé et, sous la fenêtre, plusieurs briques couleur sable faisaient saillie de quelques centimètres sur le mur. C'était un style de construction courant à Mossoul, et sa fonction était purement décorative, mais j'ai pensé que ces briques pourraient me servir d'échelle pour descendre dans le jardin. J'ai passé la tête par la fenêtre, cherchant des yeux les gardes qui déambulaient habituellement dans le jardin à toute heure du jour et de la nuit, mais je n'ai vu personne. Un baril de pétrole était appuyé contre la grille du jardin ; il ferait un marchepied parfait.

Au-delà du jardin, le grondement des voitures s'élevait de l'autoroute, mais les rues commençaient à se vider, les gens rentrant chez eux pour dîner. Je me suis dit que, dans la pénombre, on risquerait moins de remarquer que l'écharpe noire n'était pas un vrai niqab. J'espérais rencontrer quelqu'un qui accepterait de m'aider avant qu'on me découvre. À part mes bijoux et la carte de rationnement de ma mère que j'ai glissés dans mon soutien-gorge, j'ai tout laissé dans la chambre.

Précautionneusement, j'ai glissé une jambe, puis l'autre, par la fenêtre ouverte. J'avais tout le bas du corps au-dehors et le haut encore à l'intérieur. J'ai déplacé mes pieds, cherchant une des briques en saillie. Mes bras tremblaient, cramponnés au rebord de la fenêtre, mais j'ai rapidement repris l'équilibre. De toute évidence, la descente serait un jeu d'enfant, ou presque. Je commençais tout juste à tâtonner pour trouver une autre brique un peu plus bas quand j'ai entendu le bruit d'un fusil qu'on armait juste au-dessous de moi. Je me suis figée, le corps encore en appui sur le bord de la fenêtre. « Rentre ! » a hurlé une voix masculine en contrebas, et, sans baisser les yeux, je me suis immédiatement hissée à la force des bras, repassant par la fenêtre et me laissant tomber par terre, le cœur battant la chamade. Je ne savais pas qui avait bien pu me voir. Tous les gardes de Hajji Salman étaient au salon avec lui. Je me suis tapie sous la fenêtre jusqu'au moment où j'ai entendu des pas approcher, et quand, levant les yeux, j'ai reconnu Hajji Salman debout au-dessus de moi, j'ai regagné ma chambre à toutes jambes.

La porte s'est ouverte et Hajji Salman est entré, un fouet à la main. En hurlant, je me suis jetée sur le lit, et j'ai tiré un gros édredon sur tout mon corps et sur ma tête, me cachant comme une enfant. Salman était près du lit et, sans un mot, il a commencé à me battre. Le fouet s'abattait brutalement, encore et encore, si vite et avec une telle fureur que l'épaisse courtepointe ne m'offrait pas grande protection. « Sors de là ! a-t-il crié avec une hargne que je ne lui connaissais pas. Sors de cet édredon et déshabille-toi ! »

Je n'avais pas le choix. J'ai soulevé la courtepointe et, Salman me dominant de toute sa taille, fouet à la main, j'ai retiré lentement mes vêtements. Une fois nue, j'ai attendu, immobile, ne sachant pas ce qu'il allait me faire et pleurant tout bas. J'imaginais qu'il allait me violer, mais il s'est dirigé vers la porte. «Nadia, je t'avais prévenue que, si tu cherchais à t'enfuir, tu t'en repentirais amèrement», a-t-il dit. Il avait repris sa voix douce. Puis il a ouvert la porte et il est sorti.

Un instant plus tard, Morteja, Yahya, Hossam et les trois autres gardes sont entrés, me regardant fixement. Ils ont pris place là où Salman se tenait un moment auparavant. Dès que je les ai vus, j'ai compris. Morteja a été le premier à s'approcher du lit. J'ai cherché à le retenir, mais il était trop fort. Il m'a poussée en arrière, et je n'ai rien pu faire.

Après Morteja, un autre garde m'a violée. J'ai appelé ma mère et Khairy, mon frère. À Kocho, ils venaient dès que j'avais besoin d'eux. Même si je m'étais fait une toute petite brûlure à un doigt, si je les appelais, ils accouraient à mon secours. À Mossoul, j'étais seule et il ne me restait d'eux que leurs noms. Rien de ce que j'ai pu faire ou dire n'a arrêté mes agresseurs. Le dernier souvenir que je conserve de cette nuit est le visage d'un des gardes au moment où il s'est approché de moi. Je me rappelle que, avant que ce soit à lui de me violer, il a retiré ses lunettes et les a soigneusement posées sur une table. Sans doute craignait-il de les casser.

Quand je me suis réveillée le lendemain matin, j'étais seule et nue. Je ne pouvais pas bouger. Quelqu'un – un des hommes, ai-je supposé – avait posé une couverture sur moi. Lorsque j'ai voulu me lever, j'ai été prise de vertiges et, au moment d'attraper des vêtements, j'ai senti que tout mon corps était meurtri. À chaque mouvement, j'avais l'impression que j'allais reperdre connaissance, qu'un rideau noir était à moitié tiré devant mes yeux et que tout n'était plus qu'une ombre.

Je suis alléc prendre une douche. J'avais le corps couvert des immondices laissées par les hommes et j'ai ouvert les robinets tout grands, restant sous l'eau longtemps, en pleurant. Puis je me suis lavée à fond, frottant mon corps, mes dents, mon visage, mes cheveux, sans cesser de prier et de demander à Dieu de me secourir et de me pardonner.

Je suis ensuite retournée dans ma chambre et me suis allongée sur le canapé. Le lit conservait l'odeur des hommes qui m'avaient violée. Personne n'est venu me voir, mais je les entendais parler devant ma chambre et, au bout d'un moment, je me suis endormie. Je n'ai fait aucun rêve. Quand j'ai rouvert les yeux, le chauffeur de Salman était à côté de moi et me tirait par l'épaule. «Réveille-toi, Nadia. Lève-toi, a-t-il dit. Il faut partir.

— Où allons-nous? ai-je demandé en fourrant mes affaires dans mon sac noir.

— Je ne sais pas. Ailleurs. Hajji Salman t'a vendue.»

10

Quand je m'étais fait capturer et que j'avais appris le sort réservé aux jeunes Yézidies, j'avais prié pour appartenir à un seul homme. Être achetée comme esclave, être dépouillée de ma dignité et de mon honneur était un sort suffisamment atroce sans qu'en plus je sois condamnée à passer de combattant en combattant, de maison en maison, et, qui sait? à être transportée illégalement de l'autre côté de la frontière, dans la Syrie occupée par l'EIIL, comme un objet acheté au marché, un sac de farine jeté à l'arrière d'un camion.

En ce temps-là, j'ignorais à quel point un homme peut se montrer cruel. Je n'en avais encore jamais rencontré d'aussi mauvais que Hajji Salman et, lorsqu'il a permis à ses gardes de me violer, j'ai prié pour être revendue. Peu m'importait à qui, et peu m'importait où je serais emmenée. L'éventualité d'aller en Syrie, d'où il était bien plus difficile de s'enfuir, que j'avais considérée jadis comme une condamnation à mort, me paraissait encore préférable à l'obligation de rester avec Salman. Quand je rêve de faire juger l'EIIL pour génocide, j'espère que, tout comme Salwan, Hajji Salman sera pris vivant. Je veux aller le voir en prison, entouré d'officiers irakiens et de gardiens en armes. Je veux voir quelle tête il fait et je veux entendre ce qu'il dit sans le pouvoir de l'EIIL derrière lui. Et je veux qu'il me regarde et se rappelle ce qu'il m'a fait, je veux qu'il comprenne que c'est la raison pour laquelle il ne connaîtra plus jamais la liberté.

J'ai fait mon sac et j'ai suivi le chauffeur à l'extérieur. Hajji Salman était dans la maison, mais je ne l'ai pas revu. J'ai détourné les yeux pour ne pas voir Morteja et les autres gardes en les croisant. La nuit tombait quand nous sommes partis de chez Hajji Salman, mais il faisait encore chaud ; une très légère brise me soufflait du sable sur le visage, que personne ne m'avait demandé de couvrir. J'avais beau être dehors, je n'éprouvais aucun sentiment de liberté. Savoir qu'il n'y avait pas un être prêt à m'aider dans tout Mossoul m'accablait.

Un garde que je ne connaissais pas était assis à l'avant d'une petite voiture blanche à côté du chauffeur. « Tu as faim ? » m'a-t-il demandé quand nous avons démarré. J'ai secoué la tête, mais nous nous sommes tout de même arrêtés devant un restaurant. Le chauffeur est entré et a rapporté des sand-wiches enveloppés dans du papier aluminium. Il en a jeté un sur la banquette arrière près de moi avec une bouteille d'eau. Dans la rue, les gens se promenaient, ils achetaient à manger, s'asseyaient et dînaient, ils discutaient au téléphone. Si seule-ment j'avais pu ouvrir simplement la portière pour qu'ils me voient ! Si seulement, comprenant ce qui se passait, ils s'étaient précipités pour m'aider ! Mais j'avais renoncé à tout espoir de ce genre. Une puissante odeur de viande et d'oignons se dégageait du papier alu, alors j'ai fermé les yeux pour ne pas vomir quand nous avons redémarré.

Nous sommes rapidement arrivés au premier checkpoint à la sortie de Mossoul. Il était tenu par des combattants de l'État islamique qui portaient des armes automatiques et des pistolets. J'ai regardé par la vitre, me demandant s'ils placar-daient vraiment des photos des sabaya évadées comme l'avait prétendu Hajji Salman, mais il faisait trop sombre pour que je puisse voir quoi que ce soit.

« Pourquoi votre femme ne porte-t-elle pas le niqab ? a demandé le combattant au chauffeur.

— Ce n'est pas ma femme, hajji, a-t-il répondu. C'est une sabiyya.

— Félicitations », a dit le combattant en nous faisant signe de passer.

Il faisait nuit noire désormais. Nous nous sommes engagés sur l'autoroute qui sort de Mossoul en direction de l'est, croisant quelques voitures et quelques camions. Dans les ténèbres, la plaine irakienne semblait s'étendre à l'infini. Où allaient les évadées dans leur fuite ? Comment franchissaient-elles les checkpoints de Mossoul ? Si elles réussissaient à passer, comment arrivaient-elles à s'orienter à travers champs, comment reconnaissaient-elles ceux qui étaient prêts à les aider et ceux qui les dénonceraient, combien de temps pouvaient-elles tenir sans mourir de soif ? Elles étaient si courageuses d'essayer.

« Regarde ! » a dit le chauffeur en désignant une caisse qui luisait, blanche à la lumière des phares, au bord de la route. « Qu'est-ce que ça peut bien être ?

— Ne t'arrête pas, a répondu le garde. C'est peut-être un EEI. Il y en a plein sur cette route, tu sais bien.

— Ça m'étonnerait », a répliqué le chauffeur en se rangeant sur le bas-côté à environ trois mètres de la caisse. Il y avait des dessins et des lettres sur le côté, mais il était impossible de les distinguer clairement depuis la voiture. « À mon avis, c'est plutôt quelque chose qui a été volé et qui est tombé d'un camion. » Il était tout excité : un petit chauffeur comme lui n'avait pas l'occasion de mettre la main sur autant de marchandises que les hommes plus haut placés dans la hiérarchie de l'EIIL.

Laissant le garde protester – « Personne n'aurait laissé quelque chose de précieux au bord de la route ! Si ça explose, nous serons tous morts!» –, le chauffeur est descendu de voiture et s'est dirigé vers la caisse. Il s'est accroupi et l'a inspectée sans y toucher. «De toute façon, ça ne vaut rien», marmonnait le garde pour lui-même. Je voyais déjà le chauffeur soulever le couvercle avec impatience, provoquant l'explosion d'une énorme bombe qui le réduisait en pièces et projetait notre voiture au milieu du désert. Ça m'était bien égal de mourir, s'ils mouraient aussi tous les deux. *Pourvu que ce soit une bombe*, priais-je.

Quelques instants plus tard, le chauffeur a soulevé la caisse et l'a rapportée jusqu'à la voiture, triomphant. «Des ventilateurs! a-t-il annoncé en ouvrant le coffre. Il y en a deux, et ils fonctionnent sur batterie.»

Le garde a soupiré et l'a aidé à ranger la caisse dans le coffre. Je me suis laissée aller contre mon dossier, déçue. Après le deuxième checkpoint, j'ai demandé au chauffeur:

«Hajji, où allons-nous?

— À Hamdaniya.»

La ville, dont le district était situé au nord de Ninive, avait apparemment été prise par l'EIIL. Mon demi-frère Khaled y avait été stationné un temps avec l'armée. Il ne m'en avait pas beaucoup parlé, mais je savais qu'il y avait eu là-bas une importante population chrétienne qui, à l'heure qu'il était, devait être partie ou morte. En chemin, nous sommes passés devant les restes calcinés et retournés d'un véhicule de l'État islamique, preuve des combats qui s'étaient livrés pour s'emparer de la région.

À Kocho, pendant le siège, nous suivions de près les attaques de l'organisation terroriste contre les villages chrétiens des environs. Comme nous, ces villageois avaient perdu tous leurs biens ainsi que les maisons qu'ils avaient construites avec les économies de toute une vie. Les chrétiens d'Irak avaient été, eux aussi, chassés de chez eux uniquement à cause de leur religion. Ils étaient souvent victimes d'agressions et, comme les Yézidis, se battaient pour pouvoir rester dans leur patrie. Au fil des ans et au fur et à mesure qu'ils partaient pour des pays où ils pensaient être mieux accueillis, leurs effectifs s'étaient réduits comme peau de chagrin. Après l'arrivée de l'EIIL, de nombreux chrétiens affirmaient que, bientôt, ils auraient complètement disparu d'Irak. Pourtant, quand l'organisation était entrée dans Kocho, j'avais envié les chrétiens. Leurs villages avaient été avertis de la venue de l'EIIL. À ses yeux, ils étaient en effet un «peuple du Livre», et non des kouffar comme nous, et ils avaient pu conduire leurs enfants, leurs filles, en sécurité au Kurdistan. En Syrie, certains avaient été autorisés à payer une amende au lieu de se convertir. Et même ceux qui avaient été expulsés de Mossoul sans pouvoir emporter quoi que ce soit avaient au moins évité d'être réduits en esclavage. Les Yézidis n'avaient pas eu la même chance.

Nous n'avons pas tardé à arriver à Hamdaniya. La ville était plongée dans l'obscurité, faute d'électricité, et il y régnait une épouvantable odeur de chair animale en décomposition. Les rues étaient silencieuses, les maisons avaient été vidées de leurs habitants. Il ne restait que les terroristes, et seul le siège de l'État islamique était éclairé, grâce à un énorme groupe électrogène qui faisait un terrible vacarme dans la nuit paisible.

À son arrivée en Irak, l'EIIL avait promis de rétablir les services publics dans les villes qui en étaient privées. Sa propagande, quand elle ne célébrait pas sa violence, faisait étalage de ces promesses – électricité, ramassage des ordures et réfection des routes – comme celle d'un parti politique ordinaire. Il paraît que les gens les ont crus et ont pensé que l'EIIL se montrerait plus efficace que le gouvernement irakien, mais je n'avais rien vu à Mossoul qui ait pu me convaincre que la vie y était devenue plus facile pour le commun des mortels. Hamdaniya n'était plus qu'une coquille vide et sombre où régnait une odeur de mort et dont les seuls occupants étaient les terroristes à l'origine de ces vaines promesses.

Nous nous sommes arrêtés devant le siège de l'État islamique et sommes entrés. Comme celui de Mossoul, il grouillait de combattants. Je suis restée assise sans bouger, attendant qu'on me dise quoi faire; j'étais épuisée et tombais de sommeil. Un combattant est entré. Il était petit, et si vieux qu'il avait le dos voûté et que les quelques dents qui lui restaient pourrissaient dans sa bouche. «Monte», m'a-t-il ordonné. J'étais terrifiée, persuadée que Hajji Salman avait continué à me punir en me vendant à ce vieillard, qui m'envoyait dans la chambre où il avait l'intention de me violer. Mais quand j'ai ouvert la porte de la pièce en question, j'ai vu que d'autres filles s'y trouvaient déjà. Il m'a fallu un moment pour les reconnaître.

«Jilan! Nisreen!» C'étaient ma belle-sœur et ma nièce. Je n'avais jamais été aussi heureuse de ma vie de voir quelqu'un, et nous nous sommes précipitées pour nous embrasser, en larmes. Elles étaient vêtues comme moi et semblaient ne pas avoir dormi depuis des semaines. Nisreen était vraiment petite – je me suis demandé comment elle supportait son rôle de sabiyya. Quant à Jilan, séparée du mari qu'elle aimait tant, je me suis dit que le viol devait être encore pire pour elle que pour moi. Vite, sachant que nous risquions d'être séparées à tout moment, nous nous sommes assises par terre et avons entrepris de nous raconter ce qui nous était arrivé.

«Comment vous êtes-vous retrouvées ici? leur ai-je demandé.

— Nous avons été vendues toutes les deux, m'a dit Nisreen. J'ai été vendue deux fois à Mossoul, puis on m'a conduite ici. Et Kathrine, tu sais ce qu'elle est devenue?

— Elle est dans un centre, elle aussi, à Mossoul», ai-je répondu.

Je leur ai confié ce que Lamia m'avait dit à propos de Walaa et leur ai brièvement parlé de ce qui m'était arrivé. «J'étais entre les mains d'un homme atroce. J'ai essayé de m'enfuir, mais il m'a rattrapée. » Je ne leur ai pas tout dit. Il y avait des mots que je n'étais pas encore prête à prononcer tout haut. Nous restions serrées les unes contre les autres. « Ce vieux affreusement laid qui est en bas, je crois que c'est lui qui m'a achetée, ai-je ajouté.

— Non, a dit Nisreen en baissant les yeux. C'est moi qui lui appartiens.

— Comment peux-tu supporter que ce vieillard dégoûtant te rejoigne la nuit ? » lui ai-je demandé.

Nisreen a secoué la tête. « Je ne pense pas à moi. Et Rojian, prise par ce type énorme ? Quand elle est partie, on a cru devenir folles. On n'arrêtait pas de pleurer. Pour une fois, nous ne pensions même plus à ce qui s'était passé à Kocho – nous ne pensions qu'à Rojian obligée de supporter ce monstre.

— Qu'est-ce qui s'est passé à Kocho ? j'avais peur de lui poser la question. Vous savez quelque chose de sûr ?

— On a vu à la télé que tous les hommes ont été tués, m'a répondu Nisreen. Tout le monde a été tué, tous les hommes. Ils l'ont dit aux informations. »

J'avais entendu les coups de feu tirés derrière l'école, bien sûr, mais je n'avais pu m'empêcher de continuer d'espérer que les hommes s'en étaient sortis. La confirmation de leur mort m'a donné l'impression d'entendre à nouveau les balles, rafale après rafale, jusqu'à ce qu'elles occupent tout mon esprit. Nous avons cherché à nous réconforter mutuellement. « Ne pleurez pas parce qu'ils sont morts, leur ai-je dit. Je regrette que nous n'ayons pas été tuées en même temps qu'eux. » N'aurait-il pas été préférable d'être mortes plutôt que d'être vendues comme des marchandises et violées jusqu'à ce que nos corps soient en lambeaux ? Il y avait eu parmi nos hommes des étudiants, des médecins, des jeunes, des vieux. À Kocho, mes frères et mes demi-frères s'étaient tenus, côte à côte, pendant que l'EIIL les massacrait presque tous. Mais leur mort n'avait duré qu'un instant. Une sabiyya meurt à chaque seconde de chaque jour et nous savions que, exactement comme les hommes, nous ne reverrions plus jamais nos familles ni nos maisons. Nisreen et Jilan m'ont approuvée. «Nous aussi, nous aurions préféré être avec les hommes quand ils les ont tués.»

Le combattant aux dents pourries – le propriétaire de Nisreen – a surgi sur le seuil et a tendu le doigt vers moi en disant: «C'est l'heure.» Nous l'avons supplié en chœur. «Faites-nous tout ce que vous voudrez, mais, par pitié, ne nous séparez pas!» avons-nous crié, nous cramponnant l'une à l'autre comme nous l'avions fait à Mossoul. Et, exactement comme cette nuit-là, ils nous ont arrachées l'une à l'autre et m'ont traînée en bas sans me laisser le temps de leur dire au revoir.

À Hamdaniya, j'ai renoncé à tout espoir. Comme c'était un fief de l'État islamique, il n'y avait aucune chance de pouvoir s'évader et de rencontrer un passant qui se laisserait apitoyer par le sort d'une jeune Yézidie et accepterait de lui porter secours. Il n'y avait que des maisons vides et une odeur de guerre.

Nous avons mis un quart d'heure pour rejoindre le deuxième centre de Hamdaniya. Je songeais avec accablement que c'était certainement là que je rencontrerais mon nouveau propriétaire, et je suis descendue lentement de voiture. J'avais l'impression que mon corps était un bloc de ciment. Ce centre était formé de deux maisons et, quand la voiture s'est arrêtée, un homme d'âge moyen est sorti de la plus petite. Il portait une longue barbe noire et l'uniforme de l'État islamique. Le chauffeur m'a fait signe de le suivre à l'intérieur. «C'est Abou Muawaya, m'a-t-il annoncé. Fais ce qu'il te dit.»

La maison n'avait qu'un étage, mais elle était très bien rangée et très belle; de toute évidence, elle avait appartenu autrefois à une riche famille chrétienne. Il n'y avait pas d'autres filles pour m'accueillir, mais, en même temps que les vestiges de la famille qui s'était enfuie de cette maison, j'ai aperçu des vêtements yézidis empilés dans tous les coins, de couleurs plus vives et moins sévères que les tenues typiques des musulmanes irakiennes conservatrices. On se serait cru dans un mausolée. Abou Muawaya a rejoint un autre homme, plus jeune, à la cuisine, où ils ont mangé du pain et du yaourt en buvant du thé noir.

«Combien de jours est-ce que je vais rester ici ? leur ai-je demandé. J'ai des membres de ma famille dans l'autre centre. Est-ce que je peux aller avec elles ? »

Ils m'ont à peine regardée et Abou Muawaya m'a répondu d'une voix calme : « Tu es une sabiyya. Tu n'as pas à donner d'ordres, mais à en recevoir.

— Nadia, t'es-tu convertie ? s'est enquis l'autre.

— Oui. » Je me suis demandé comment ils connaissaient mon nom et ce qu'ils savaient d'autre sur moi. Ils ne m'ont posé aucune question sur l'endroit d'où je venais ni sur ce qui était arrivé à ma famille, mais ces détails ne les intéressaient peut-être pas. Tout ce qui comptait, c'était que j'étais là et que je leur appartenais.

«Va prendre une douche», m'a ordonné Abou Muawaya. Je m'interrogeais sur le prix auquel Salman m'avait vendue. Les sabaya qui n'étaient plus vierges coûtaient moins cher, je le savais, et je traînais sans doute une réputation de fauteuse de troubles à cause de l'incident du bus et de ma tentative d'évasion. Était-ce la suite de ma punition ? Salman était peut-être tellement pressé de se débarrasser de moi qu'il m'avait offerte en cadeau à quelqu'un. Peut-être aussi avait-il trouvé l'homme le plus brutal qu'il pouvait et m'avait-il tout bonnement donnée à lui. Cela arrivait, je le savais. Les filles yézidies passaient de terroriste en terroriste sans échange d'argent.

«J'ai pris une douche ce matin, lui ai-je dit.

— Dans ce cas, va m'attendre là. » Abou Muawaya m'a
montré une chambre à coucher et je m'y suis rendue doci-
lement. C'était une petite chambre, avec un lit brun d'une
personne et une couverture à rayures bleues et blanches. Des
chaussures étaient posées sur deux étagères, le long du mur,
et un grand rayonnage était rempli de livres. Sur un bureau se
trouvait un ordinateur, éteint, l'écran noir. La chambre avait
dû être celle d'un étudiant, ai-je pensé, un garçon qui devait
avoir à peu près mon âge ; les chaussures étaient le genre de
mocassins que portent les étudiants, et elles n'étaient pas très
grandes. Je me suis assise sur le lit et j'ai attendu. J'ai évité
de regarder dans le vaste miroir accroché au mur, et je ne me
suis même pas demandé si j'étais assez menue pour passer par
la bouche d'aération qui tenait lieu de fenêtre. Je n'ai pas eu
envie d'ouvrir le placard ni de fouiller dans les affaires de ce
garçon pour en savoir plus long à son sujet. Je n'ai même pas
jeté un œil aux livres sur le rayonnage. Il était probablement
encore vivant quelque part, et il ne me paraissait pas correct
qu'une morte pose la main sur les objets des vivants.

11

L'ensemble des membres de l'État islamique m'ont traitée cruellement et tous les viols se ressemblaient, mais je garde le souvenir de quelques légères différences entre les hommes qui ont abusé de moi. Hajji Salman avait été le pire, en partie parce qu'il avait été le premier, mais aussi parce que c'était celui qui semblait me détester le plus. Il me frappait dès que je faisais mine de fermer les yeux. Il ne lui suffisait pas de me violer – il m'humiliait aussi souvent qu'il le pouvait, étalant du miel sur ses orteils et m'obligeant à le lécher ou me forçant à enfiler des tenues aguichantes. Quand il est venu me violer, Morteja était comme un enfant à qui l'on donne une friandise qui lui mettait l'eau à la bouche, et je n'oublierai jamais les lunettes de l'autre garde, la douceur avec laquelle il les a posées, qui contrastait vivement avec la brutalité dont il a fait preuve avec moi, un être humain.

Quand il est entré dans la chambre vers huit heures du soir, Abou Muawaya m'a attrapée par le menton et m'a poussée contre le mur. « Pourquoi ne résistes-tu pas ? » a-t-il demandé. J'avais l'impression que ma docilité le contrariait. J'ai supposé, en voyant le nombre de vêtements yézidis qui traînaient chez lui, qu'il avait eu de nombreuses sabaya. Peut-être s'étaient-elles toutes débattues, contrairement à moi. Peut-être aimait-il

234

se prouver qu'il pouvait les prendre même contre leur volonté. Il était petit, mais très musclé. « À quoi bon ? ai-je répondu. Il ne s'agit pas seulement d'un homme, ni de deux ou trois – vous faites tous ça. Combien de temps pensez-vous que je puisse vous résister ? » Je me rappelle que ça l'a fait rire.

Après le départ d'Abou Muawaya, je me suis endormie seule, mais je me suis réveillée plus tard dans la nuit en sentant un corps derrière moi, dans le lit. C'était l'homme qui mangeait du pain et du yaourt avec Abou Muawaya dans la cuisine ; j'ai oublié son nom. Je me souviens que j'avais la gorge sèche et, quand je me suis levée pour aller chercher de l'eau, il m'a attrapée par le bras. « J'ai soif, je vais boire », lui ai-je dit. J'ai été atterrée par l'abîme sans fond de mon désespoir. Après ce que m'avaient fait subir les gardes chez Hajji Salman, je n'avais plus peur de l'EIIL ni du viol. J'étais dans un état second. Je n'ai pas demandé à ce type ce qu'il faisait, je n'ai pas cherché à le convaincre de ne pas me toucher. Je ne lui ai même pas parlé.

À un moment, le viol s'est mis à occuper toute ma vie. Cela devient votre quotidien. Vous ne savez pas qui sera le prochain à ouvrir la porte pour venir abuser de vous, vous savez seulement que ça arrivera et que ça sera peut-être encore pire le lendemain. Vous cessez d'envisager de vous enfuir et de revoir votre famille un jour. Votre vie passée n'est plus qu'un lointain souvenir, une sorte de rêve. Votre corps ne vous appartient plus, et vous n'avez plus l'énergie de parler, ni de lutter, ni de penser au monde extérieur. Il n'y a que le viol et l'engourdissement qui accompagne la conscience résignée que votre existence se résume désormais à cela.

La peur était encore préférable à cette abdication. Avoir peur suppose qu'on a conscience qu'il se passe quelque chose d'anormal. Bien sûr, on a l'impression qu'on a le cœur qui va exploser, on a envie de vomir, on s'accroche désespérément à sa famille et à ses amis, on rampe devant les terroristes, on pleure à en devenir aveugle, mais au moins on réagit. Le désespoir est voisin de la mort.

Je me rappelle que l'ami d'Abou Muawaya a paru vexé quand je me suis écartée de lui le matin dès que j'ai ouvert les yeux et que j'ai constaté avec horreur que j'avais la jambe posée sur la sienne. Depuis que j'étais petite, chaque fois que je dormais à côté d'une personne que j'aimais – ma sœur, ma mère ou mon frère –, je passais une jambe sur elle, pour être encore plus près. Quand j'ai vu que j'avais fait la même chose avec un terroriste, j'ai reculé d'un bond. «Pourquoi as-tu bougé?» m'a-t-il demandé en riant. J'étais furieuse contre moi. J'ai eu peur qu'il n'imagine que je l'appréciais. «Je n'ai pas l'habitude de dormir avec quelqu'un, ai-je dit. J'ai envie de me reposer un peu.» Il a regardé l'heure sur son téléphone et s'est levé pour passer à la salle de bains.

Abou Muawaya avait déposé le petit déjeuner sur un paillasson et m'a dit de venir manger. Même si cela m'obligeait à m'asseoir à la cuisine et à partager un repas avec deux hommes qui m'avaient violée, je me suis jetée sur la nourriture. Je n'avais rien avalé depuis mon départ de chez Salman et je mourais de faim. La nourriture était savoureuse et familière : du miel ambré, du pain, des œufs et du yaourt. J'ai mangé en silence pendant que les hommes parlaient des tâches pratiques qui occupaient leurs journées : où trouver de l'essence pour le groupe électrogène, qui était attendu dans quel centre. Je ne les regardais pas. Quand nous avons eu fini, Abou Muawaya m'a dit d'aller prendre une douche et d'enfiler une abaya. «Nous partons bientôt», a-t-il précisé.

De retour dans la chambre, je me suis regardée dans la glace pour la première fois. Mon visage était pâle et jaunâtre, et mes cheveux, qui me descendaient presque jusqu'à la taille, étaient emmêlés et ébouriffés. J'avais été si fière d'eux! Mais je voulais que plus rien ne me rappelle à quel point j'avais tenu à être jolie. J'ai fouillé dans tous les tiroirs, cherchant des ciseaux pour les couper, mais je n'en ai pas trouvé. Il faisait si chaud que j'avais l'impression d'avoir la tête en feu. Soudain, la porte s'est ouverte et le deuxième homme est entré. Il avait une robe bleue sur le bras et m'a dit de l'enfiler. « Est-ce que je peux mettre ça à la place ? » lui ai-je demandé en lui montrant une de mes robes yézidies. Cela m'aurait réconfortée, mais il a refusé.

Il m'a regardée m'habiller et, s'approchant de moi, a commencé à me tripoter. « Tu pues, a-t-il remarqué en se bouchant le nez. Tu ne t'es pas douchée ? Toutes les filles yézidies puent comme toi ?

— C'est mon odeur, ai-je répondu. Si elle ne te plaît pas, tant pis pour toi. »

En sortant de la maison, j'ai aperçu un petit disque en plastique – une carte mémoire de téléphone portable – posé sur la table, à côté du téléphone d'Abou Muawaya. Je me suis demandé ce qu'il y avait dessus. Des photos de sabaya ? Des photos de moi ? Des projets pour l'Irak ? À Kocho, j'aimais bien prendre les cartes mémoire des autres et les installer dans le téléphone de Khairy, juste pour voir ce qu'il y avait dessus. Je me suis laissée aller à rêver un moment que je m'emparais de celle du terroriste. Peut-être contenait-elle des secrets qui pourraient permettre à Hezni de me retrouver ou aider l'armée irakienne à reprendre Mossoul. Peut-être y trouvait-on la preuve des crimes de l'EIIL. Mais je n'ai pas pris la carte ; j'étais tellement désespérée que je ne voyais pas ce qui aurait pu changer, quoi que je fasse. Je me suis contentée de suivre les hommes à l'extérieur.

Une camionnette, à peu près de la taille d'une ambulance, était rangée dehors, dans la rue, et un chauffeur attendait devant la grille. Il venait des environs – Mossoul ou Tal

Afar – et a informé Abou Muawaya de ce qui s'y passait. «Nous avons de très nombreux soutiens dans ces deux villes», a-t-il dit. Abou Muawaya a hoché la tête, satisfait. Ils ont cessé de parler quand les portes de la camionnette se sont ouvertes et que trois femmes sont sorties.

Comme moi, elles portaient des abayas et des niqabs qui les couvraient entièrement. Elles se sont serrées les unes contre les autres devant le véhicule. Une des silhouettes était nettement plus grande que les autres, et les plus petites s'accrochaient à ses mains gantées et à son abaya, comme si elles s'attendaient à ce que ses plis les engloutissent. Elles se sont arrêtées près de la camionnette, tournant la tête de gauche à droite, regardant autour d'elles, assimilant ce qu'elles voyaient. Leurs yeux, attentifs derrière la fente de leurs niqabs, se sont posés, remplis de crainte, sur Abou Muawaya qui les observait attentivement.

La grande avait la main sur l'épaule de la plus menue et la tenait serrée contre son corps rebondi. La plus petite des filles n'avait sans doute pas plus de dix ans. J'ai pensé que c'était sûrement une mère avec ses deux filles et qu'elles avaient dû être vendues ensemble. «Il n'est pas permis de séparer une mère de ses enfants prépubères par l'achat, la vente ou le don [comme esclave]», précise la brochure de l'État islamique concernant les sabaya. Les mères restent avec leurs enfants jusqu'à ce que ces derniers soient «grands et mûrs». Ensuite, l'EIIL peut en faire ce qu'il veut.

Toujours étroitement serré, le trio s'est éloigné de la camionnette pour s'approcher de la petite maison où j'avais passé la nuit, les deux filles tournant autour de leur mère comme des poussins autour d'une poule, s'accrochant au tissu glissant de ses gants. Avais-je été échangée contre elles? Quand elles sont passées devant nous, j'aurais voulu pouvoir croiser leur regard, mais elles avaient les yeux fixés droit devant elles. Une par une, elles ont disparu dans la pénombre de la petite maison, et la porte s'est refermée sur elles. Comme il doit être terrible de voir ses enfants, sa mère ou ses sœurs subir ce qu'on nous faisait subir! Je les enviais pourtant. Elles avaient de la chance: en effet, il arrivait souvent à l'EIIL d'enfreindre ses propres règles et de séparer tout de même les mères de leurs enfants. Et il était tellement plus douloureux d'être seule.

Abou Muawaya a tendu quelques dinars au chauffeur et nous nous sommes dirigés vers la sortie de Hamdaniya. Je n'ai pas demandé où nous allions. Mon désespoir était comme une cape – plus lourde, plus sombre et plus opaque que n'importe quelle abaya. Dans la voiture, le chauffeur écoutait la musique religieuse si populaire dans Mossoul sous occupation de l'EIIL; le bruit et le mouvement de la voiture me faisaient tourner la tête. «S'il vous plaît, arrêtez-vous, ai-je dit à Abou Muawaya. J'ai envie de vomir.»

La voiture s'est rangée au bord de la route et j'ai ouvert la portière, j'ai fait quelques pas en courant dans le sable, j'ai relevé mon niqab et rendu mon petit déjeuner. Des voitures passaient à grande vitesse, et l'odeur d'essence et de poussière m'a donné de nouveaux haut-le-cœur. Abou Muawaya est sorti et s'est tenu à proximité, me gardant à l'œil pour s'assurer que je ne cherchais pas à m'enfuir, dans les champs ou même au milieu de la circulation.

Il y a un important checkpoint sur la route entre Hamdaniya et Mossoul. Avant l'arrivée de l'EIIL en Irak, il était tenu par l'armée irakienne, désireuse de surveiller les déplacements des insurgés liés à al-Qaida. Désormais, il était intégré dans le programme de contrôle des routes, et donc de tout le pays, de l'EIIL. On pourrait dire que l'Irak est un pays de checkpoints, et celui qui se trouvait entre Hamdaniya et Mossoul n'en était qu'un parmi tous ceux sur lesquels flottait le drapeau noir et blanc des terroristes.

Au Kurdistan, les checkpoints arborent le drapeau kurde jaune, rouge et vert vif, et sont tenus par des peshmergas. Ailleurs en Irak, ceux qui sont surmontés du drapeau irakien noir, rouge, blanc et vert signalent que ce territoire est contrôlé par le gouvernement central. Dans les montagnes du nord de l'Irak qui nous rattachent à l'Iran, et aussi, désormais, dans certaines parties du Sinjar, les YPG (Unités de protection du peuple) hissent leurs drapeaux au-dessus de leurs propres checkpoints. Comment Bagdad ou les États-Unis peuvent-ils affirmer que l'Irak est un pays unifié? Il faut n'avoir jamais circulé sur nos routes, jamais fait la queue devant les checkpoints, jamais été interrogé sur la seule base du nom de la ville figurant sur votre plaque d'immatriculation, pour penser que l'Irak n'est pas fragmenté en une centaine de morceaux.

Vers onze heures et demie du matin, nous nous sommes arrêtés au checkpoint. «Sors, Nadia, m'a dit Abou Muawaya. Entre dans le bâtiment.» Lentement, j'ai pénétré dans la petite construction de béton qui servait de bureau et de salon aux gardes, étourdie et flageolante à cause de mes nausées. J'ai pensé qu'ils procédaient à des vérifications supplémentaires pendant que j'attendais. D'où mon étonnement en voyant la camionnette franchir le checkpoint et poursuivre sa route vers Mossoul, m'abandonnant sur place.

Le bâtiment contenait trois pièces: la principale, dans laquelle un combattant était assis derrière un bureau couvert de paperasse, et deux plus petites qui avaient l'air de salles de repos. Une des portes était entrouverte, et j'ai aperçu le cadre métallique de lits jumeaux. Une fille, assise sur le matelas, parlait en arabe à une autre fille. «*Salam alakum*», m'a dit le combattant, levant les yeux de son travail. Alors que je me dirigeais vers la chambre des filles, il m'a arrêtée. «Non, va dans l'autre.» Mon cœur s'est serré; j'allais être seule.

240

La petite chambre paraissait avoir été nettoyée et repeinte récemment. Il y avait une télévision éteinte dans un angle et un tapis de prière roulé à côté. On avait laissé des fruits sur une assiette près du téléviseur, et l'odeur douceâtre des pommes a ravivé ma nausée. J'ai bu à un distributeur d'eau qui glougloutait contre le mur avant de m'asseoir sur le matelas posé à même le sol. J'avais le vertige – toute la pièce tournait autour de moi.

Un autre combattant a surgi sur le seuil. Il était jeune et très maigre. «Sabiyya, comment t'appelles-tu?» Il est resté immobile, à me regarder.

«Nadia, ai-je dit, clignant des yeux parce que j'avais mal à la tête.

— Ça te plaît, ici?

— Pourquoi? Je vais rester là?» Allait-on me garder dans ce checkpoint, à un endroit qui n'en était même pas un?

«Tu ne resteras pas longtemps», a-t-il dit avant de s'éloigner.

La pièce s'est mise à tourner encore plus vite, j'ai été prise de haut-le-cœur et me suis mise à tousser, cherchant à empêcher mon estomac de rejeter l'eau que j'avais bue. J'avais peur d'avoir des ennuis si je vomissais.

Quelqu'un a frappé à la porte. «Ça va?» C'était la voix de l'homme maigre.

«J'ai envie de vomir. Je peux vomir ici?

— Non, non. C'est ma chambre, c'est là que je prie.

— Alors, laissez-moi aller à la salle de bains. Il faut que je me lave la figure.

— Non, non.» Il ne voulait pas ouvrir la porte. «Ça va aller, ça va aller. Attends un moment.»

Il est revenu assez vite, avec une tasse contenant un liquide chaud. «Bois ça, m'a-t-il dit en me la tendant. Tu te sentiras mieux.» Le liquide était verdâtre et sentait les herbes.

241

«Je ne bois pas de thé, lui ai-je répondu.

— Ce n'est pas du thé. Ça fera passer ton mal de tête.» Il s'est assis sur le matelas en face de moi, a serré les lèvres et posé la main sur sa poitrine. «Il faut boire comme ça.» Il a inhalé la vapeur avant d'avaler une petite gorgée du liquide.

J'étais terrifiée, convaincue qu'il m'avait achetée et que, à tout moment, il risquait de retirer sa main de sa poitrine pour la poser sur la mienne. Même s'il voulait vraiment me soulager de ma migraine, c'était seulement pour que je sois suffisamment d'aplomb pour qu'il puisse m'agresser.

Mes mains tremblaient pendant que je buvais le liquide. Au bout de quelques gorgées, il a repris la tasse et l'a posée par terre à côté du matelas.

Je me suis mise à pleurer. «S'il vous plaît. J'ai déjà eu d'autres hommes ce matin. J'ai mal à la tête. Je suis vraiment malade.

— Ça va aller. Ça va aller», a-t-il dit, et il s'est mis à tirer sur ma robe. Il faisait si chaud dans cette chambre que j'avais retiré mon abaya et je n'avais sur le dos que la robe bleue que l'ami d'Abou Muawaya m'avait apportée le matin même. J'ai cherché à lui résister, rabaissant ma jupe dès qu'il la remontait, mais il a vite perdu patience et m'a frappée brutalement sur les cuisses en répétant: «Ça va aller.» Cette fois, c'était une menace. Il a commencé à me violer alors que j'étais encore à moitié habillée et, quand il a eu fini, il s'est assis, a remis sa chemise en ordre et m'a dit: «Je reviens tout de suite. Je vais voir si tu peux rester ici ou pas.»

Quand il est parti, j'ai rabattu ma robe sur mes jambes et j'ai un peu pleuré, puis j'ai pris la tasse et j'ai bu encore quelques gorgées de tisane. À quoi bon pleurer? La boisson était tiède, mais elle apaisait ma migraine. Le combattant n'a pas tardé à revenir et, comme s'il ne s'était rien passé entre nous, il m'a demandé si je voulais un peu plus de tisane. J'ai secoué la tête.

J'avais compris à présent que je n'appartenais pas au combattant maigre ni à aucun homme en particulier. J'étais une sabiyya du checkpoint, et n'importe quel membre de l'État islamique pouvait entrer dans la chambre et me faire ce qu'il voulait. Ils me garderaient enfermée là avec un matelas et un bol de fruits en train de pourrir, condamnée à attendre que la porte s'ouvre et qu'un nouveau combattant entre. Telle serait dorénavant mon existence.

J'avais encore la tête qui tournait quand l'homme maigre est parti, et je me suis dit que ça me ferait peut-être du bien de me lever et de marcher un peu. Je ne pouvais que faire le tour de la pièce comme un prisonnier, passant devant la fontaine à eau, devant la jatte de fruits, devant le matelas et devant la télé que je n'ai jamais cherché à allumer. J'ai glissé la main le long du mur blanc, tâtant les petits grumeaux de peinture comme s'ils contenaient des messages. J'ai retiré mes sous-vêtements pour vérifier si je n'avais pas mes règles, mais non. Je me suis rassise sur le matelas.

Un autre combattant est entré peu après. Il était immense et parlait d'une voix forte, arrogante. « C'est toi, la malade ? m'a-t-il demandé.

— Vous voyez quelqu'un d'autre, ici ? » ai-je rétorqué, mais il a refusé de répondre. « Ça ne te regarde pas », a-t-il dit, puis il a répété : « C'est toi, la malade ? » Cette fois, j'ai acquiescé d'un hochement de tête.

Il avait un pistolet à sa ceinture et j'ai été tentée de m'en emparer et de le poser contre ma tempe. *Tuez-moi*, avais-je envie de lui dire, mais j'ai pensé que si je cherchais à attraper son arme, il trouverait une punition pire que la mort, alors j'ai renoncé à faire quoi que ce soit.

Contrairement au maigre, ce combattant-là a fermé la porte à clé. J'ai paniqué. J'ai reculé pour m'écarter de lui, mais j'ai été prise de vertige et je suis tombée. Je n'étais pas évanouie, j'étais simplement nauséeuse et embrumée. Il est venu s'asseoir à côté de moi et m'a dit : « J'ai bien l'impression que tu as peur. » Sa voix n'était pas gentille – elle était moqueuse et cruelle.

« Je vous en prie, je suis vraiment malade. Je vous en prie, hajji, je suis vraiment malade. » J'ai eu beau répéter cette phrase en boucle, cela ne l'a pas empêché de s'approcher de moi et de me tirer par les épaules pour me hisser sur le matelas. Le sol égratignait mes pieds nus et mes mollets.

Il a recommencé à se moquer de moi. « Ça te plaît, ici ? » Il a ri. « Tu aimes la façon dont on te traite ?

— Vous me traitez tous de la même façon », ai-je répliqué. J'étais complètement étourdie et j'y voyais à peine. Je suis restée allongée là où il m'avait traînée et j'ai fermé les yeux, cherchant à oublier sa présence, à oublier cette chambre. J'essayais d'oublier qui il était. J'essayais de perdre toute faculté de mouvoir mes membres, de parler, de respirer.

Il a continué à me narguer. « Tu es malade, alors tais-toi, a-t-il dit en posant la main sur mon ventre. Pourquoi es-tu si maigre ? Tu ne manges pas ?

— Hajji, je suis vraiment malade. » Ma voix s'est évanouie alors qu'il relevait ma robe.

« Tu ne sais pas que ça me plaît que tu sois comme ça ? Tu ne comprends donc pas que j'aime que tu sois faible ? »

12

Toutes les sabaya auraient la même histoire à vous raconter. On ne peut pas imaginer les atrocités dont l'EIIL est capable tant qu'on ne l'a pas entendu de la bouche d'une sœur et d'une cousine, de voisines et de camarades de classe, et leurs récits vous font comprendre que vous n'avez pas spécialement joué de malchance, ou que vous n'avez pas été punie pour avoir pleuré ou essayé de vous enfuir. Ces hommes étaient tous les mêmes : c'étaient des terroristes convaincus qu'ils avaient le droit de nous faire du mal.

D'autres femmes ont vu leur mari tué sous leurs yeux avant d'être enlevées, ou ont entendu leurs ravisseurs raconter en jubilant le massacre du Sinjar. Elles étaient détenues dans des maisons, des hôtels et même des prisons, et étaient systématiquement violées. Certaines n'étaient encore que des enfants, et peu importait qu'elles aient commencé à avoir leurs règles ou non. Une fille avait les mains et les jambes ligotées quand son ravisseur l'a violée, une autre a été violée pour la première fois dans son sommeil. Certaines ont été privées de nourriture et torturées si elles désobéissaient, d'autres l'ont été aussi même si elles obéissaient au doigt et à l'œil au combattant à qui elles appartenaient.

Une femme de notre village était transférée de Hamdaniya à Mossoul quand son ravisseur a décidé qu'il ne pouvait pas attendre pour la violer, alors il s'est arrêté au bord de la route et l'a prise dans la voiture. «Ça s'est passé comme ça, sur la route, la portière ouverte avec mes jambes qui dépassaient de la voiture», m'a-t-elle raconté. Quand ils sont arrivés chez lui, il l'a obligée à se teindre en blond, à s'épiler les sourcils et à se conduire comme une épouse.

Kathrine a été prise par docteur Islam, un oto-rhino-laryngologiste qui, avant de rejoindre les rangs de l'EIIL, était venu dans le Sinjar pour soigner les Yézidis. Chaque semaine, il achetait une nouvelle fille et se débarrassait de l'ancienne, mais il a gardé Kathrine, qu'il traitait en favorite. Il l'obligeait à se pomponner et à se maquiller, comme Hajji Salman me l'avait imposé, avant de la faire poser pour des photos avec lui. Sur une série de clichés, ils barbotent dans un cours d'eau, le docteur Islam tenant Kathrine dans ses bras comme une jeune mariée. Son niqab est relevé sur sa tête et elle arbore un sourire si grand qu'on dirait que son visage va se fendre. Le docteur Islam la forçait à avoir l'air heureuse et à faire semblant de l'aimer, mais je la connais et je vois bien que ce sourire dissimule une terreur sans nom. Elle a fait six tentatives d'évasion et a été dénoncée par ceux à qui elle a demandé de l'aide. Chaque fois, elle a été ramenée chez le docteur Islam, qui l'a cruellement punie. Ces histoires sont sans fin.

J'ai passé une nuit au checkpoint. Le lendemain matin, de bonne heure, l'émetteur-récepteur du combattant s'est allumé et l'a réveillé. «Tu vas mieux?» m'a-t-il demandé. Je n'avais pas fermé l'œil. «Non, ai-je répondu. Je ne veux pas rester ici.

— Ça veut dire que tu as besoin de quelque chose. Je te montrerai tout à l'heure ce que tu peux faire pour te sentir mieux», a-t-il dit avant de commencer à répondre aux appels sur sa radio. Peu après, il est sorti.

Ils m'ont enfermée à l'intérieur. J'entendais des voitures s'arrêter et des combattants parler dans leurs radios, alors j'ai songé qu'ils allaient peut-être me garder là jusqu'à ma mort. Après avoir tambouriné contre la porte pour qu'on me laisse sortir, j'ai recommencé à vomir et, cette fois, je n'ai même pas essayé d'éviter d'en mettre par terre et sur le matelas. Le maigre est revenu et m'a dit de retirer mon hidjab, puis il m'a versé de l'eau sur la tête tandis que je vomissais encore. Pendant un quart d'heure, je n'ai pas réussi à rejeter autre chose qu'un mince filet de liquide nauséabond. J'avais l'impression que mon corps ne contenait plus rien. « Va à la salle de bains, m'a-t-il dit. Lave-toi. » La camionnette d'Abou Muawaya était revenue pour me reconduire à Mossoul.

Dans la salle de bains, je me suis passé de l'eau sur le visage et sur les bras. Je tremblais de tous mes membres comme si j'avais la fièvre, je tenais à peine sur mes jambes et je n'y voyais presque rien. Je ne m'étais jamais sentie aussi faible. Et cette impression a été un déclic pour moi.

Depuis que j'avais quitté Kocho, j'appelais la mort de tous mes vœux. J'aurais voulu que Salman me tue, j'avais demandé à Dieu de me laisser mourir ou bien j'avais refusé de manger ou de boire dans l'espoir d'en arriver à cesser de vivre. J'avais pensé je ne sais combien de fois que ceux qui me violaient et me battaient finiraient par me tuer. Mais la mort n'était jamais au rendez-vous. Dans la salle de bains du checkpoint, j'ai fondu en larmes. Pour la première fois depuis mon départ de Kocho, je me suis dit que j'allais peut-être vraiment mourir. Et j'ai su avec une certitude absolue que ce n'était pas ce que je souhaitais.

Un autre combattant était arrivé pour me reconduire à Mossoul. Il s'appelait Hajji Amer et j'ai supposé qu'il était mon nouveau propriétaire, mais j'étais trop mal en point pour lui poser la question. La distance entre le checkpoint et la ville n'était pas bien grande, mais il nous a fallu presque une heure pour la parcourir parce que nous étions obligés de nous arrêter tout le temps pour que je vomisse. «Pourquoi es-tu aussi malade?» m'a demandé Hajji Amer, et je n'ai pas voulu lui dire que, à mon avis, c'était à cause de tous ces viols. «Je n'ai rien mangé et je n'ai pas beaucoup bu, ai-je répondu. Et puis il fait si chaud.»

Quand nous sommes parvenus à Mossoul, il est allé à la pharmacie et a acheté des comprimés qu'il m'a donnés quand nous sommes arrivés chez lui. Je n'avais pas cessé de pleurnicher pendant tout ce temps, et il a gloussé comme l'auraient fait mes frères quand ils trouvaient que je faisais trop de cinéma. «Tu es une grande fille, voyons, m'a-t-il dit. Tu ne devrais pas pleurer comme ça.»

Sa petite maison était peinte en vert foncé avec une bande blanche, et j'ai eu l'impression que ça ne faisait pas longtemps que l'EIIL l'occupait. Elle était propre et il n'y avait ni uniformes de l'État islamique, ni robes laissées par des filles yézidies. Je me suis affalée sur le canapé et me suis endormie aussitôt. Je ne me suis réveillée que le soir; ma migraine et ma nausée avaient disparu. Le chauffeur était allongé sur un autre divan, son téléphone près de lui. «Ça va mieux? m'a-t-il demandé en voyant que j'étais réveillée.

— Un peu, ai-je répondu, tout en espérant qu'il me croirait encore trop malade pour pouvoir être touchée. Mais j'ai la tête qui tourne. Je crois qu'il faut que je mange quelque chose.» Je n'avais rien avalé depuis le petit déjeuner chez Abou Muawaya, la veille au matin, et j'avais tout vomi ensuite.

«Lis des extraits du Coran et prie, m'a-t-il dit. Tu verras, tu n'auras plus mal.»

Je suis allée à la salle de bains, en emportant mon sac. Je craignais que, si je le laissais au salon, il ne me le confisque, même s'il pensait qu'il ne contenait que quelques vêtements et des serviettes hygiéniques. Fermant la porte à clé derrière moi, j'ai vérifié que mes bijoux étaient toujours à l'intérieur des serviettes, assez bien cachés pour que personne ne puisse soupçonner leur présence à moins de les sortir une par une, ce que je n'imaginais pas qu'un homme puisse faire. J'ai pris la carte de rationnement de ma mère et l'ai tenue dans ma main un moment, cherchant à me rappeler ce que je ressentais quand elle me serrait dans ses bras si chauds pour me consoler. Puis je suis retournée au salon, décidée à obtenir quelques informations.

Il était presque étrange d'être en compagnie d'un homme qui ne m'avait pas violée dès l'instant où nous avions été seuls. Je me suis d'abord demandé s'il se pouvait que Hajji Amer, bien que membre de l'EIIL, éprouve un peu de pitié en me voyant si malade. Ou peut-être était-il d'un rang tellement inférieur que sa seule mission était de me surveiller. Mais, quand je suis arrivée au salon, il m'attendait avec la même expression cruelle et arrogante que les autres et, quoiqu'il ne m'ait pas violée, il m'a agressée. Quand il a eu fini, il s'est laissé tomber sur le canapé et s'est mis à parler normalement, comme si nous étions de vieilles connaissances.

«Tu vas rester une semaine ici, m'a-t-il annoncé. Ensuite, il est possible que tu ailles en Syrie.

— Je ne veux pas aller en Syrie, l'ai-je supplié. Emmenez-moi dans une autre maison de Mossoul, mais ne m'envoyez pas en Syrie.

— Tu n'as aucune raison d'avoir peur. Il y a beaucoup de sabaya comme toi en Syrie.

— Je sais. Mais je ne veux pas y aller. »

Hajji Amer s'est tu et m'a regardée. «On verra», a-t-il fini par dire.

«Si je passe une semaine ici, est-ce que je pourrai voir mes nièces, Rojian et Kathrine? ai-je demandé.

249

— Elles sont peut-être en Syrie. Peut-être que, si tu vas en Syrie, tu pourras les voir.

— Je les ai vues à Mossoul il n'y a pas longtemps. Je pense qu'elles sont encore quelque part dans la ville.

— Je ne peux rien faire pour toi. Tout ce que je sais, c'est que tu es censée attendre ici. Tu pourrais partir en Syrie dès demain.

— Je vous dis qu'il n'est pas question que j'aille en Syrie », ai-je rétorqué, furieuse.

Hajji Amer a souri. « À ton avis, qui décide de l'endroit où tu vas ? m'a-t-il demandé sans élever la voix. Réfléchis bien. Où étais-tu hier ? Et où es-tu aujourd'hui ? »

Il est allé à la cuisine et, un peu plus tard, j'ai entendu le grésillement d'œufs en train de frire dans l'huile chaude. Je l'ai rejoint. Une assiette contenant des œufs et des tomates m'attendait sur la table, mais, malgré la faim qui me tenaillait, je n'avais plus envie de manger. L'idée d'aller en Syrie me terrifiait. C'est à peine si j'arrivais à m'asseoir. Le fait que je ne mange pas ne lui faisait apparemment ni chaud ni froid.

Après avoir fini ses œufs, il m'a demandé si j'avais une autre abaya que celle que je portais.

« Non, c'est la seule, ai-je répondu.

— Tu auras peut-être besoin d'en avoir d'autres si tu vas en Syrie. Je vais aller t'en acheter. »

Il a pris les clés de la voiture et s'est dirigé vers la porte d'entrée. « Reste ici, m'a-t-il ordonné. Je n'en ai pas pour long-temps. » Et il est sorti, claquant la porte derrière lui.

J'étais seule. Il n'y avait personne d'autre dans la maison, et tout était parfaitement silencieux. Comme nous nous trou-vions un peu à l'extérieur de la ville, les rues étaient plutôt paisibles ; quelques rares voitures passaient et, bien que les maisons aient été rapprochées, elles étaient petites. Depuis la fenêtre de la cuisine, j'ai vu des gens aller de maison en maison et, plus loin, j'ai reconnu la route qui sortait de Mossoul. C'était un quartier tranquille, où je ne retrouvais pas l'agitation qui régnait au voisinage de la maison de Hajji Salman, et il était nettement moins misérable que Hamdaniya. Je suis restée à regarder par la fenêtre pendant presque une demi-heure avant même de prendre conscience qu'il n'y avait pas grand monde dans les rues et que, surtout, il n'y avait pas de membres de l'EIIL.

Pour la première fois depuis que Hajji Salman m'avait punie, j'ai songé à m'enfuir. La torture du checkpoint et la promesse de m'envoyer en Syrie ont ravivé mon sentiment d'urgence. J'ai envisagé un moment de passer par la fenêtre de la cuisine, mais, avant cela, je me suis dirigée vers la porte d'entrée pour vérifier si, par miracle, le combattant ne l'avait pas laissée ouverte. Le battant de bois était lourd. J'ai tourné la poignée jaune et j'ai poussé un soupir de désespoir. Le battant n'avait pas bougé. *Il n'est pas assez bête pour n'avoir pas fermé à clé*, ai-je pensé. J'ai tout de même tiré encore une fois de toutes mes forces, et j'ai failli tomber à la renverse quand la porte s'est ouverte.

Tout étourdie, je suis sortie sur le perron et suis restée parfaitement immobile, m'attendant à tout instant à voir un fusil braqué sur moi et à entendre la voix menaçante d'un garde. Il ne s'est rien passé. J'ai descendu les quelques marches conduisant au jardin. Comme je ne portais pas mon niqab, j'ai marché la tête légèrement baissée, vérifiant du coin de l'œil qu'il n'y avait ni gardes ni combattants. Tout était désert. Personne n'a crié en me voyant – en fait, personne n'a eu l'air de me remarquer. Un muret entourait le jardin, et j'ai constaté que je n'aurais aucune difficulté à le franchir en me servant d'une poubelle comme marchepied. L'angoisse me nouait le ventre.

Rapidement, comme si une force extérieure avait pris possession de moi, je suis rentrée en courant dans la maison et j'ai attrapé mon sac et mon niqab. Il n'était pas question de perdre de temps ; Hajji Amer pouvait revenir à tout moment. Et s'il disait vrai et qu'on m'emmenait en Syrie dès le lendemain ? J'ai tiré le niqab sur mon visage, passé les lanières de mon sac sur mon épaule, et j'ai tiré la poignée de la porte une nouvelle fois.

J'y ai immédiatement mis toutes mes forces, et le battant s'est ouvert facilement. J'ai franchi le seuil d'un bond, mais, dès que j'ai senti l'air frais du dehors, quelque chose a tiré sur la jupe de mon abaya et je me suis retournée. « Je me sens mal, ai-je gémi, m'attendant à découvrir le combattant sur le seuil. Il faut que je prenne l'air. » Même la nuit avec les gardes de Salman avait été moins terrifiante que cet instant. Personne ne croirait que je ne cherchais pas à m'enfuir. Mais, en regardant derrière moi, j'ai constaté qu'il n'y avait personne : l'ourlet de mon abaya s'était pris dans la porte quand elle s'était refermée. J'ai failli éclater de rire, j'ai tiré pour le dégager et je me suis précipitée dans le jardin.

Debout sur la poubelle, j'ai regardé par-dessus le muret. La rue était déserte. Sur ma gauche se dressait une grande mosquée probablement remplie de combattants de l'État islamique en train de faire la prière du soir, mais sur ma droite et devant moi s'étendaient les rues d'un quartier ordinaire dont les habitants étaient chez eux, à prier peut-être ou à préparer le dîner. J'entendais des voitures et le bruit d'un tuyau d'arrosage : une voisine arrosait son jardin. La peur m'a empêchée de grimper sur le mur. *Et si Hajji Amer revient juste maintenant ? Arriverai-je à supporter une nouvelle punition ?*

J'ai envisagé de sauter dans le jardin d'un voisin plutôt que dans la rue, où Hajji Amer pouvait arriver à tout moment. Aucune des maisons ne semblait avoir l'électricité, et il commençait à faire noir. Avec mon abaya, je passerais peut-être inaperçue dans les jardins remplis d'ombres. J'avais déjà exclu de franchir la porte du jardin, étant sûre de me faire voir. Une femme seule, couverte ou non, sortant d'une maison occupée par l'EIIL ne manquerait pas d'attirer l'attention, et la récompense offerte à ceux qui dénonçaient une sabiyya était trop tentante.

Mais je savais aussi que, si je continuais à réfléchir, le temps allait me manquer. Il fallait que je me décide. Pourtant, je n'arrivais pas à bouger. Toutes les solutions qui défilaient dans ma tête s'achevaient par ma capture et par une punition aussi épouvantable que celle que m'avait infligée Hajji Salman. Je me disais que si Hajji Amer m'avait laissée seule dans la maison sans surveillance et sans prendre la précaution de fermer à clé, ce n'était pas par négligence. Il n'était pas idiot. C'était parce qu'il pensait que, au point où j'en étais, après avoir subi autant d'agressions sexuelles et dans l'état de faiblesse et de faim où je me trouvais, je ne songerais même pas à chercher à m'évader. Ils croyaient me posséder pour toujours. *Ils se trompent*, me suis-je dit. Et, en un clin d'œil, j'ai jeté mon sac par-dessus le mur, puis j'ai sauté, atterrissant de l'autre côté avec un bruit sourd.

Troisième partie

1

rrivée de l'autre côté du muret, j'ai constaté que la route qui se trouvait juste devant la maison était une impasse. Comme c'était l'heure de la prière du soir, passer devant la grande mosquée à gauche serait extrêmement risqué. La seule solution était de prendre sur la droite, sans savoir où j'allais. Je me suis mise en route.

Je portais encore les sandales d'homme que Hajji Salman m'avait données le premier soir, dans la grande salle transformée en mosquée, et c'était la première fois que je parcourais avec elles une distance plus longue que celle de la porte d'une maison à une voiture. Leurs semelles claquaient contre la plante de mes pieds – j'avais peur qu'elles ne fassent trop de bruit – et le sable restait coincé entre les lanières et mes orteils. *Elles sont trop grandes!* ai-je pensé. J'avais oublié ce détail et, pendant un moment, je me suis délectée de cette réflexion, parce que cela signifiait que je bougeais.

Je n'ai pas avancé en ligne droite. Je suis passée entre des voitures garées, j'ai tourné au petit bonheur la chance à des intersections, j'ai traversé et retraversé les mêmes rues plusieurs fois, espérant qu'un observateur fortuit penserait que je savais où j'allais. Mon cœur battait si fort dans ma poitrine que je craignais que les gens que je croisais ne l'entendent et ne comprennent aussitôt qui j'étais.

Certaines des maisons devant lesquelles je passais étaient éclairées par des groupes électrogènes et entourées de vastes jardins remplis de massifs de fleurs violettes et de grands arbres. C'était un joli quartier, destiné à des familles nombreuses et aisées. Comme c'était le soir, la plupart des habitants étaient chez eux, ils dînaient et couchaient leurs enfants ; mais, la nuit se faisant plus profonde, ils sont sortis pour profiter de la fraîcheur et bavarder avec leurs voisins. Je veillais à ne pas les regarder, espérant que personne ne prêterait attention à moi.

Toute ma vie, j'ai eu peur de la nuit. J'ai eu la chance d'être pauvre : comme ça, je pouvais dormir dans la même chambre que mes sœurs et mes nièces ou sur le toit, entourée de ma famille ; je n'avais jamais eu à m'inquiéter vraiment de ce qui se dissimulait dans la pénombre. En marchant dans les rues de Mossoul ce soir-là, tandis que le ciel s'assombrissait rapidement, ma crainte de la nuit a commencé à l'emporter sur celle d'être reprise par l'EIIL. Sans réverbères et alors que quelques maisons seulement étaient éclairées, ce quartier de Mossoul serait bientôt plongé dans des ténèbres impénétrables. Les familles iraient dormir, et les rues seraient complètement désertes. Il n'y aurait plus que moi et mes poursuivants. À l'heure qu'il était, supposais-je, Hajji Amer avait dû rentrer à la maison avec les abayas neuves et découvrir ma disparition. Il avait sûrement envoyé un message radio à d'autres membres de l'État islamique, peut-être à un commandant ou même personnellement à Hajji Salman, pour leur annoncer mon évasion, s'engouffrant ensuite dans sa camionnette dans l'espoir de repérer la silhouette d'une fugitive dans ses puissants phares. Il avait sans doute du souci à se faire pour lui-même. Après tout, c'était parce qu'il m'avait laissée seule sans prendre la précaution de verrouiller la porte que j'avais pu m'enfuir aussi facilement. J'imaginais que, dans son inquiétude, il conduisait plus vite, scrutait la pénombre plus attentivement, frappait aux portes et interrogeait les passants dans la rue, arrêtant toutes les femmes qui se promenaient seules. J'imaginais qu'il poursuivrait ses recherches jusqu'à une heure avancée de la nuit.

Mon abaya m'aidait à me fondre dans les ténèbres, mais je ne me sentais pas aussi invisible que je l'avais espéré. Tout en marchant, je ne pouvais penser qu'au moment où ils me rattraperaient, aux armes qu'ils porteraient, au son de leurs voix et à l'effet que me feraient leurs mains posées sur moi pour me ramener dans la maison que j'avais fuie. Il fallait que je trouve une cachette avant qu'il fasse nuit noire.

Chaque fois que je passais devant une maison, j'imaginais que je m'approchais de la porte et que je frappais. La famille qui m'ouvrirait me dénoncerait-elle immédiatement ? Me renverrait-on à Hajji Salman ? Les drapeaux de l'État islamique qui flottaient aux lampadaires et au-dessus des grilles me rappelaient que l'endroit était dangereux. Même les rires des enfants qui jouaient dans les jardins m'effrayaient.

Je me suis demandé un moment s'il ne valait pas mieux rentrer. Je pouvais repasser le muret, pousser la lourde porte et m'asseoir à la cuisine, pour que le combattant me retrouve exactement à la place où j'étais quand il était sorti. Peut-être était-il encore préférable de partir en Syrie plutôt que de subir les conséquences d'une nouvelle tentative d'évasion. *Non*, ai-je alors pensé. *Dieu m'a donné cette chance et a facilité mon départ de cette maison.* La porte ouverte, le quartier paisible, l'absence de gardes, la poubelle laissée près du mur du jardin – comment ne pas y voir des signes qu'il était temps de reprendre ce risque ? Une occasion pareille ne se représenterait pas, surtout si je me faisais prendre.

Au début, je sursautais au moindre bruit, au moindre mouvement. Une voiture passait dans la rue, son unique phare en état de marche m'éclairant comme la torche d'un policier, et je me collais contre un mur de jardin jusqu'à ce qu'elle ait disparu. Quand j'ai aperçu deux jeunes gens en survêtement se diriger vers moi, j'ai traversé la rue pour les éviter. Ils ont poursuivi leur chemin, bavardant comme s'ils ne m'avaient pas vue. En entendant le grincement d'une grille rouillée qui s'ouvrait devant une maison, j'ai tourné précipitamment à un angle, pressant le pas sans aller pourtant jusqu'à courir, et quand un chien a aboyé, je me suis engagée dans une autre rue encore. Ces instants d'effroi étaient tout ce qui me guidait, et je ne savais absolument pas où j'allais. J'avais l'impression que j'allais continuer à marcher pour l'éternité.

Pendant ce temps, les maisons en béton à plusieurs étages appartenant à de riches familles qu'avait confisquées l'État islamique – avec des voitures de luxe rangées devant et de bruyants groupes électrogènes qui alimentaient des télévisions et des radios – avaient cédé la place à des habitations plus modestes, d'un ou deux étages de ciment gris pour la plupart. Les lumières étaient moins nombreuses, les environs encore plus tranquilles. J'entendais des bébés pleurer dans les maisons et j'imaginais leurs mères qui les berçaient pour les endormir. Les petits potagers ont remplacé les pelouses, les pick-up d'agriculteurs les berlines familiales. Des filets d'eaux usées et d'eau de vaisselle s'écoulaient dans les caniveaux le long de la rue : j'étais dans un quartier pauvre.

J'ai eu soudain le sentiment d'avoir trouvé ce que je cherchais. S'il y avait dans tout Mossoul un sunnite disposé à m'aider, ce serait probablement quelqu'un qui n'était pas riche, peut-être une famille qui n'était restée chez elle que parce qu'elle n'avait pas assez d'argent pour partir et qui s'intéressait moins à la politique de l'Irak qu'à la nécessité de gagner sa vie. Un grand nombre de familles pauvres avaient rejoint l'État islamique. Mais cette nuit-là, n'ayant rien pour me guider et aucune raison de faire confiance à un étranger plutôt qu'à un autre, j'espérais seulement trouver une famille comme la mienne.

Je ne savais pas à quelle porte frapper. J'avais passé de si longues heures dans des centres de l'État islamique à hurler à pleins poumons avec les autres filles, en sachant que les gens qui passaient dehors nous entendaient forcément ; pourtant, personne ne nous avait secourues. J'avais été transportée d'une ville à une autre dans des cars et des voitures, nous avions doublé des véhicules remplis de familles qui ne nous jetaient même pas un regard. Tous les jours, les combattants exécutaient ceux qui n'étaient pas d'accord avec eux, ils violaient des Yézidies auxquelles ils n'attribuaient pas plus de valeur qu'à un objet et mettaient en œuvre leur programme pour effacer mon peuple de la surface de la terre – et personne à Mossoul n'avait rien fait pour nous prêter assistance. L'EIIL jouissait d'un solide ancrage et, même si de nombreux musulmans sunnites avaient fui Mossoul au moment où cette organisation y avait pris le pouvoir – et ils seraient encore plus nombreux à subir la terreur du régime de l'État islamique –, rien ne me permettait de penser qu'une seule personne compatissante vivait derrière l'une de ces portes. Je me rappelais combien j'avais espéré que la mère de Morteja me considérerait comme elle aurait pu considérer sa propre fille ; or elle ne m'avait jeté que des regards haineux. Ces maisons étaient-elles pleines de gens comme elle ?

En même temps, je n'avais pas le choix. Je ne pouvais pas sortir seule de Mossoul. Même si j'arrivais à franchir le checkpoint, ce qui était très peu probable, je me ferais prendre en marchant au bord de la route ou je mourrais de déshydratation bien avant d'être arrivée au Kurdistan. Mon seul espoir de quitter Mossoul vivante se trouvait dans une de ces maisons. Mais laquelle ?

Bientôt, la nuit a été si profonde que j'avais du mal à voir devant moi. Cela faisait presque deux heures que je marchais, et mes sandales me faisaient mal aux pieds. Chaque pas me faisait l'effet d'une mesure de sécurité, d'une distance supplémentaire, si modeste fût-elle, entre l'EIIL et moi. Mais je ne pouvais pas marcher éternellement. À un coin de rue, je me suis arrêtée un instant à côté d'une grande porte métallique, aussi large que haute, et j'ai levé la main, prête à frapper. Au dernier moment, ma main est retombée et j'ai recommencé à marcher, sans savoir pourquoi.

Dans une rue perpendiculaire, je me suis arrêtée à nouveau devant une porte métallique verte, plus petite que la précédente. Il n'y avait pas de lumière dans cette construction en ciment de deux étages, qui m'a fait penser à certaines des maisons neuves de Kocho. Elle n'avait rien de particulier, rien qui puisse m'indiquer à quoi ressemblait la famille qui l'habitait. Mais je n'en pouvais plus de marcher. Cette fois, quand j'ai levé la main, ma paume s'est abattue bruyamment à deux reprises contre la porte. Tandis que la vibration se propageait dans le métal, je suis restée dans la rue sans savoir encore si je serais sauvée.

Une seconde plus tard, la porte s'est ouverte toute grande sur un homme d'une cinquantaine d'années. «Qui êtes-vous?» m'a-t-il demandé, et je suis passée devant lui sans répondre. Dans le petit jardin, j'ai vu une famille assise en cercle tout près de la porte, éclairée par la lune. Ils se sont tous levés, surpris, mais n'ont pas ouvert la bouche. Quand j'ai entendu la grille se refermer, j'ai soulevé mon niqab, découvrant mon visage.

«Je vous en supplie, ai-je dit. Aidez-moi.» Comme ils gardaient le silence, j'ai poursuivi. «Je m'appelle Nadia. Je suis une Yézidie du Sinjar. Daech est venu dans mon village, et j'ai été emmenée à Mossoul pour être sabiyya. J'ai perdu ma famille.»

Deux jeunes gens d'une vingtaine d'années étaient assis dans le jardin en compagnie d'un couple plus âgé qui devait, ai-je pensé, être leurs parents. J'ai aussi aperçu un garçon qui avait l'air d'avoir onze ans. Une jeune femme, d'une vingtaine d'années elle aussi, était en train de bercer un bébé pour l'endormir. Elle était enceinte et il m'a semblé que son visage était le premier à se crisper d'angoisse. Il n'y avait pas d'électricité dans leur petite maison, et ils avaient sorti les matelas dans le jardin pour profiter de la fraîcheur.

L'espace d'un instant, mon cœur s'est arrêté de battre. Il pouvait s'agir de membres de l'État islamique – les hommes portaient la barbe et d'amples pantalons noirs, et les femmes étaient vêtues de façon conservatrice, mais leurs visages étaient découverts parce qu'elles étaient chez elles. Rien ne les distinguait de ceux qui m'avaient maintenue captive, et j'ai été convaincue qu'ils allaient me dénoncer. Je me suis figée et j'ai cessé de parler.

Un des hommes, le plus âgé, m'a prise par le bras et m'a entraînée à l'intérieur de la maison. Il faisait chaud et sombre dans l'entrée. «C'est plus sûr ici, m'a-t-il expliqué. Il ne faut pas parler de ce genre de choses dehors.

— D'où viens-tu? m'a demandé celle qui était probablement sa femme et qui nous avait suivis à l'intérieur. Que t'est-il arrivé?» Sa voix était plus inquiète que fâchée et j'ai senti les battements de mon cœur s'apaiser un peu.

«Je viens de Kocho. J'ai été amenée ici comme sabiyya, et je me suis enfuie de la dernière maison où Daech me détenait. Ils avaient l'intention de me conduire en Syrie.» Je leur ai raconté tout ce qui m'était arrivé, même les viols et les mauvais traitements. Je me disais que plus ils en sauraient, plus ils seraient susceptibles de me venir en aide. C'était une famille, ils devaient être accessibles à la pitié et à l'amour. Mais je n'ai pas prononcé le nom des combattants qui m'avaient achetée ou vendue. Hajji Salman était un personnage important au sein de l'EIIL, et il était difficile d'envisager de défier un être

263

aussi redoutable qu'un juge qui envoie des gens à la mort. J'ai pensé : *S'ils savaient que j'ai appartenu à Salman, ils me ramèneraient tout de suite, même s'ils ont pitié de moi.*

« Qu'attends-tu de nous ? m'a demandé la femme.

— Imaginez que vous ayez une fille, très jeune, qu'elle soit arrachée à sa famille et condamnée à subir tous ces viols, toutes ces souffrances, ai-je répondu. Je vous en prie, pensez-y quand vous vous demanderez ce que vous allez faire de moi à présent. »

Dès que je me suis tue, le père a pris la parole : « Que la paix soit dans ton cœur. Nous essaierons de t'aider.

— Comment peuvent-ils faire de telles choses à de petites filles ? » a chuchoté sa femme pour elle-même.

Les membres de la famille se sont présentés. C'étaient effectivement des sunnites restés à Mossoul à l'arrivée de l'EIIL parce qu'ils ne savaient pas où aller, m'ont-ils dit. « Nous ne connaissons personne au Kurdistan qui aurait pu nous aider à passer les checkpoints. En plus, nous sommes pauvres. Tout ce que nous avons, c'est cette maison. » Je ne savais pas si je devais les croire – beaucoup de sunnites pauvres avaient quitté Mossoul, alors que d'autres étaient restés et n'avaient pas perdu leurs illusions à propos de l'EIIL à cause de la souffrance d'autrui, mais à la suite de la dégradation de leurs propres conditions de vie. Et pourtant, s'ils acceptaient de m'aider, ai-je pensé, sans doute disaient-ils la vérité.

« Nous sommes des Azawis », ont-ils poursuivi. Les Azawis étant une tribu qui entretient de longues et étroites relations avec les Yézidis de la région, cela signifiait qu'ils connaissaient probablement le yézidisme et avaient peut-être même des kiriv dans des villages proches du mien. C'était bon signe.

Hisham, le père, était un homme massif qui arborait une longue barbe poivre et sel. Sa femme, Maha, avait un beau visage arrondi. À mon arrivée, elle était vêtue d'une simple robe d'intérieur ; mais au bout d'un moment, comme j'étais une inconnue, elle était rentrée enfiler son abaya. Leurs fils, Nasser et Hussein, étaient maigres, pas encore tout à fait adultes ; ils étaient curieux et m'ont bombardée de questions, surtout Nasser : comment étais-je arrivée jusqu'ici ? où était ma famille ?

Âgé de vingt-cinq ans, Nasser était l'aîné. Il était très grand, avec un front largement dégagé et une grande bouche. C'étaient les fils qui m'inquiétaient le plus : s'il y avait dans cette famille des membres favorables à l'EIIL, cela ne pouvait être que ces jeunes sunnites. Mais ils ont juré qu'ils détestaient les combattants. « La vie est abominable depuis leur arrivée, m'a confié Nasser. On a l'impression que c'est la guerre. »

La jeune femme que j'avais vue dans le jardin était Safaa, l'épouse de Nasser. Elle était grande, comme lui, et avait des yeux remarquables, profondément enfoncés dans les orbites. Elle a gardé le silence et s'est contentée de me regarder en faisant sauter son bébé sur ses genoux et en jetant des coups d'œil au plus jeune frère de Nasser, Khaled, apparemment inconscient du drame qui se jouait. De tous les membres de la famille, c'était Safaa que ma présence semblait inquiéter le plus. « Tu veux une autre abaya ? » m'a-t-elle proposé alors que j'avais retiré la mienne, qui était très sale. C'était gentil de sa part, mais quelque chose dans son ton m'a fait penser qu'elle n'appréciait pas que je sois vêtue d'une robe yézidie dans une demeure musulmane. « Non, merci », ai-je répondu, ne souhaitant pas porter plus que nécessaire l'abaya peu familière.

« Tu étais chez qui, de Daech ? a fini par me demander Nasser.

— Salman », ai-je dit tout bas. Il a poussé un petit grognement entendu, mais n'a fait aucun commentaire. En revanche, il m'a interrogée sur ma famille et m'a demandé si je savais où aller dans l'éventualité où je pourrais quitter

Mossoul. J'avais l'impression qu'il n'avait pas peur et qu'il souhaitait m'aider.

«Est-ce que vous avez rencontré d'autres Yézidies? ai-je demandé.

— J'en ai vu quelques-unes devant le tribunal», a répondu Hisham. Hussein, son fils, a avoué qu'il avait vu passer des cars probablement remplis d'esclaves comme moi. «Il y a des affiches dans tout Mossoul qui disent que Daech donnera cinq mille dollars à tous ceux qui dénoncent une sabiyya en fuite, a-t-il ajouté. Mais il paraît que c'est un mensonge.

— Nous n'aimons pas ce qui se passe ici, a ajouté Hisham. Nous aurions volontiers quitté Mossoul depuis longtemps, dès que Daech est arrivé, mais nous n'avons pas d'argent et nous ne savons pas où aller.

— En plus, nous avons ici quatre filles mariées, a renchéri Maha. Même si nous étions partis, elles seraient restées. Les familles de leurs maris sont peut-être avec Daech. Nous n'en savons rien – il y a tant de gens qui les soutiennent. Quoi qu'il en soit, nous ne pouvons pas laisser nos filles toutes seules ici.»

Je n'ai pas voulu me montrer ingrate à l'égard de la famille qui m'avait ouvert sa porte. Ils avaient écouté mon récit sans me juger et m'avaient offert leur aide. Pourtant, je ne pouvais pas m'empêcher de me demander ce qu'ils avaient fait pendant tout le temps où j'avais été prisonnière. Leurs excuses m'agaçaient, mais j'ai essayé de cacher ma colère. Comment Hussein avait-il pu regarder passer ces cars, en sachant qu'ils transportaient des jeunes filles et des femmes qui allaient être violées nuit après nuit par des combattants de l'État islamique? Comment Hisham avait-il pu voir des combattants entraîner leurs sabaya à l'intérieur du tribunal pour les forcer à contracter des mariages illégaux? Ils acceptaient de m'aider, oui, mais uniquement parce que j'avais surgi sur leur seuil.

Il y en avait pourtant des milliers comme moi. Ils prétendaient détester l'EIIL, mais aucun d'eux n'avait rien fait pour
s'opposer à lui.

Peut-être, me suis-je dit, était-ce aller un peu loin que de
demander à une famille ordinaire de résister à des terroristes
comme les hommes de l'EIIL, qui jetaient des toits ceux qu'ils
accusaient d'être homosexuels, qui violaient de toutes jeunes
filles sous prétexte qu'elles appartenaient à une religion qui ne
leur plaisait pas, qui lapidaient régulièrement des gens jusqu'à
ce que mort s'ensuive. Ma générosité envers autrui n'avait
jamais été mise ainsi à l'épreuve. Mais c'était parce que leur
religion n'avait jamais protégé les Yézidis et, au contraire, avait
toujours fait d'eux la cible d'attaques. Hisham et sa famille ne
craignaient rien dans Mossoul sous occupation de l'EIIL, car
ils étaient sunnites de naissance et étaient donc acceptés par
les combattants. Avant mon arrivée, ils n'avaient pas hésité à
porter leur religion comme une armure. Je faisais un gros effort
pour apprécier leur bonté à mon égard, mais je ne pouvais pas
les aimer.

«Connais-tu quelqu'un au Kurdistan que nous puissions
appeler pour le prévenir que tu es chez nous? m'a demandé
Hisham.

— J'ai des frères là-bas», lui ai-je dit, et je lui ai donné le
numéro de Hezni, qui était resté gravé dans ma mémoire.

J'ai regardé Hisham composer le numéro et commencer à
parler. Puis il a écarté le téléphone de son oreille, visiblement
embarrassé, et a refait le numéro. Il s'est passé la même chose,
et j'ai eu peur d'avoir mal retenu le numéro. «Est-ce qu'il
décroche?» ai-je demandé à Hisham.

Il a secoué la tête. «Un homme me répond, mais dès que je
lui dis qui je suis et d'où j'appelle, il se met à m'insulter. Ce
n'est peut-être pas ton frère. Et si c'est lui, il ne croit probablement pas que tu es avec moi.»

Hisham a fait un nouvel essai et, cette fois, son interlocuteur l'a laissé parler. «Nadia est ici, chez nous, elle s'est échappée de chez son ravisseur, a-t-il expliqué. Si vous ne me croyez pas, je connais des Yézidis qui pourront se porter garants de moi. » Hisham avait servi dans l'armée de Saddam en même temps qu'un homme politique yézidi du Sinjar qui connaissait beaucoup de monde. « Il vous dira que je suis quelqu'un de bien et que je ne ferai aucun mal à votre sœur. »

La conversation n'a pas duré longtemps et Hisham m'a confirmé ensuite avoir parlé à Hezni lui-même. «La première fois, quand il a vu que c'était un appel de Mossoul, il a cru que je téléphonais par pure cruauté, a-t-il poursuivi. Apparemment, ceux qui détiennent sa femme l'appellent de temps en temps simplement pour lui raconter ce qu'ils lui font subir. Il ne peut que les insulter et raccrocher. » Mon cœur s'est serré en pensant à Hezni et à Jilan, qui avaient tellement lutté pour pouvoir vivre ensemble.

Comme il était tard, les femmes m'ont installé un matelas dans une des pièces et m'ont demandé si j'avais faim. «Non », ai-je répondu. Je ne me voyais pas avaler quoi que ce soit. «Mais j'ai très soif. » Nasser m'a apporté de l'eau et, pendant que je buvais, il m'a conseillé de ne jamais, jamais sortir. « Le quartier est rempli de membres et de sympathisants de Daech, m'a-t-il expliqué. Tu ne serais pas en sécurité.

— Que s'est-il passé ici ? » Il fallait que je sache. Y avait-il des sabaya dans le voisinage ? Les combattants fouillaient-ils les maisons dès que l'une d'elles disparaissait ?

« Nous vivons une époque dangereuse, a repris Nasser. Daech est partout. Ils contrôlent toute la ville, et nous devons tous faire très attention. Nous avons un groupe électrogène, mais nous ne pouvons pas nous en servir la nuit, de crainte que, si les avions américains repèrent la lumière, ils ne larguent une bombe sur notre maison. »

Malgré la chaleur, j'ai frissonné, repensant à la première porte devant laquelle je m'étais arrêtée sans avoir le courage de frapper. Qui vivait là? «Dors, maintenant, a dit Hisham. Demain matin, nous essaierons de trouver le moyen de te faire sortir d'ici.»

On étouffait dans la pièce, et j'ai très peu dormi. Toute la nuit, j'ai songé aux maisons qui m'entouraient, pleines de familles qui soutenaient l'EIIL. J'imaginais Hajji Salman ratissant les rues en voiture pour me retrouver, sa rage le tenant éveillé toute la nuit. Je me suis demandé ce qui était arrivé au combattant qui m'avait aussi mal surveillée. La promesse de cinq mille dollars de récompense persuaderait-elle Nasser et sa famille de me livrer? M'avaient-ils menti, feignant la compassion et la bienveillance, sans cesser un instant de me haïr parce que j'étais yézidie? J'aurais eu tort de leur faire confiance, ai-je pensé, même s'ils étaient issus de la tribu azawie et même si Hisham s'était fait des amis yézidis du temps de son service militaire. Certains sunnites qui entretenaient des relations bien plus étroites avec des Yézidis n'avaient pas hésité à trahir leurs amis en les dénonçant à l'EIIL.

Mes sœurs et mes nièces avaient été séparées de moi – elles pouvaient être n'importe où. Seraient-elles punies parce que je m'étais évadée? Qu'était-il arrivé aux femmes que nous avions laissées à Solagh, aux filles que l'on avait conduites en Syrie? Je pensais à ma jolie maman, je revoyais son foulard blanc glisser de ses cheveux quand elle avait trébuché en descendant du camion à Solagh, je me souvenais de sa tête posée sur mes genoux et de ses yeux qu'elle avait fermés pour tenir à distance la terreur qui nous entourait. Je songeais à Kathrine, arrachée aux bras de ma mère avant que nous ne soyons toutes obligées de monter dans les cars. Je découvrirais bientôt ce qu'elles étaient toutes devenues. Quand je me suis enfin endormie, j'ai sombré dans un sommeil sans rêve, d'une noirceur absolue.

2

Je me suis réveillée à cinq heures du matin, avant tout le monde, et ma première pensée a été qu'il fallait que je parte au plus vite. *Je ne suis pas en sécurité ici*, me suis-je dit. *Que vont-ils faire de moi ? Quelles sont les chances pour qu'ils soient suffisamment généreux pour prendre le risque de m'aider ?* Mais c'était le matin, un chaud soleil éclairait déjà les rues et il n'y avait même pas d'ombre où me dissimuler si je prenais la fuite. De toute façon, je ne savais pas où aller. Allongée sur mon matelas, j'ai compris que mon sort était entre les mains de Nasser et de sa famille, et que je ne pouvais que prier pour qu'ils soient sincères.

Nasser est arrivé deux heures plus tard, avec des instructions de Hisham. Pendant que nous parlions en attendant que son père nous rejoigne, Maha nous a servi le petit déjeuner. Je n'ai toujours rien pu avaler de solide, mais j'ai bu un peu de café. « Nous allons te conduire chez ma sœur Mina et son mari Basheer, m'a ensuite annoncé Nasser. Ils habitent un peu à l'extérieur de la ville. Il y a moins de risques que Daech y soit et te repère. Nous savons que Basheer n'aime pas Daech. En revanche, nous ne sommes pas sûrs de ses frères. Il dit qu'ils n'ont pas rejoint l'organisation, mais on ne sait jamais. Il faudra que tu fasses attention. Basheer est un chic type, lui. »

Le visage recouvert du niqab, je me sentais en sécurité dans la voiture en compagnie de Hisham et de Nasser. Les habitations sont devenues plus clairsemées à l'approche de la maison de Mina et Basheer, à la périphérie de Mossoul. Personne n'a prêté attention à nous quand nous sommes sortis de la voiture pour gagner la porte d'entrée, et je n'ai pas vu dans le quartier de maisons arborant des drapeaux de l'État islamique ou couvertes de graffitis à sa gloire.

Le couple nous a accueillis dans l'entrée de leur maison, qui était plus grande et plus belle que celle de Hisham, et qui m'a rappelé celles que mes frères mariés avaient construites peu à peu à Kocho, avec toutes leurs économies. Elle était en béton, faite pour durer, avec des sols de carrelage recouverts de tapis vert et beige, et, dans le salon, des canapés agrémentés de gros coussins.

Je n'avais jamais vu de femme aussi belle que Mina. Elle avait un visage pâle et rond, des yeux vert vif comme des pierres précieuses, et la même silhouette que Dimal – pas trop maigre. Ses longs cheveux étaient teints d'un brun chaud. Basheer et elle avaient cinq enfants, trois garçons et deux filles, et, quand je suis arrivée, toute la famille est venue me dire bonjour calmement, comme si Hisham et Nasser avaient déjà répondu à toutes les questions qu'ils pouvaient se poser à mon sujet. Personne n'a cherché à me réconforter. À part Nasser, visiblement curieux de connaître tous les détails de ce qui m'était arrivé, la famille me traitait comme un devoir à accomplir, et je leur en ai été reconnaissante. Je n'étais pas encore certaine d'être en mesure de leur rendre leur affection s'ils me l'avaient offerte. « *Salam alakum,* leur ai-je dit. – *Alakum asalaam,* a répondu Basheer. Ne t'inquiète pas, nous allons t'aider. »

Leur plan consistait à me faire faire une fausse carte d'identité soit au nom de Safaa, soit à celui de Mina. Ensuite, un des hommes, Basheer ou Nasser, m'accompagnerait de Mossoul à

Kirkouk. Nous ferions comme si nous étions mari et femme. Nasser avait des amis à Mossoul qui fabriquaient des cartes d'identité – autrefois la carte ordinaire de l'État irakien, et maintenant celle, noir et blanc, de l'État islamique – et qui étaient disposés à nous aider. «Nous te ferons faire une carte d'identité irakienne, pas celle de Daech, m'a dit Nasser. Elle aura l'air plus authentique et te permettra d'entrer plus facilement au Kurdistan, si nous réussissons à franchir les checkpoints de Daech.

— Si tu prends l'identité de Safaa, c'est Nasser qui t'accompagnera, m'a expliqué Basheer. Si nous nous servons de celle de Mina, ce sera moi.» Assise avec nous, Mina écoutait sans rien dire. Ses yeux verts m'ont jeté un éclair quand son mari a prononcé ces paroles. Elle n'était visiblement pas contente, mais elle n'a pas protesté.

«Tu penses que nous pourrions te laisser à Kirkouk? C'est un bon endroit pour toi?» m'a demandé Basheer. Il estimait que c'était le point d'entrée au Kurdistan le plus commode à partir de Mossoul. Ils diraient alors au faussaire de marquer sur mes papiers que j'étais née à Kirkouk et de me donner un nom courant dans cette ville.

«Est-ce que Kirkouk est aux mains de l'EIIL?» Je n'en savais rien. Quand j'étais petite, j'avais toujours cru que Kirkouk faisait partie du Kurdistan parce que c'était ce que disaient les partis kurdes, mais des conversations entre des combattants de l'État islamique m'avaient fait comprendre que la région était disputée, comme le Sinjar, et qu'elle était désormais convoitée non seulement par les Kurdes et le gouvernement de Bagdad, mais aussi par l'EIIL. Ses combattants s'étaient emparés d'une si grande partie de l'Irak que j'étais prête à croire qu'ils avaient mis la main sur Kirkouk et sur tous ses gisements de pétrole. «Il faudra poser la question à ma famille. Si ce sont les peshmergas qui contrôlent la ville, je peux y aller.

— Parfait. » Basheer était satisfait. « Je vais appeler l'ami de Hisham au Sinjar pour voir s'il peut t'aider, et Nasser s'occupera de ta carte d'identité. »

Ce jour-là, j'ai parlé à Hezni pour la première fois depuis mon évasion. Nous avons réussi à rester calmes pendant l'essentiel de cette conversation – il y avait de nombreux détails à régler si je voulais arriver vivante chez nous –, mais quand j'ai enfin entendu sa voix, les mots sont demeurés coincés dans ma gorge.

« Nadia, a-t-il dit. Ne t'en fais pas. Je crois que ce sont des gens bien : ils t'aideront. »

Hezni était fidèle à lui-même, aussi rassurant qu'affectueux. Malgré ce que je vivais, j'avais de la peine pour lui. Je supposais que, si j'avais de la chance, je n'allais pas tarder à découvrir ce qu'éprouvaient les Yézidis rescapés, tout le chagrin et toute la nostalgie qui ternissaient le soulagement d'être restés en vie.

J'avais envie de lui raconter mon évasion. J'étais fière de mon courage. « C'était vraiment bizarre, Hezni. Après tout cela, après la surveillance tellement étroite qu'on m'avait imposée, ce type oublie de fermer la porte à clé. Il a suffi que je la tire, que je grimpe sur le mur, et voilà, j'étais libre !

— C'était la volonté de Dieu, Nadia, a-t-il commenté. Il veut que tu vives et que tu rentres à la maison.

— J'ai peur qu'un des fils ici ne soit avec Daech. Ils sont très religieux. »

Hezni m'a rappelé que je n'avais pas le choix. « Tu dois faire confiance à cette famille », m'a-t-il répété. Je lui ai promis que, s'il estimait que c'étaient des gens bien, je resterais chez eux.

J'apprendrais plus tard comment fonctionnaient les réseaux clandestins créés pour aider les jeunes Yézidies à échapper aux griffes de l'EIIL. En effet, Hezni a contribué à l'évasion de plusieurs dizaines de filles depuis son conteneur aménagé du camp de réfugiés. Chaque opération commençait dans la panique et la confusion, mais, dès que la famille des victimes avait rassemblé suffisamment d'argent, tout s'organisait comme une transaction commerciale, avec un système de passeurs. Il s'agit d'intermédiaires – généralement des gens du coin, des Arabes, des Turkmènes ou des Kurdes d'Irak – qui touchent plusieurs milliers de dollars dans l'opération. Il y a des chauffeurs de taxi qui font passer les filles dans leurs voitures ; d'autres jouent les espions à Mossoul ou à Tal Afar, communiquant aux familles l'adresse du lieu où se cachent les filles ; d'autres encore donnent un coup de main pour franchir les checkpoints, versent des pots-de-vin ou marchandent avec les autorités de l'État islamique. Parmi les principaux acteurs qui opèrent dans les territoires de l'État islamique, certains sont des femmes ; il leur est plus facile d'aborder une sabiyya sans donner l'alerte. Les réseaux sont dirigés par quelques hommes yézidis qui, grâce à leurs connexions dans les villages sunnites, établissent les filières et s'assurent que tout se passe comme prévu. Chaque équipe travaille dans son propre secteur – certaines en Syrie, d'autres en Irak. Comme dans toute entreprise économique, les équipes se font concurrence, car chacun sait désormais que faire passer des sabaya est un bon moyen de gagner de l'argent en temps de guerre.

Au moment où les plans de ma propre évasion ont été échafaudés, le réseau de passeurs se mettait à peine en place et Hezni essayait de trouver comment y jouer un rôle. Mon frère est courageux et bon ; dans toute la mesure du possible, il ne laissera personne souffrir. Mais tant de filles avaient son numéro de téléphone – toutes les femmes de la famille l'avaient appris par cœur et l'avaient transmis ensuite aux sabaya qu'elles croisaient – qu'il a vite été submergé d'appels. Quand Hisham lui a téléphoné pour lui annoncer que j'étais chez eux, il avait pris un certain nombre de contacts et s'était mis en relation avec des responsables du Gouvernement régional du Kurdistan qui

274

cherchaient à libérer des Yézidies, ainsi qu'avec des personnes utiles à Mossoul et dans d'autres lieux de l'Irak occupés par l'EIIL. Rapidement, cette activité a représenté un emploi à plein temps – non rémunéré.

Ne sachant pas exactement à quoi s'attendre pendant que je me préparais à aller à Kirkouk, Hezni était inquiet. Il n'était pas convaincu de l'opportunité qu'un des jeunes hommes, Nasser ou Basheer, m'accompagne au Kurdistan. Les sunnites en âge de combattre ne franchissaient pas facilement les check-points kurdes, et Hezni savait que, si l'EIIL apprenait qu'une famille de Mossoul avait contribué à la fuite d'une sabiyya, elle risquait de le payer cher. « Nous ne voulons pas que Nasser ou Basheer se fassent prendre parce qu'ils ont cherché à t'aider, m'a rappelé Hezni. C'est à nous de veiller à ce qu'il ne leur arrive rien s'ils te conduisent au Kurdistan. C'est compris, Nadia ?

— Oui, Hezni. Je serai prudente. » J'avais parfaitement conscience que, si nous nous faisions arrêter à un checkpoint de l'État islamique, mon accompagnateur serait tué tandis que moi, je redeviendrais une esclave. À un checkpoint kurde, Nasser ou Basheer risquaient d'être placés en détention.

« Fais attention à toi, Nadia, a ajouté Hezni. Essaie de ne pas t'inquiéter. Ta carte sera prête demain. Appelle-moi dès que tu seras à Kirkouk. »

Avant de raccrocher, je lui ai demandé : « Et Kathrine ? Que lui est-il arrivé ?

— Je ne sais pas, Nadia.

— Et à Solagh ? Que s'est-il passé ?

— L'EIIL est toujours à Kocho et à Solagh. Nous savons que les hommes ont été tués. Saeed s'en est tiré et il m'a tout raconté. Saoud a pu arriver jusqu'ici et tout va bien pour lui. Nous ne savons pas encore ce qu'ils ont fait des femmes qui étaient à Solagh. Mais Saeed est décidé à aller combattre

Daech pour libérer la ville, et je me fais du souci pour lui. »
Saeed souffrait terriblement de ses blessures et rêvait toutes les
nuits du peloton d'exécution, ce qui l'empêchait de dormir.
« J'ai peur qu'il ne parvienne pas à surmonter ce qui lui est
arrivé », a ajouté Hezni.

Nous nous sommes dit au revoir, et Hezni a passé le téléphone à Khaled, mon demi-frère. Il avait d'autres informations à me transmettre : « Les Yézidis ne sont plus en fuite.
Ils vivent dans des conditions très dures au Kurdistan, où ils
attendent l'ouverture de camps de réfugiés.

— Et les hommes de Kocho ? Qu'est-ce qui leur est arrivé ? »
lui ai-je demandé alors que je le savais déjà. J'aurais tellement
voulu que ce ne soit pas vrai !

« Ils ont tous été tués. Et toutes les femmes ont été emmenées. Est-ce que tu en as revu certaines ?

— Oui. Nisreen, Rojian et Kathrine. Mais je ne sais pas où
elles sont maintenant. »

Les nouvelles étaient encore pires que je ne l'avais imaginé.
Même ce que je savais déjà était pénible à entendre. Nous
avons raccroché et j'ai tendu le téléphone à Nasser. Je n'avais
plus peur que sa famille me trahisse et je me suis un peu déten-
due. Je n'avais jamais été aussi fatiguée de toute ma vie.

Je suis restée quelques jours chez Mina et Basheer pendant
que les hommes mettaient au point le plan d'évasion, et j'ai
passé presque tout ce temps seule, à penser à ma famille et à
ce qui allait m'arriver. Si personne ne me posait de questions,
je préférais me taire. C'étaient des gens très pieux, qui priaient
cinq fois par jour, mais ils disaient détester l'EIIL et ne m'ont
jamais interrogée sur ma conversion forcée. Ils n'ont jamais
cherché non plus à me convaincre de prier avec eux.

Comme j'étais encore très malade et avais l'impression que
mon ventre était en feu, ils ont fini par m'emmener à l'hôpital

276

de femmes voisin. Mais, avant cela, ils ont dû me persuader que je ne risquais rien. «Avec une bouillotte sur le ventre, ça va passer, ai-je dit à la mère de Nasser. Ça ira.» Elle a tout de même insisté pour que je consulte un médecin. «Tant que tu portes ton niqab et que tu es avec nous, tu ne risques rien», m'a-t-elle assuré. J'avais tellement mal que je ne me suis pas obstinée. J'avais la tête qui tournait et j'ai à peine remarqué qu'ils me faisaient monter en voiture et me conduisaient en ville. J'étais dans un tel état que, aujourd'hui, rétrospectivement, cette visite à l'hôpital m'apparaît comme un rêve dont le souvenir m'échappe. Mais ensuite je me suis rétablie, j'ai repris des forces et j'ai attendu tranquillement le jour où l'on me dirait qu'il était temps de partir.

Parfois je mangeais avec la famille, parfois je mangeais seule; ils m'exhortaient à être prudente, à ne pas m'approcher des fenêtres et à ne pas répondre au téléphone. «Si quelqu'un se présente à la porte, reste dans ta chambre et ne fais aucun bruit», me disaient-ils. À Mossoul, ce n'était pas comme dans le Sinjar. À Kocho, les visiteurs ne prennent pas la peine de frapper. Tout le monde se connaît et nous étions toujours les bienvenus chez nos voisins. À Mossoul, un visiteur attend qu'on l'invite à entrer, et un ami lui-même est traité en étranger.

Je ne devais sortir sous aucun prétexte. Comme leur salle de bains principale se trouvait dans un petit bâtiment extérieur, ils m'ont demandé de me servir de la plus petite, à l'intérieur. «Nous ne savons pas si l'un ou l'autre de nos voisins n'est pas avec Daech», me disaient-ils. J'ai suivi leurs conseils. La dernière chose que je voulais était d'être découverte et rendue à l'EIIL. Je ne voulais pas non plus que Hisham et sa famille aient des ennuis pour avoir cherché à m'aider. J'étais certaine que l'EIIL exécuterait tous les adultes et la simple idée que les deux filles de Mina, qui avaient autour de huit ans et étaient aussi belles que leur mère, soient emmenées par l'État islamique me donnait la nausée.

Je dormais dans la chambre des filles. Nous ne bavardions pas beaucoup. Elles n'avaient pas peur de moi – simplement, elles n'avaient pas particulièrement envie de savoir qui j'étais, et je n'avais pas l'intention de le leur dire. Elles étaient tellement innocentes! Le deuxième jour, à mon réveil, je les ai trouvées assises devant le miroir de leur chambre, en train de démêler leurs cheveux. « Vous voulez que je vous aide? leur ai-je proposé. Je sais très bien défaire les nœuds. » Elles ont accepté et je me suis installée derrière elle, passant un peigne dans leurs longs cheveux jusqu'à ce qu'ils soient lisses et doux. J'avais l'habitude de faire ça tous les jours pour Adkee et Kathrine, et cela me donnait l'impression que la vie était presque redevenue normale.

La télévision restait allumée toute la journée pour que les enfants puissent jouer avec leurs PlayStations. Et, comme les garçons étaient distraits par leurs jeux vidéo, ils faisaient encore moins attention à moi que les filles. Ils avaient à peu près l'âge de Malik et Hani, mes deux neveux qui avaient été kidnappés et avaient été obligés de devenir des combattants de l'EIIL. Avant le mois d'août 2014, Malik était un garçon timide mais intelligent, qui s'intéressait au monde qui l'entourait. Il nous aimait et adorait sa mère, Hamdia. J'ignorais où il était à présent. L'EIIL avait mis en place un programme de rééducation et de lavage de cerveau intensif à l'intention des adolescents qu'il enlevait. Dans le cadre de l'enseignement de l'arabe et de l'anglais, on leur apprenait le vocabulaire de la guerre, comme *gun*, « fusil ». On leur disait aussi que le yézidisme était la religion du diable et qu'il aurait mieux valu que tous les membres de leur famille qui refusaient de se convertir soient morts.

Ils étaient enlevés à un âge où l'on est malléable et, comme j'ai fini par l'apprendre, ces leçons étaient efficaces sur certains.

Malik enverrait plus tard des photos à Hezni, au camp de réfugiés. On le voyait en treillis de l'État islamique, tout sourire, brandissant un fusil, les joues rouges d'excitation. Il lui arrivait de téléphoner à Hezni simplement pour dire à Hamdia de le rejoindre.

« Ton père est mort, disait Hamdia à son fils. Il n'y a plus personne pour s'occuper de la famille. Il faut que tu rentres.

— Rejoins l'État islamique, lui conseillait Malik. On s'occupera de vous. »

Hani a réussi à s'enfuir au bout de presque trois ans de captivité, mais, quand Hezni a cherché à organiser le sauvetage de Malik, mon neveu a refusé de suivre le passeur qui l'a abordé sur une place de marché, en Syrie. « Je veux me battre », lui a-t-il déclaré. Il n'avait plus rien du garçon que nous avions connu à Kocho, et Hezni a renoncé. Cela n'empêchait pas Hamdia de décrocher chaque fois qu'elle voyait que c'était Malik qui appelait. « C'est toujours mon fils », disait-elle.

Mina était une bonne maîtresse de maison, et une mère attentive. Elle passait ses journées à faire le ménage et la cuisine pour sa famille, à jouer avec les enfants et à allaiter son dernier-né. Les heures s'écoulaient, lourdes de tension pour elle comme pour moi, et nous ne parlions pas beaucoup. Bientôt, son frère ou son mari partirait avec moi pour faire le dangereux voyage jusqu'au Kurdistan. C'était beaucoup demander à une seule famille.

Un jour, comme nous nous croisions dans le couloir, elle a fait une remarque sur mes cheveux. « Pourquoi est-ce qu'ils ne sont roux qu'aux pointes ? m'a-t-elle demandé.

— Parce que je les ai teints au henné il y a longtemps, ai-je répondu en examinant les mèches.

— C'est joli », a-t-elle dit, et elle est passée sans rien ajouter.

Un après-midi après le déjeuner, Mina avait du mal à calmer son bébé qui avait faim et n'arrêtait pas de pleurer. En

279

général, elle ne voulait pas que je l'aide pour les tâches ménagères, mais ce jour-là, quand j'ai proposé de faire la vaisselle, elle a accepté. L'évier était devant une fenêtre donnant sur la rue et des passants risquaient de m'apercevoir, mais elle était trop préoccupée par son bébé pour s'en soucier. Quant à moi, j'étais contente d'avoir l'occasion de l'aider. À ma grande surprise, elle a commencé à me poser des questions.

« Tu connais d'autres gens qui ont été pris par Daech ? m'a-t-elle demandé en berçant le bébé contre sa poitrine.

— Oui. Ils ont emmené toutes mes amies et toute ma famille, et ils nous ont séparées. » J'avais envie de lui poser la même question, mais j'avais peur qu'elle ne le prenne mal.

Après un instant de réflexion, elle a repris : « Tu iras où quand tu quitteras Mossoul ?

— Chez mon frère. Il vit dans un camp de réfugiés avec d'autres Yézidis.

— C'est comment, là-bas ?

— Je n'en sais rien. Presque tous ceux qui ont survécu y sont. Mon frère Hezni dit que c'est dur. Il n'y a rien à faire, il n'y a pas de travail, et il n'y a pas de ville à proximité. Mais, au moins, ils sont en sécurité.

— Je me demande ce qui va se passer ici », a-t-elle ajouté. Ce n'était pas vraiment une question, alors je n'ai rien répondu. J'ai continué la vaisselle et elle s'est tue jusqu'à ce que j'aie fini.

À ce moment-là, le bébé avait cessé de pleurer et il s'endormait doucement dans les bras de Mina. Je suis remontée dans la chambre des filles et je me suis allongée sur un matelas, mais je n'ai pas fermé les yeux.

3

Il a finalement été décidé que ce serait Nasser qui m'accompagnerait. J'étais contente : il aimait bien me parler et, pendant les journées qui ont précédé notre voyage, c'était avec lui que j'étais le plus à l'aise. Quand nous sommes partis, je le considérais presque comme un frère.

À l'image de mes frères, Nasser me taquinait quand je me perdais dans mes pensées, ce qui m'arrivait souvent. Nous échangions une plaisanterie récurrente, que personne d'autre que nous ne comprenait. Au cours des premières journées que j'avais passées chez eux, chaque fois que Nasser me demandait comment ça allait, je répondais distraitement : « Il fait très chaud, très chaud. » J'étais trop accaparée par ma peur pour dire autre chose. Quand nous nous revoyions une heure plus tard, il me redemandait : « Nadia, comment ça va, maintenant ? », et je redisais, sans avoir conscience de me répéter : « Nasser, il fait très chaud, très chaud. » Il a fini par répondre à ma place, me demandant d'un ton farceur : « Hé, Nadia ? Comment ça va ? Il fait très chaud ? Ou bien très chaud, très chaud ? », et je ne pouvais pas m'empêcher de rire.

Nasser est revenu le troisième jour avec une carte d'identité. Elle était au nom de Sousan et indiquait Kirkouk comme lieu de naissance, mais tous les autres détails étaient empruntés à l'état civil de Safaa. « Retiens bien tout ce qu'il y a sur cette carte, m'a-t-il recommandé. Si, au checkpoint, on te demande ton lieu ou ta date de naissance et que tu es incapable de répondre… on sera dans de beaux draps. »

Je lisais et relisais jour et nuit ce qui figurait sur cette carte, apprenant par cœur la date de naissance de Safaa – elle était un peu plus âgée que moi –, l'identité de son père et de sa mère, ainsi que la date de naissance de Nasser et les noms de ses parents. Sur les cartes d'identité irakiennes, aussi bien avant l'EIIL que sous son autorité, les renseignements concernant le père ou le mari d'une femme ont toujours été aussi importants que son identité personnelle.

La photo de Safaa était collée dans un angle. Nous ne nous ressemblions pas beaucoup, mais ça ne m'inquiétait pas. Les gardes des checkpoints ne me demanderaient certainement pas de relever mon niqab pour leur montrer mon visage. J'imaginais mal un membre de l'État islamique ordonner à une sunnite de se dévoiler devant un inconnu en présence de son mari, lequel avait de bonnes chances d'être lui aussi membre de l'EIIL. « S'ils te demandent pourquoi tu n'as pas encore de carte d'identité de l'État islamique, dis-leur que tu n'as pas eu le temps de la faire faire », m'a conseillé Hisham. J'avais tellement peur qu'il n'a pas eu besoin de me le répéter ; j'ai eu l'impression que cette recommandation se gravait dans mon esprit.

Notre plan était simple. Nasser et moi ferions comme si nous étions mari et femme, et que nous allions voir ma famille à Kirkouk. *Sousan* était un prénom courant dans cette ville et nous espérions que, ainsi, je passerais encore plus inaperçue. « Dis-leur que tu as l'intention de rester à peu près une semaine, m'ont-ils conseillé. Nasser expliquera qu'il ne fait que t'accompagner et qu'il reviendra le jour même ou le lendemain, en fonction de l'heure de votre arrivée. » Ainsi, Nasser n'aurait pas besoin de prendre de bagage ni de payer l'amende que l'EIIL exigeait des sunnites qui souhaitaient quitter le califat pour une durée prolongée.

«Tu connais un peu Kirkouk? m'ont-ils demandé. Si l'on te pose des questions, tu seras capable de citer des quartiers, des monuments?

— Je n'y suis jamais allée. Mais mon frère pourra me donner des renseignements.

— Et son sac?» s'est inquiété Nasser. J'avais toujours mon sac de coton noir. Il contenait des robes qui appartenaient à Kathrine, à Dimal et à moi, ainsi que les serviettes hygiéniques dans lesquelles j'avais caché mes bijoux et la carte de rationnement de ma mère. «Ce n'est pas le genre de bagage qu'une musulmane prépare pour aller passer huit jours dans sa famille.»

Hisham est sorti et est revenu avec un flacon de shampooing et un autre d'après-shampooing, ainsi qu'avec deux robes toutes simples, d'un style courant chez les musulmanes, et j'ai mis tout ça dans mon sac. Je commençais à être gênée de leur occasionner toutes ces dépenses. C'était une famille pauvre, comme la mienne, et il me déplaisait d'être une charge pour eux. «Dès que je serai au Kurdistan, je vous enverrai quelque chose», leur ai-je promis. Ils ont protesté, mais j'y tenais. Je craignais encore que, si l'argent leur posait un problème, ils ne décident de me dénoncer.

Hezni m'a rassurée sur ce point. «La récompense de cinq mille dollars est un mensonge. Daech raconte ça pour que les filles hésitent à s'enfuir. Ils veulent vous faire croire que vous êtes comme du bétail et que toutes les familles n'ont qu'une idée en tête: vous reprendre pour toucher la prime. En réalité, Daech ne verse pas un sou. Et puis, de toute façon, Nasser a tout intérêt à quitter Mossoul, a-t-il ajouté.

283

— Comment ça? ai-je dit, troublée.

— Tu ne sais pas? Tu n'as qu'à demander à Hisham. »

Ce soir-là, j'ai confié à Hisham les propos de mon frère. « Qu'est-ce qu'il veut dire? Nasser veut partir? » lui ai-je demandé.

Au bout d'un moment, il m'a répondu: « Nous nous faisons du souci pour lui. C'est un homme jeune, et Daech ne va pas tarder à l'obliger à se battre. »

Nasser avait grandi dans une famille pauvre sous un gouvernement chiite pendant l'occupation américaine et, quand il était plus jeune, la persécution dont il estimait que les sunnites faisaient l'objet l'avait révolté. Les jeunes gens comme lui étaient des recrues de choix pour l'État islamique et sa famille pensait que les terroristes avaient l'intention de le recruter dans leur police. Il était déjà chargé d'entretenir les systèmes sanitaires de bâtiments dans tout Mossoul, et ses proches craignaient que ce travail, bien que non violent, ne le fasse cataloguer parmi les terroristes.

Quand j'avais surgi sur leur seuil, ils cherchaient déjà désespérément un moyen de le faire sortir de Mossoul. Ils s'étaient dit que, si leur famille aidait une Yézidie à échapper à l'esclavage, les autorités kurdes finiraient peut-être par les autoriser à trouver refuge au Kurdistan.

Hisham m'a exhortée à ne pas dire à Nasser que j'étais au courant et, quoi qu'il advînt, à ne confier à personne qu'il avait travaillé pour l'EIIL, même s'il s'était contenté de réparer des toilettes. « Peu importe l'emploi qu'il a exercé, a-t-il ajouté. Les Kurdes ou l'armée irakienne le mettraient en prison. »

Je lui ai promis de n'en parler à personne. Je voyais mal Nasser devenir policier de l'État islamique, être obligé d'arrêter des gens à cause de leur religion, parce qu'ils avaient enfreint une règle cruelle ou exprimé leur mécontentement, et de les envoyer probablement à la mort. Devrait-il travailler avec

Hajji Salman? Nasser était à présent mon ami, et il me paraissait trop doux et trop sensible pour un tel métier. D'un autre
côté, je venais de faire sa connaissance, et les sunnites avaient
été nombreux à s'en prendre aux Yézidis. Je me demandais si,
pendant une partie de sa vie, il avait pensé que les représentants de toutes les religions d'Irak – à part l'islam sunnite –
devaient être expulsés ou convertis de force, et s'il avait cru
participer ainsi à une révolution pour reprendre le contrôle de
son pays. J'avais entendu mes frères parler de sunnites qui, à
cause des années d'oppression subies sous les Américains, les
Kurdes et les chiites ainsi que de la radicalisation islamique
concomitante, s'étaient retournés contre leurs voisins avec une
extrême violence. Et voilà que l'un d'eux m'accordait son aide.
Le faisait-il uniquement pour assurer son propre salut? Mais,
après tout, quelle importance?

Ces dernières années, j'ai beaucoup pensé à Nasser et à sa
famille. Ils ont pris un risque considérable en m'aidant. L'EIIL
les aurait tués, et aurait peut-être enlevé leurs filles et enrôlé
leurs fils, s'il avait découvert qu'ils avaient hébergé une sabiyya
– et il n'aurait pas eu grand mal à l'apprendre. Il était partout.
Si seulement tous les hommes avaient manifesté autant de
courage que Nasser et ses proches!

En effet, pour une famille comme celle de Nasser, il y en
avait des milliers d'autres en Irak et en Syrie qui n'ont pas
réagi ou qui ont même joué un rôle actif dans le génocide.
Certaines ont trahi des jeunes filles comme moi qui cherchaient à s'enfuir. Kathrine et Lamia ont été dénoncées à six
reprises par ceux à qui elles demandaient de l'aide – d'abord
à Mossoul, puis à Hamdaniya – et, chaque fois, elles ont été
punies. Un groupe de sabaya conduites en Syrie a été traqué
dans les roseaux du Tigre comme des criminelles en fuite parce
qu'un fermier du coin avait prévenu le commandant de l'État

islamique que des esclaves s'étaient précipitées vers lui dans le noir, appelant au secours.

Des familles d'Irak et de Syrie continuaient à vivre normalement pendant que nous étions torturées et violées. Elles nous ont vues marcher dans la rue avec nos ravisseurs, elles se sont rassemblées sur les places pour assister à des exécutions. Je ne sais pas ce que ces gens ont pu éprouver, individuellement. À la fin de 2016, quand la libération de Mossoul a commencé, les habitants ont évoqué la difficulté de la vie sous le régime de l'EIIL, ils ont parlé de la brutalité des terroristes, de la peur qui les étreignait quand ils entendaient des avions passer au-dessus de leurs têtes, sachant qu'ils risquaient de bombarder leurs maisons. Il n'y avait pas assez à manger, et l'électricité était coupée. Les enfants devaient fréquenter des écoles de l'État islamique, les adolescents étaient obligés de se battre, et l'on exigeait des amendes et des impôts pour tout et n'importe quoi. Des gens se faisaient tuer dans la rue. Ce n'était pas une vie.

Pourtant, quand j'étais à Mossoul, l'existence m'avait semblé normale, et même plutôt agréable, pour ceux qui y habitaient. Pourquoi étaient-ils restés, après tout? Étaient-ils d'accord avec l'EIIL et approuvaient-ils son idée de califat? Y voyaient-ils le prolongement normal des guerres sectaires qu'ils avaient menées depuis l'arrivée des Américains en 2003? Si la vie avait continué à s'améliorer, comme le promettait l'EIIL, auraient-ils laissé les terroristes massacrer tous ceux qui ne leur plaisaient pas?

J'essaie d'éprouver de la compassion pour ces familles. Je suis sûre qu'un grand nombre d'entre elles étaient terrifiées et que, à la fin, même celles qui avaient commencé par accueillir l'EIIL avec joie l'ont rejeté et ont prétendu, après la libération de Mossoul, qu'elles avaient été bien obligées de laisser les terroristes faire ce qu'ils voulaient. Elles n'avaient pas pu faire autrement. Je pense au contraire qu'elles avaient le choix. Si elles s'étaient regroupées, si elles avaient mis leurs armes en commun et avaient donné l'assaut au centre de l'État islamique où des combattants vendaient ou offraient des filles, peut-être serions-nous tous morts. Mais, au moins, cela aurait adressé un message à l'EIIL, aux Yézidis et au reste du monde ; pareil acte aurait fait comprendre que les sunnites qui étaient restés chez eux ne soutenaient pas le terrorisme. Si des habitants de Mossoul étaient descendus dans la rue pour crier : « Je suis musulman et ce que vous nous forcez à faire n'a rien à voir avec le vrai islam ! », peut-être les forces irakiennes et américaines seraient-elles entrées plus vite dans la ville, grâce à leur aide ; ou bien les passeurs qui cherchaient à libérer les filles yézidies auraient développé leurs réseaux et ne nous auraient pas fait sortir au compte-gouttes, mais par poignées entières. Pourtant, ces gens-là nous ont laissées hurler au marché aux esclaves, et ils n'ont rien fait.

La famille de Nasser m'a dit que, après mon arrivée, ils s'étaient mis à réfléchir à leur propre rôle au sein de l'EIIL. Ils regrettaient qu'il ait fallu que je me présente sur le pas de leur porte, désespérée, suppliante, pour qu'ils aident une sabiyya ; ils avaient conscience que leur survie, et le fait qu'ils n'aient pas été déplacés, constituait une forme de collusion avec les terroristes. Je ne sais pas ce qu'ils auraient pensé de l'EIIL si leur existence s'était améliorée au lieu de s'aggraver au moment où les combattants ont pris Mossoul. Ils m'ont affirmé avoir définitivement changé. « Nous te jurons que, lorsque tu seras partie, nous aiderons d'autres filles comme toi, m'ont-ils promis.

— Elles sont si nombreuses à avoir besoin de vous », ai-je approuvé.

4

Nous avons attendu quelques jours avant de partir, Nasser et moi. J'étais bien chez eux, mais je voulais absolument quitter Mossoul. L'EIIL était partout et j'étais sûre qu'on me recherchait activement. J'imaginais Hajji Salman, sa carcasse décharnée tremblant de rage et sa voix douce, insidieuse, me menaçant des pires sévices. Je ne pouvais pas vivre dans la même ville qu'un homme pareil. Un matin, chez Mina, je me suis réveillée couverte de minuscules fourmis rouges et j'y ai vu le signe que je devais partir au plus vite. Je ne connaîtrais aucun sentiment de sécurité tant que nous n'aurions pas franchi le premier checkpoint, et j'étais consciente que nous risquions de ne même pas y parvenir.

Un matin de bonne heure, la mère et le père de Nasser sont passés chez leur fille. « Il est temps d'y aller », m'a annoncé Hisham. J'ai enfilé la robe rose et brun de Kathrine et, juste avant de sortir, je l'ai dissimulée sous une abaya noire.

« Je vais dire une prière », a déclaré la mère de Nasser. Sa voix débordait de bonté, alors j'ai acquiescé et je l'ai écoutée prononcer ces paroles. Puis elle m'a donné une bague. « Tu nous as dit que Daech a pris la bague de ta mère. Garde celle-ci en échange. »

Mon sac était bourré de toutes les affaires que la famille m'avait achetées, en plus de ce que j'avais apporté de Kocho. À la dernière minute, j'ai sorti la belle et longue robe jaune de Dimal et je l'ai offerte à Mina. L'embrassant sur les deux joues, je l'ai remerciée de son hospitalité. «Je suis sûre cette robe t'ira très bien, lui ai-je dit en la lui tendant. C'était celle de ma sœur Dimal.

— Merci, Nadia. *Inch'Allah*, tu arriveras au Kurdistan.» Je n'ai pas eu le courage de regarder toute sa famille, et sa femme, dire au revoir à Nasser.

Avant de quitter la maison, il m'a donné l'un des deux téléphones portables qu'il avait sur lui. «Si tu as besoin de quelque chose ou si tu as une question à me poser dans le taxi, envoie-moi un texto, m'a-t-il demandé. Ne parle pas.

— Je suis malade pendant les longs trajets en voiture», l'ai-je averti, et il est allé chercher plusieurs sacs en plastique à la cuisine et me les a tendus. «Utilise ça. Je préfère qu'on n'ait pas à s'arrêter. Et puis, aux checkpoints, ne montre pas que tu as peur. Essaie de garder ton calme. C'est moi qui répondrai aux questions. S'ils s'adressent directement à toi, réponds succinctement et parle bas. Ils ne te demanderont pas grand-chose s'ils te prennent pour ma femme.»

J'ai hoché la tête. «Je ferai de mon mieux.» J'avais déjà l'impression que j'allais m'évanouir d'angoisse. Nasser paraissait calme; on aurait dit qu'il n'avait jamais peur de rien.

Vers huit heures et demie du matin, nous nous sommes dirigés ensemble vers la rue principale. Nous devions y prendre un taxi pour gagner le garage de Mossoul où un autre taxi, que Nasser avait réservé à l'avance, nous attendait pour nous conduire à Kirkouk. Nasser marchait à quelques pas devant moi sur le trottoir, et nous n'avons pas parlé. Je gardais la tête baissée, évitant de regarder les passants, convaincue que la crainte qu'ils liraient dans mes yeux leur apprendrait immédiatement que j'étais yézidie.

Il faisait chaud ce jour-là. Les voisins de Mina arrosaient leurs pelouses, cherchant à redonner vie à leurs plantes grillées par le soleil, pendant que des enfants allaient et venaient à toute allure dans les rues sur des vélos en plastique aux couleurs vives. Le bruit m'a fait tressaillir. J'avais passé si longtemps à l'intérieur que les rues si lumineuses me paraissaient menaçantes, exposées et pleines de dangers. Tout l'optimisme que j'avais essayé de mobiliser durant ces quelques journées d'attente chez Mina s'est évanoui d'un coup. J'étais certaine que l'EIIL nous rattraperait et que je redeviendrais une sabiyya. « Tout va bien », m'a chuchoté Nasser pendant que nous attendions un taxi au bord du trottoir de la grand-rue. Ma terreur ne lui avait pas échappé. Les voitures passaient rapidement, couvrant le devant de mon abaya noire d'une fine poussière jaune. Je tremblais si fort que, au moment où un taxi s'est arrêté, j'ai cru que je n'arriverais pas à y monter.

Tous les scénarios qui se bousculaient dans ma tête s'achevaient par notre capture. Je voyais notre taxi tomber en panne sur l'autoroute et un camion plein de combattants nous prendre à son bord. J'imaginais que nous roulions sur un EEI et que nous mourions sur la route. Je pensais à toutes les filles que j'avais connues dans mon village, à celles de ma famille et à mes amies, dispersées désormais à travers l'Irak et la Syrie, et à mes frères, emmenés derrière l'école de Kocho. Qui resterait-il pour m'accueillir si je rentrais chez nous ?

Le garage de Mossoul était bondé de gens qui voulaient se rendre dans d'autres villes d'Irak et qui attendaient un taxi. Les hommes marchandaient avec les chauffeurs, leurs femmes debout, silencieuses, à côté d'eux. Des adolescents vendaient des bouteilles d'eau à la criée et, le long du trottoir, certains marchands proposaient des sachets de chips argentés et des sucreries, tandis que d'autres trônaient à côté d'extravagantes tours de cigarettes. Je me suis demandé si certaines des femmes qui se trouvaient dans ce garage étaient yézidies, elles aussi. J'espérais qu'elles l'étaient toutes, et que tous les hommes étaient comme Nasser et les aidaient. Des taxis jaunes, reconnaissables aux petits insignes qui ornaient leurs toits, étaient rangés, à l'arrêt, sous des panneaux indiquant leur destination : Tal Afar, Tikrit, Ramadi. Ils étaient tous au moins partiellement sous contrôle de l'État islamique ou sous la menace des terroristes. De si grandes fractions de mon pays appartenaient désormais à ceux qui m'avaient asservie et violée !

Le chauffeur de taxi bavardait avec Nasser en préparant son véhicule. Je m'étais assise sur un banc, un peu à l'écart, cherchant à jouer de mon mieux le rôle de l'épouse de Nasser, et je n'entendais pas grand-chose de ce qu'ils disaient. La sueur me ruisselait dans les yeux, brouillant ma vue, et je serrais étroitement mon sac sur mes genoux. Le chauffeur devait approcher la cinquantaine. Il n'était pas très grand, mais il avait l'air fort et portait une petite barbe. Je n'avais pas la moindre idée de ce qu'il pensait de l'EIIL, mais j'avais peur de tout le monde. Pendant qu'ils négociaient, j'essayais d'avoir l'air courageuse. Pourtant, j'avais le plus grand mal à imaginer une issue où je ne me faisais pas reprendre.

Enfin, Nasser m'a fait signe de monter dans la voiture. Il s'est assis à côté du chauffeur et j'ai pris place sur le siège derrière lui, posant mon sac doucement à côté de moi. Le chauffeur a tripoté la radio pendant que nous sortions du garage, cherchant une station, mais il n'a pu capter que des crépitements. Il a soupiré et a éteint son poste.

« Il fait vraiment chaud, a-t-il fait remarquer à Nasser. Nous ferions bien d'acheter de l'eau avant de partir. » Nasser l'a approuvé et, peu après, nous nous sommes arrêtés devant un kiosque ; le chauffeur a acheté plusieurs bouteilles d'eau fraîche et des biscuits salés. Nasser m'a tendu une bouteille toute ruisselante qui a mouillé le siège à côté de moi. Les biscuits, trop secs, étaient immangeables ; j'en ai pris un, simplement pour me donner une contenance, et il est resté coincé dans ma gorge comme un morceau de ciment.

« Qu'allez-vous faire à Kirkouk ? a demandé le chauffeur.

— La famille de ma femme habite là-bas », a répondu Nasser.

Le chauffeur m'a jeté un coup d'œil dans le rétroviseur. Quand j'ai croisé son regard, je me suis détournée, feignant d'être captivée par le spectacle de la ville qui défilait devant ma vitre. J'étais sûre que la peur se lirait dans mes yeux et me trahirait.

À proximité du garage, les rues grouillaient de combattants. Des voitures de police de l'État islamique étaient rangées le long des trottoirs, et des policiers patrouillaient, arme à la ceinture. Ils avaient l'air plus nombreux que les passants ordinaires.

« Et vous, vous comptez rester à Kirkouk, ou bien rentrer à Mossoul ? a demandé le chauffeur, à Nasser.

— Nous ne savons pas encore, a répondu Nasser comme son père lui avait conseillé de le faire. Nous verrons combien de temps il faut pour y aller, et comment les choses se présentent là-bas. »

Pourquoi pose-t-il toutes ces questions ? ai-je pensé. J'étais soulagée de ne pas avoir à parler.

« Si ça vous arrange, je peux vous attendre et vous ramener à Mossoul », a proposé le chauffeur, et Nasser lui a souri. « Peut-être, a-t-il acquiescé. Nous verrons. »

Le premier checkpoint se trouvait encore à l'intérieur de Mossoul ; c'était un grand bâtiment qui ressemblait à une araignée, avec ses hautes colonnes soutenant un toit métallique. Le drapeau de l'État islamique flottait désormais fièrement sur cet ancien checkpoint de l'armée irakienne, et des véhicules de l'État islamique qui avaient, eux aussi, appartenu jadis à l'armée irakienne étaient garés devant un petit bureau. Ils étaient couverts de drapeaux noir et blanc.

Quatre combattants étaient de service quand nous nous sommes arrêtés ; ils sont sortis de petites guérites blanches où ils pouvaient se réfugier un moment pour échapper à la chaleur et remplir les papiers. L'EIIL était déterminé à contrôler tous les véhicules qui entraient à Mossoul et qui en sortaient. Il vérifiait qu'aucun combattant hostile ni aucun passeur ne pénétraient dans la ville, mais tenait aussi à savoir qui partait, pourquoi, et pour combien de temps. Si les gens voulaient s'en aller définitivement, l'EIIL pouvait s'en prendre à leurs familles. En tout état de cause, les combattants n'hésitaient pas à leur extorquer de l'argent.

Quelques voitures seulement faisaient la queue devant nous, et nous nous approchions rapidement d'un des gardes. Je me suis mise à trembler irrépressiblement, tandis que des larmes jaillissaient de mes yeux. Plus je m'exhortais à rester calme, plus je tremblais. J'étais certaine que cela me trahirait. *Je ferais peut-être mieux de filer à toutes jambes*, ai-je pensé, et, comme nous ralentissions, j'ai posé la main sur la poignée de la portière, m'apprêtant à bondir hors de la voiture si la situation l'exigeait. Évidemment, ce n'était pas une solution. Je ne pouvais aller nulle part. Devant nous, la plaine brûlante s'étendait vers le néant ; derrière nous et sur les côtés, il y avait la ville que je tenais tant à quitter. Des combattants surveillaient le moindre centimètre carré de Mossoul, et ils n'auraient aucun mal à rattraper une sabiyya qui s'enfuirait à pied. J'ai prié Dieu de ne pas me faire prendre.

Sentant que j'étais folle de terreur, mais ne pouvant pas me parler, Nasser m'a jeté un coup d'œil dans le rétroviseur latéral. Il m'a adressé un petit sourire pour me tranquilliser, comme auraient pu le faire Khairy ou ma mère à Kocho. Rien n'aurait pu empêcher mon cœur de battre à tout rompre, mais, au moins, j'ai renoncé à sauter de la voiture.

Nous nous sommes arrêtés à côté d'une des guérites, et j'ai vu la porte s'ouvrir sur un combattant en uniforme complet de l'État islamique. Il ressemblait aux types qui étaient venus au centre pour nous acheter, et j'ai recommencé à trembler de peur. Le chauffeur a baissé sa vitre, et le combattant s'est penché à l'intérieur. Il a regardé le chauffeur, puis Nasser et, pour finir, ses yeux se sont posés sur moi et sur mon sac, à côté de moi sur la banquette. « *Salam alakum*, a-t-il dit. Où allez-vous ?

— À Kirkouk, hajji, a répondu Nasser en tendant nos cartes d'identité par la fenêtre. Ma femme est de Kirkouk. » Sa voix était parfaitement ferme.

Le combattant a pris nos cartes. Par la porte ouverte de la guérite, j'ai aperçu une chaise et un bureau sur lequel étaient posés quelques papiers, avec la radio du combattant dessus. Un petit ventilateur ronronnait sur un coin du bureau, et une bouteille d'eau vacillait près du bord. C'est alors que je l'ai vue. Placardée sur le mur, en compagnie de trois autres, j'ai reconnu la photo qui avait été prise de moi au tribunal de Mossoul, le jour où Hajji Salman m'avait forcée à me convertir. Au-dessous, il y avait quelques lignes de texte. J'étais trop loin pour arriver à le déchiffrer, mais j'ai deviné qu'il s'agissait de mon signalement et de ce qu'il fallait faire de moi si l'on me reprenait. J'ai réprimé un hoquet avant d'examiner les trois autres portraits. Le reflet du soleil m'empêchait d'en distinguer deux, et je n'ai pas reconnu la troisième fille. Elle avait l'air très jeune et, comme sur ma photo, la peur se lisait sur ses traits. J'ai détourné les yeux, ne voulant pas que le combattant me surprenne à observer ces affiches, ce qui n'aurait pas manqué d'éveiller ses soupçons.

« Qui allez-vous voir à Kirkouk ? » Le garde interrogeait toujours Nasser et avait à peine fait attention à moi.

« La famille de ma femme.

— Combien de temps avez-vous l'intention de rester ?

— Ma femme restera une semaine, mais moi, je rentre aujourd'hui », a-t-il répondu ainsi que nous en étions convenus. Il n'avait pas l'air effrayé du tout.

Je me suis demandé si, depuis l'avant de la voiture, Nasser pouvait voir ma photo placardée dans le poste de garde. J'étais sûre que, le cas échéant, il ferait faire demi-tour au chauffeur. Cette affiche confirmait qu'on me recherchait activement, mais Nasser a continué à répondre paisiblement aux questions.

Le garde a fait le tour de la voiture, passant de mon côté. Il m'a fait signe de descendre ma vitre, ce que j'ai fait, tout en ayant l'impression que j'allais m'évanouir. Je me suis rappelé le conseil de Nasser : rester calme et répondre aussi tranquillement et brièvement que possible. Mon arabe était irréprochable et je le parlais depuis que j'étais toute petite, mais je craignais que quelque chose dans mon accent ou mon vocabulaire ne révèle que j'étais du Sinjar, et non de Kirkouk. L'Irak est un grand pays, et l'on peut généralement savoir d'où vient quelqu'un à la façon dont il parle. J'ignorais complètement comment les habitants de Kirkouk étaient censés s'exprimer.

Le garde s'est baissé et m'a regardée. J'étais soulagée que le niqab couvre mon visage, et j'ai cherché à contrôler mes yeux, à ne pas trop ciller, ni trop peu, et surtout à ne pas pleurer. Sous mon abaya, j'étais trempée de sueur et je tremblais encore, mais mon reflet dans les lunettes du garde était celui d'une musulmane ordinaire. Je me suis redressée sur mon siège et me suis préparée à répondre à ses questions.

Elles ont été brèves. « Qui êtes-vous ? » Sa voix était neutre – il avait surtout l'air de s'ennuyer.

« Je suis la femme de Nasser.

— Où allez-vous ?

— À Kirkouk.

— Pour quelle raison ?

— C'est là que vit ma famille. » Je parlais d'une voix douce, les yeux baissés, espérant que ma peur passerait pour de la pudeur et que mes réponses n'auraient pas l'air trop préparées.

Le garde s'est redressé et s'est écarté.

Enfin, il a demandé au chauffeur : « D'où êtes-vous ?

— De Mossoul », a dit le chauffeur comme s'il avait déjà répondu un million de fois à cette question.

« Où travaillez-vous ?

— Là où j'ai une course à faire ! » a répliqué le chauffeur en s'esclaffant. Sans un mot, le garde lui a tendu nos cartes d'identité par la vitre et nous a fait signe de passer.

Nous avons franchi un grand pont, sans rien dire. Au-dessous de nous, le Tigre miroitait au soleil. Des roseaux et d'autres plantes bordaient l'eau ; plus elles en étaient proches, plus leurs chances de survie étaient bonnes. Loin des berges, les végétaux souffraient davantage. Ils étaient roussis par le soleil de l'été irakien et quelques-uns seulement, soigneusement arrosés par ceux qui vivaient là, ou ayant pu recueillir suffisamment de pluie, ressortiraient de terre au printemps suivant.

Quand nous sommes arrivés sur l'autre rive, le chauffeur a pris la parole. « Vous savez, le pont que nous venons de traverser est truffé d'EEI, de bombes déposées par Daech au cas où les Irakiens ou les Américains chercheraient à reprendre Mossoul. Je déteste passer par là. J'ai toujours l'impression que je vais sauter à tout moment. »

Je me suis retournée. Le pont et le checkpoint s'éloignaient derrière nous. Nous avions franchi les deux sains et saufs, alors que ce n'était pas gagné d'avance. Le combattant de l'État islamique de faction au checkpoint aurait pu se montrer plus curieux – quelque chose dans mon accent ou dans mon attitude aurait pu lui mettre la puce à l'oreille. « *Sortez de la voiture.* » J'imaginais qu'il prononçait ces paroles. J'aurais été bien obligée de lui obéir et de le suivre dans la guérite, où il m'aurait demandé de relever mon niqab ; il aurait alors reconnu la femme de l'affiche. J'imaginais que le pont explosait sous les roues de notre taxi, l'engin explosif le réduisant en miettes et nous tuant tous les trois sur le coup. J'ai prié pour que, le jour où le pont sauterait, il soit couvert de combattants de l'État islamique.

5

En nous éloignant de Mossoul, nous sommes passés devant des sites de combats. De petits checkpoints abandonnés par l'armée irakienne n'étaient plus que des amas de gravats calcinés. L'épave d'un énorme camion avait été abandonnée au bord de la route. J'avais vu à la télévision que les combattants incendiaient les checkpoints quand l'armée s'en retirait, et je ne comprenais pas pourquoi. C'était à croire qu'ils aimaient détruire, tout simplement. Même le troupeau de moutons qui déambulait lentement le long de la route, conduit par un jeune berger assis sur un âne, ne suffisait pas à rendre au paysage une apparence fût-ce à peu près normale.

Bientôt, nous sommes arrivés à un nouveau checkpoint. Celui-ci n'était occupé que par deux combattants de l'État islamique, qui paraissaient beaucoup moins soucieux que les précédents de savoir qui nous étions et où nous allions. Ils ont débité les mêmes questions à toute allure. Cette fois encore, j'ai regardé à l'intérieur de la guérite par la porte ouverte, mais je n'ai vu aucune photo placardée. Ils nous ont fait signe de passer au bout de quelques brèves minutes.

La route entre Mossoul à Kirkouk est longue, et sinue à travers la campagne. Certains tronçons sont larges, alors que sur d'autres, plus étroits, deux véhicules se croisent difficilement. Ces routes sont tristement célèbres pour leurs accidents. Les voitures cherchent à doubler d'énormes camions qui roulent lentement, elles font des appels de phares aux conducteurs d'en face et les obligent à se ranger sur le bas-côté pour les laisser passer. Des camions chargés de matériaux de construction lâchent du gravier, abîmant les carrosseries et les pare-brise des véhicules qui les suivent, et, par endroits, les chaussées sont tellement accidentées qu'on a l'impression de descendre d'une falaise.

Les villes d'Irak sont reliées par des routes de ce genre, dont certaines sont plus dangereuses que les autres, mais où la circulation est toujours dense. Quand l'EIIL est arrivé, sa stratégie a consisté à prendre le contrôle du réseau routier avant même celui des villes, coupant les communications et isolant des habitants qui autrement auraient cherché à fuir. Il a ensuite installé des checkpoints, qui lui ont permis d'arrêter facilement tous ceux qui voulaient partir. Dans une large partie de l'Irak, les grandes routes asphaltées constituent le seul passage possible pour un citoyen en fuite. Les plaines et les déserts ouverts recèlent peu d'endroits où une famille pourrait se cacher. Si les villes et les bourgades sont les organes vitaux de l'Irak, les routes sont ses veines et ses artères, et, dès que l'EIIL a exercé un contrôle sur elles, il l'a également exercé sur la vie et la mort des habitants.

Pendant un long moment, j'ai regardé défiler le paysage, une plaine de sable et de pierraille aride et désertique, si différente des régions du Sinjar que j'aimais tant, surtout au printemps, quand elles se couvraient d'herbe et de fleurs. J'avais l'impression de me trouver dans un pays étranger et, en un sens, c'était un peu vrai – nous n'étions pas encore sortis du territoire de l'État islamique. Mais, en observant plus attentivement, j'ai remarqué que le paysage n'avait rien de monotone. Les rochers grandissaient jusqu'à former de petites falaises, puis rapetissaient à nouveau, cédant la place au sable, d'où surgissaient des plantes épineuses qui réussissaient parfois à se transformer en arbres rabougris. De temps en temps, j'apercevais la tête d'une pompe à essence ou un petit groupe de maisons de brique crue composant un village. J'ai continué à regarder ce paysage par la vitre jusqu'à ce que le mal des transports me terrasse, m'obligeant à détourner les yeux.

Prise de nausée, j'ai attrapé un des sacs en plastique que Nasser m'avait donnés avant notre départ de chez Mina. Un instant après, je vomissais. J'avais le ventre presque vide – j'avais été trop angoissée pour prendre un petit déjeuner –, mais une odeur aigre a envahi le véhicule et il ne m'a pas échappé qu'elle dérangeait notre chauffeur, qui a gardé sa vitre baissée jusqu'à ce qu'il ne puisse plus supporter le sable et l'air chaud qui lui fouettaient le visage. «Pourriez-vous dire à votre femme que, la prochaine fois qu'elle se sent mal, je peux très bien m'arrêter? a-t-il demandé à Nasser, sans méchanceté. Ça pue horriblement.» Nasser a hoché la tête.

Quelques minutes plus tard, je l'ai prié de s'arrêter et je suis sortie. Les voitures qui filaient sur la route créaient un puissant courant d'air qui gonflait mon abaya autour de mon corps comme un ballon. Je me suis éloignée de la voiture autant que je pouvais – je ne voulais pas que le chauffeur puisse distinguer mon visage – et j'ai relevé mon niqab. Un liquide acide m'a piqué la gorge et les lèvres, et l'odeur d'essence a encore aggravé ma nausée.

Nasser s'est approché de moi. «Ça va? m'a-t-il demandé. On peut repartir, ou tu veux qu'on reste plus longtemps?» Je voyais bien qu'il était contrarié à la fois par mon état et par cet arrêt au bord de la route. Des véhicules de l'État islamique passaient à intervalles réguliers, et l'image d'une fille qui vomissait, même vêtue d'une abaya et d'un niqab, ne pouvait qu'attirer l'attention.

«Ça va», lui ai-je répondu en reprenant lentement le chemin du taxi. J'étais déshydratée et à bout de forces. J'avais transpiré sous toutes mes couches de vêtements et ne savais plus quand j'avais mangé pour la dernière fois. Dans la voiture, je me suis installée sur le siège du milieu et j'ai fermé les yeux, espérant parvenir à m'endormir.

Nous approchions d'une petite bourgade, construite au bord de la route. Des échoppes d'en-cas et des ateliers de mécanique animés ouvraient directement sur la chaussée, attendant des clients. Une sorte de cafétéria faisait de la publicité pour des repas typiquement irakiens comme de la viande grillée, avec du riz à la sauce tomate. «Vous avez faim?» a demandé le chauffeur, et Nasser a acquiescé. Il n'avait pas pris de petit déjeuner non plus. Je ne voulais pas que nous nous arrêtions, mais ce n'était pas à moi de décider.

Le restaurant était vaste et propre, avec des sols carrelés et des chaises recouvertes de plastique. Des familles étaient assises côte à côte, mais des cloisons en plastique amovibles séparaient les hommes des femmes, comme le voulait la coutume dans les régions les plus conservatrices d'Irak. Je me suis assise d'un côté de la cloison, pendant que Nasser et le chauffeur allaient chercher à manger. «Si je mange, je vais vomir», ai-je chuchoté à Nasser, mais il a insisté. «Tu seras encore plus malade si tu as le ventre vide», a-t-il remarqué, et il est revenu quelques instants plus tard avec de la soupe aux lentilles et du pain, qu'il a posés sur la table devant moi avant de disparaître de l'autre côté de la cloison.

J'ai soulevé mon niqab juste assez pour pouvoir manger sans tacher le tissu. La soupe était délicieuse, faite avec des lentilles et des oignons comme à Kocho, et plus épicée que je n'en avais l'habitude, mais je n'ai pu en avaler que quelques cuillerées.

J'avais peur d'être obligée de faire un nouvel arrêt sur la route si j'avais mal au cœur.

À cause de la cloison, j'avais l'impression d'être seule. Un groupe de femmes étaient assises au fond du restaurant, trop loin pour que j'entende ce qu'elles disaient. Elles portaient la même tenue que moi et mangeaient lentement, soulevant soigneusement leurs niqabs pour avaler quelques bouchées de kebab et de pain. Des hommes en longues dichdachas, qui les accompagnaient, ai-je supposé, avaient pris place dans le même coin qu'elles, mais de l'autre côté de la cloison ; je les avais aperçus quand nous étions arrivés. Ils mangeaient sans dire un mot, comme nous, et le restaurant était tellement silencieux que le froissement des foulards des femmes qui se soulevaient et retombaient faisait comme un bruit de respiration.

Quand nous sommes repartis, deux combattants de l'État islamique se sont dirigés vers nous sur le parking. Leur camion, un véhicule militaire peint en beige et arborant un drapeau de l'organisation comme il y en avait beaucoup, était rangé à côté de notre taxi. Un des hommes, blessé à la jambe, s'appuyait sur une canne, et son compagnon marchait lentement à son côté, réglant son allure sur la sienne. Mon cœur s'est arrêté de battre. Je suis vite passée de l'autre côté de Nasser pour qu'il fasse écran entre les combattants et moi, mais, quand nous les avons croisés, ils ne nous ont même pas jeté un regard.

De l'autre côté de la rue, une voiture de la police de l'État islamique était stationnée avec deux policiers à l'intérieur. Étaient-ils là pour nous ? Venaient-ils de déposer un collègue qui patrouillait dans les rues à notre recherche ? Je m'attendais à ce que, nous voyant sortir du restaurant, ils se précipitent vers nous, leurs armes braquées sur nos têtes. Peut-être ne prendraient-ils même pas la peine de nous poser de questions. Peut-être nous abattraient-ils immédiatement sur le parking.

J'avais peur de tout le monde. Les hommes du restaurant en dichdachas blanches appartenaient-ils à l'EIIL ? Les femmes qui les accompagnaient étaient-elles leurs épouses ou leurs sabaya ? Aimaient-ils l'EIIL à l'image de la mère de Morteja ? Tous ceux qui étaient dans la rue, du marchand de cigarettes au mécanicien qui se dégageait de sous une voiture, étaient mes ennemis. Le bruit des voitures ou d'enfants qui achetaient des bonbons était aussi terrifiant que l'explosion d'une bombe. J'ai rejoint la voiture au plus vite. Je voulais arriver à Kirkouk sans perdre de temps, et je voyais bien à la manière dont Nasser me suivait qu'il mourait d'envie de repartir, lui aussi.

Il était midi passé, et le soleil était encore plus brûlant qu'avant. Si je regardais par la vitre, j'étais immédiatement prise de nausées ; mais, si je fermais les yeux, l'obscurité tournoyait et me donnait le vertige. Je gardais donc le regard fixé droit devant moi sur le dossier du siège de Nasser, ne pensant à rien d'autre qu'à moi et à tout ce qui était susceptible de survenir pendant le trajet. Ma peur ne cédait pas. J'étais consciente qu'il allait falloir franchir d'autres checkpoints de l'État islamique, puis affronter les peshmergas. Le téléphone que Nasser m'avait donné a vibré et un texto s'est affiché : « Ta famille a envoyé un message. Sabah nous attendra à Erbil. »

Sabah, mon neveu, travaillait dans un hôtel de la capitale kurde au moment où l'EIIL avait massacré les hommes de Kocho. Nous avions l'intention de passer une ou deux nuits chez lui avant que je poursuive jusqu'à Zakho, où Hezni m'attendait. À supposer que nous arrivions jusque-là.

Au troisième checkpoint de l'État islamique, on ne nous a posé aucune question, on ne nous a même pas demandé nos noms. Les gardes ont jeté un rapide coup d'œil à nos cartes d'identité et nous ont fait signe de passer. J'avais pensé, surtout après avoir vu ma photo placardée dans la première guérite, que nous ferions systématiquement l'objet d'un contrôle méticuleux. Ou bien le système de capture des sabaya évadées n'était pas encore parfaitement au point, ou bien les combattants étaient plus négligents et moins organisés qu'ils ne voulaient le faire croire.

Nous avons ensuite roulé en silence pendant un certain temps. Je crois que nous étions tous fatigués. Nasser ne m'a plus envoyé de textos et le chauffeur a cessé de chercher à capter des stations de radio et de poser des questions à Nasser. Il regardait la route, roulant à une allure régulière devant les champs et les pâturages du nord de l'Irak, essuyant la sueur de son front avec une poignée de mouchoirs en papier jusqu'à ce qu'ils soient réduits en lambeaux mouillés.

La peur et les nausées m'avaient vidée de toute énergie, et je me demandais si Nasser commençait à s'inquiéter à l'idée de devoir franchir les checkpoints kurdes, où les peshmergas se méfiaient des sunnites cherchant à entrer au Kurdistan. Après ma conversation avec Hezni, j'avais décidé de ne pas laisser Nasser seul en territoire sous contrôle de l'État islamique, même si cela devait m'obliger à revenir à Mossoul. J'avais envie de lui dire de ne pas s'inquiéter, mais je me suis rappelé que je lui avais promis de garder le silence et je préférais réserver les textos aux cas d'urgence. Alors je n'ai rien dit. J'espérais que Nasser aurait compris désormais que je n'étais pas du genre à abandonner des amis en danger.

Nous sommes arrivés à un carrefour où l'un des panneaux indiquait Kirkouk et le chauffeur s'est arrêté. « Je ne peux pas vous conduire plus loin, a-t-il annoncé. Vous devrez passer le checkpoint à pied. » Comme son véhicule était immatriculé à Mossoul, il risquait d'être interrogé et arrêté par les peshmergas.

« Je vous attendrai ici, a-t-il encore dit à Nasser. S'ils ne vous laissent pas passer, revenez, et nous rentrerons ensemble à Mossoul. »

Nasser l'a remercié et l'a payé, et nous avons pris nos affaires, avant de nous diriger vers le checkpoint. Nous étions seuls sur le bord de la route. « Tu es fatiguée ? » m'a demandé Nasser, et j'ai acquiescé. « Je suis très fatiguée. » J'étais à bout de forces et avais toujours bien du mal à me convaincre que notre expédition pouvait réussir. Je ne pouvais pas m'empêcher d'imaginer le pire à chaque pas – l'EIIL allait nous ramasser là, pendant que nous marchions, ou les peshmergas jetteraient Nasser en prison. Kirkouk était une ville dangereuse, où les combats sectaires avaient été fréquents avant même la guerre avec l'EIIL. Peut-être n'y arriverions-nous que pour trouver la mort dans un attentat suicide ou pour sauter sur un engin explosif. Nous étions loin d'être au bout de nos peines.

« Allons au checkpoint et nous verrons bien ce qui se passe, m'a dit Nasser. Où est ta famille ?

— À Zakho, ai-je répondu. Près de Dahouk.

— C'est à quelle distance de Kirkouk ? » J'ai secoué la tête : « Je ne sais pas. Loin. » Nous avons fait le reste du chemin en silence, côte à côte.

Au checkpoint, les gens faisaient la queue dans leurs voitures ou à pied, attendant d'être interrogés par les peshmergas. Depuis le début de la guerre contre l'EIIL, le Gouvernement régional du Kurdistan avait accueilli plusieurs centaines de milliers d'Irakiens déplacés, parmi lesquels de nombreux sunnites originaires de la province d'Anbar et d'autres régions majoritairement sunnites devenues invivables pour tous ceux qui n'avaient pas adopté la vision du monde de l'EIIL. Cela ne leur facilitait pas l'accès au Kurdistan pour autant. Les Arabes sunnites devaient généralement avoir un protecteur kurde s'ils voulaient franchir les checkpoints, et ce processus pouvait prendre longtemps.

Kirkouk ne faisant pas officiellement partie de la région kurde autonome et abritant une importante population arabe, ses checkpoints sont d'ordinaire un peu plus faciles à franchir pour les non-Kurdes que ceux d'Erbil, par exemple. Les élèves arabes sunnites passent une fois par semaine ou même tous les jours pour aller suivre leurs cours en ville, et les familles vont faire leurs courses ou rendre visite à des parents. Kirkouk se caractérise par une grande diversité – des Turcs et des chrétiens y côtoient des Arabes et des Kurdes – qui a longtemps fait son charme et son malheur.

Après l'arrivée de l'EIIL en Irak, les peshmergas se sont précipités à Kirkouk pour mettre la ville, et ses précieux gisements de pétrole, à l'abri des terroristes. Ils constituaient la seule force militaire d'Irak capable d'empêcher Kirkouk de tomber aux mains des terroristes, mais certains habitants regrettaient qu'ils se conduisent en occupants en s'obstinant à affirmer que la ville n'était ni arabe ni turkmène, mais exclusivement kurde. Nous ne savions pas si cela compliquerait également le passage du checkpoint pour Nasser. Comme nous arrivions de la capitale de l'EIIL en Irak, nous aurions beau prétendre aller rendre visite à ma famille, les peshmergas seraient soupçonneux et risquaient de ne pas nous laisser passer tant que je n'aurais pas avoué être une sabiyya yézidie en fuite. Or, pour le moment en tout cas, je n'étais pas disposée à le faire.

Depuis les massacres du Sinjar, les Yézidis avaient été bien accueillis au Kurdistan, où le gouvernement avait participé à la création de camps pour les déplacés. Certains Yézidis se méfiaient pourtant des motifs du gouvernement régional kurde. « Les Kurdes veulent se faire pardonner de nous avoir abandonnés, disaient-ils. Ils cherchent à redorer leur blason. Le monde entier a vu les Yézidis en rade sur la montagne et le gouvernement régional veut lui faire oublier ces images. » D'autres pensaient que le GRK avait l'intention de relocaliser les Yézidis au Kurdistan au lieu de les aider à reprendre le Sinjar, espérant que cet afflux de population donnerait plus de poids à leurs aspirations à l'indépendance à l'égard de l'Irak.

Quels que fussent les motifs du Gouvernement régional kurde, les Yézidis avaient actuellement besoin de lui. Il avait instauré des camps destinés aux Yézidis près de Dahouk et avait créé un bureau chargé de contribuer à la libération des sabaya yézidies comme moi. Lentement, le gouvernement cherchait à rétablir de bonnes relations avec les Yézidis et à nous redonner confiance en lui, espérant que nous nous considérerions à nouveau comme kurdes et que nous aurions envie de faire partie du Kurdistan. Mais, ce jour-là, je n'étais pas prête à lui pardonner. Je ne voulais pas que les Kurdes s'imaginent que, en me laissant entrer, ils me sauvaient la vie alors qu'ils auraient pu éviter que ma famille soit dispersée s'ils étaient intervenus avant l'arrivée de l'EIIL dans le Sinjar.

Nasser s'est tourné vers moi. « Nadia, il faut aller leur dire que tu es yézidie. Explique-leur qui tu es et qui je suis. Parle-leur en kurde. » Il savait qu'ils me laisseraient passer immédiatement si je leur révélais qui j'étais réellement.

J'ai secoué la tête. « Non, je ne veux pas. » Le spectacle des peshmergas en uniforme occupant le checkpoint de Kirkouk me mettait en colère. Ils n'avaient pas abandonné Kirkouk, alors pourquoi nous avaient-ils abandonnés, nous ?

« Tu sais combien de ces types nous ont laissés en plan dans le Sinjar ? » ai-je demandé à Nasser. Je pensais à tous les Yézidis qui, terrifiés par la proximité de l'EIIL, avaient cherché à passer au Kurdistan et s'étaient fait refouler. « Ne vous inquiétez pas ! leur disait-on aux checkpoints du Gouvernement régional du Kurdistan. Les peshmergas vous protégeront, il vaut mieux que vous restiez chez vous. » S'ils n'avaient pas l'intention de se battre pour nous défendre, ils auraient au moins pu nous laisser entrer au Kurdistan. Par leur faute, des milliers de personnes avaient été tuées, enlevées et déplacées.

« Je ne leur dirai pas que je suis yézidie, et je ne parlerai pas kurde, me suis-je obstinée. Ça ne changerait rien.

— Détends-toi donc. Tu as besoin d'eux, maintenant. Essaie d'être raisonnable.

— C'est hors de question ! ai-je rétorqué en haussant la voix. Je ne ferai rien qui puisse leur faire comprendre que j'ai besoin d'eux. » Nasser a renoncé à me faire entendre raison.

Au checkpoint, le soldat a examiné nos cartes d'identité et nous a dévisagés. Je ne lui ai pas dit un mot et j'ai continué à parler arabe avec Nasser. « Ouvrez votre sac », a dit le soldat. Nasser me l'a pris des mains et l'a ouvert avant de le tendre au peshmerga. Celui-ci a fouillé un bon moment dans mes affaires, sortant les robes et inspectant les flacons de shampooing. Heureusement, il n'a pas regardé dans la boîte de serviettes hygiéniques, où mes bijoux étaient toujours soigneusement cachés.

« Où allez-vous ? nous a-t-il demandé.

— À Kirkouk, a répondu Nasser. Dans la famille de ma femme.

— Qui vous conduit là-bas ?

— Un taxi. Nous en trouverons un de l'autre côté du checkpoint.

— Très bien, a-t-il dit en tendant le doigt vers un groupe de gens qui se tenaient près des bureaux du petit checkpoint. Allez attendre là-bas. »

Nous avons rejoint les autres sous le soleil brûlant, attendant que les peshmergas nous laissent entrer à Kirkouk. Des familles entières étaient rassemblées là, portant d'énormes valises et des sacs en plastique transparents remplis de couvertures. Des personnes âgées s'étaient assises sur leurs affaires, les femmes s'éventant et gémissant tout bas à cause de la chaleur.

Certaines voitures étaient tellement chargées de meubles et de matelas qu'on aurait cru qu'elles allaient s'effondrer sous le poids. J'ai vu un jeune garçon qui serrait un ballon de football contre lui et un vieil homme qui portait une cage contenant un oiseau jaune, comme si c'étaient les biens les plus précieux du monde. Nous venions tous de lieux différents, nous étions de religions et d'âges divers, mais nous partagions la même angoisse en attendant au checkpoint de Kirkouk. Nous étions tous dans la même situation, nous aspirions à la même chose – la sécurité, la tranquillité, retrouver nos familles – et nous fuyions les mêmes terroristes. *Voilà ce que c'est d'être irakien sous l'EIIL*, ai-je pensé. *Nous n'avons plus de patrie. Nous errons devant des checkpoints avant de vivre dans des camps de réfugiés.*

Finalement, un soldat nous a fait signe d'approcher. Je lui ai parlé en arabe. « Je viens de Kirkouk, mais je vis à Mossoul avec mon mari, ai-je expliqué en faisant un geste en direction de Nasser. Nous allons voir ma famille.

— Qu'emportez-vous ?

— Des affaires pour la semaine, c'est tout. Du shampooing, quelques vêtements… » Ma voix s'est perdue, mon cœur battait à tout rompre. Je ne savais pas ce que nous ferions s'ils refusaient de nous laisser passer. Nasser risquait de devoir retourner à Mossoul. Nous avons échangé des regards anxieux.

« Vous transportez des armes ? » a-t-il demandé à Nasser. Celui-ci a répondu que non, mais le soldat l'a tout de même fouillé. Puis il a fait défiler des photos et des vidéos sur le téléphone de Nasser, cherchant des images qui pourraient suggérer son appartenance à l'EIIL. Il m'a laissée tranquille et n'a pas demandé à examiner le téléphone que Nasser m'avait donné.

Au bout d'un moment, il nous a rendu nos affaires en secouant la tête. « Désolé, je ne peux pas vous laisser passer », nous a-t-il annoncé. Il n'était pas hostile, mais pragmatique.

«Tous ceux qui se rendent en visite au Kurdistan doivent avoir quelqu'un qui se porte garant d'eux. Autrement, nous ne pouvons pas vraiment savoir qui vous êtes. »

«On va appeler l'ami de mon père dans le Sinjar, m'a proposé Nasser quand le soldat s'est éloigné. Il a des relations et pourra leur dire de nous laisser passer. Ils l'écouteront sûrement.

— D'accord, ai-je acquiescé. À condition qu'il ne leur dise pas que je suis yézidie et que tu m'aides à m'évader. »

Nasser a passé son appel et a tendu le téléphone au soldat, qui a parlé brièvement dans l'appareil. Il a eu l'air surpris et un peu embarrassé. «Vous auriez dû prendre contact avec lui tout de suite, nous a-t-il dit en rendant le téléphone à Nasser. Vous pouvez y aller. »

Dès que je suis arrivée de l'autre côté du checkpoint, j'ai retiré mon niqab, savourant la caresse de la brise du soir sur mon visage. J'ai souri. «Comment? Tu n'aimais pas le porter? » m'a taquinée Nasser, en me rendant mon sourire.

6

Quand le chauffeur de taxi, un Kurde plein d'entrain d'une quarantaine d'années, nous a demandé où nous voulions aller, nous nous sommes regardés d'un air ahuri, Nasser et moi. « Conduisez-nous au Kurdistan », a répondu Nasser, et le chauffeur a ri. « Mais vous êtes au Kurdistan ! » s'est-il esclaffé avant de préciser sa question. « Dans quelle ville voulez-vous aller ? Erbil ? Souleimaniyé ? »

Nous avons ri. Nous n'avions encore jamais mis les pieds au Kurdistan, ni l'un ni l'autre, et ignorions tout de sa géographie. « Laquelle est la plus proche ? lui a demandé Nasser.

— Souleimaniyé, a répondu le chauffeur.

— Dans ce cas, à Souleimaniyé », avons-nous dit. Nous étions épuisés et soulagés, et, au moment d'entreprendre ce nouveau voyage, nous avons oublié d'appeler Sabah, mon neveu, comme Hezni nous avait recommandé de le faire.

Il commençait à faire sombre. Depuis le boulevard circulaire, tout ce que je voyais de Kirkouk était la lueur des maisons et de l'éclairage urbain au loin. Quand j'étais plus jeune, nous regardions à la télévision les Kurdes célébrer Newroz, leur Nouvel An : ils dansaient en formant d'immenses rondes autour de grands feux et faisaient griller des monceaux de viande sur les flancs de montagnes verdoyantes. Je remarquais alors avec un peu d'amertume : « Regardez la belle vie qu'ils ont au Kurdistan, alors que nous vivons dans de pauvres villages », et ma mère me réprimandait : « Ils méritent d'avoir une belle vie, Nadia, disait-elle. Ils ont subi un génocide sous Saddam, tu sais. »

Mais j'étais une étrangère au Kurdistan. Je ne connaissais pas le nom des villes, je ne savais pas comment étaient les gens qui y vivaient. Je n'avais d'amis ni à Kirkouk ni à Souleimaniyé et, même si Sabah travaillait dans un hôtel d'Erbil et Saoud sur des chantiers de construction près de Dahouk, ils n'avaient pas fait d'Erbil ni de Dahouk leur foyer et n'étaient pas très différents des ouvriers du Bangladesh ou d'Inde qui venaient se faire embaucher au Kurdistan. Peut-être étais-je une étrangère dans tout l'Irak. Je ne pourrais jamais retourner à Mossoul, où j'avais été torturée. Je n'étais jamais allée à Bagdad, ni à Tikrit, ni à Najaf. Je n'avais jamais visité de grands musées ni de ruines antiques. Dans tout l'Irak, tout ce que je connaissais en réalité, c'était Kocho, et mon village était à présent aux mains de l'EIIL.

Notre chauffeur était un fier Kurde et, en cours de route, il nous indiquait les sites à voir dans un heureux mélange de kurde et d'arabe, cherchant à engager la conversation avec Nasser sur la vie à Mossoul. « Daech a pris toute la ville ? a-t-il demandé en secouant la tête.

— Oui, a confirmé Nasser. Beaucoup de gens voudraient partir, mais c'est difficile.

— Les peshmergas les chasseront d'Irak ! » a déclaré notre chauffeur avec aplomb, et Nasser n'a rien dit.

Je commençais à me détendre un peu. Bien sûr, Nasser risquait de se faire interroger au prochain checkpoint entre le territoire contesté et le Kurdistan proprement dit, mais l'ami de Hisham originaire du Sinjar était dans notre camp. De toute évidence, il jouissait d'une certaine autorité. En tout état de cause, je n'avais plus à regarder par-dessus mon épaule pour guetter d'éventuels véhicules de l'État islamique ni à m'inquiéter à l'idée que les gens qui m'entouraient puissent être des terroristes cachés.

« Vous voyez ces bâtiments, près des montagnes ? » nous a demandé le chauffeur, tendant ses doigts minces vers la vitre de Nasser. Sur notre droite, d'importants lotissements étaient en construction au pied des sommets orientaux de l'Irak. D'immenses panneaux présentaient ce programme, avec des maquettes du quartier terminé. « Quand ils seront finis, ils ressembleront à des immeubles américains, s'est extasié notre chauffeur. Tout nouveaux, tout beaux. Il se passe des choses formidables au Kurdistan.

« Comment s'appelle votre femme ? a-t-il ensuite demandé en me jetant un coup d'œil dans son rétroviseur.

— Sousan, a répondu Nasser, utilisant toujours le nom qui figurait sur ma carte d'identité.

— Sousan ! a répété le chauffeur. Quel joli nom ! Je vous appellerai Sou Sou », a-t-il dit en me souriant. Après cela, chaque fois qu'il avait quelque chose à nous montrer, il s'adressait tout spécialement à moi. « Sou Sou ! Vous voyez ce lac, là-bas ? Il est si beau au printemps », ou : « Sou Sou, la ville que nous venons de dépasser, on y vend les meilleures glaces du monde ! »

Quand je repense à ce trajet, je me demande si le Sinjar pourra un jour accomplir ce qu'a réalisé le Kurdistan : se relever d'un génocide pour devenir encore plus beau qu'avant. J'avais envie d'y croire, mais devais bien reconnaître que c'était peu probable. Le Sinjar n'est pas comme le Kurdistan, où la population est presque intégralement kurde et où les ennemis, l'armée de Saddam, venait de l'extérieur. Au Sinjar, Yézidis et Arabes vivent ensemble. Nous faisons du commerce les uns avec les autres, nous traversons réciproquement nos villes. Nous avons essayé d'être amis, mais notre ennemi a grandi à l'intérieur même du Sinjar, comme une maladie faite pour tuer tout ce avec quoi elle entrerait en contact. Même si les Américains et d'autres nous aidaient comme ils avaient aidé les Kurdes après l'agression de Saddam – ce qui était peu vraisemblable parce que les Yézidis n'avaient pas grand-chose à offrir en échange –, comment pourrions-nous reprendre notre vie passée et recommencer à vivre au milieu des Arabes?

«Sou Sou!» Le chauffeur cherchait encore à attirer mon attention. «Vous aimez les pique-niques?» J'ai hoché la tête. «Bien sûr! Eh bien, vous devriez venir ici, dans les montagnes près de Souleimaniyé, pour faire un pique-nique. C'est telle-ment beau au printemps, vous ne pouvez pas imaginer ça.» J'ai encore acquiescé.

Nous avons ri bien plus tard, Nasser et moi, en pensant à ce chauffeur et au surnom qu'il m'avait donné. «Nous n'avons pas laissé l'EIIL te prendre, m'a dit Nasser. Mais si nous étions restés plus longtemps avec lui, c'est lui qui n'aurait plus voulu te lâcher!»

Il était presque quatre heures du matin quand nous sommes arrivés à Souleimaniyé. Tout était fermé, y compris le garage où nous aurions pu trouver un taxi pour nous conduire à Erbil. À l'approche du checkpoint, le chauffeur nous a dit de ne pas nous en faire. «Je connais ces types», a-t-il affirmé, et effectivement, après avoir échangé quelques mots en kurde avec lui, ils nous ont fait signe de passer.

«Où voulez-vous que je vous conduise?» a-t-il demandé. Nous avons secoué la tête.

«Déposez-nous à proximité du garage, a répondu Nasser.

— Il est fermé à cette heure-ci.» Le chauffeur était gentil et se faisait du souci pour nous.

314

« Ce n'est pas grave, a répliqué Nasser. Nous attendrons. »
Le chauffeur s'est rabattu près du trottoir et Nasser l'a payé.
« Bonne chance, Sou Sou ! » a-t-il crié en s'éloignant.

Nous nous sommes assis devant un supermarché près du
garage et nous sommes adossés contre le mur. La rue était
déserte et toute la ville était plongée dans le silence. De hauts
immeubles aux fenêtres obscures se dressaient autour de nous.
L'un d'eux était en forme de voile et répandait une lumière
bleu vif ; j'apprendrais plus tard qu'il avait pris pour modèle un
bâtiment de Dubaï. Une douce brise nous caressait le visage,
et la vue des montagnes qui entourent Souleimaniyé comme
un collier était familière et réconfortante. J'avais envie d'aller
aux toilettes, mais j'étais trop timide pour le dire à Nasser,
alors nous sommes restés assis là, épuisés, à attendre que les
commerces ouvrent pour pouvoir manger quelque chose.

« Tu n'es encore jamais venue ici ? m'a demandé Nasser.

— Non, ai-je dit. Mais je savais que c'était beau. » Je lui
ai parlé des fêtes de Newroz que j'avais vues à la télévision,
sans évoquer pourtant Saddam ni le génocide d'Anfal. « Il y a
beaucoup d'eau dans la région, alors tout reste vert beaucoup
plus longtemps, lui ai-je expliqué. Il y a des parcs avec des jeux
et des attractions pour les enfants. Les Iraniens franchissent
la frontière juste pour aller se promener dans ce parc. Et ces
montagnes me font penser à chez moi. »

« Où irons-nous demain ? ai-je lancé à Nasser un peu plus
tard.

— Nous prendrons un taxi pour Erbil. Et nous retrouverons ton neveu à son hôtel. Puis tu iras rejoindre Hezni à
Zakho.

— Sans toi ? » ai-je demandé, et il a acquiescé. J'étais navrée
pour lui. « Si seulement ta famille pouvait venir au Kurdistan !
J'aimerais tellement que vous n'ayez pas à vivre sous le joug
de l'EIIL.

— Je ne vois pas comment ce serait possible. Un jour, peut-être. » Il avait soudain l'air très triste.

J'avais mal partout à force d'être restée assise dans la voiture et mes pieds étaient douloureux d'avoir dû marcher jusqu'au premier checkpoint kurde. Nous avons fini par nous endormir tous les deux, mais pas pour longtemps. Une ou deux heures plus tard, le bruit de la circulation matinale et la douce lueur de l'aube nous ont réveillés. Nasser s'est tourné vers moi. Il était content que j'aie dormi. « Ce matin, le soleil s'est levé sur toi sans que tu aies peur, a-t-il remarqué.

— C'est un matin sans peur, ai-je répondu. Que c'est beau, ici ! »

Nous avions le ventre creux. « Allons manger quelque chose », a proposé Nasser, et nous avons rejoint une boutique où nous avons acheté des sandwiches aux œufs et aux aubergines frites. Ils n'étaient pas très bons, mais j'avais tellement faim que j'ai avalé le mien en quelques bouchées. Mes nausées avaient complètement disparu.

Dans les toilettes du restaurant, j'ai retiré mon abaya et la robe de Kathrine, qui sentaient la transpiration, et je me suis passé des linges mouillés sous les aisselles et sur le cou. Puis j'ai sorti de mon sac un pantalon et un chemisier propres que j'ai enfilés. J'ai consciencieusement évité de me regarder dans la glace. Je ne m'étais plus regardée dans un miroir depuis cet autre matin à Hamdaniya, et je préférais ne pas savoir à quoi je ressemblais. J'ai plié la robe de Kathrine et je l'ai soigneusement rangée dans mon sac. *Je la garderai jusqu'à ce qu'elle soit libre et, ce jour-là, je la lui rendrai*, ai-je pensé. J'étais sur le point de jeter mon abaya à la poubelle, mais j'ai changé d'avis au dernier moment, décidant de la garder pour pouvoir prouver ce que l'EIIL m'avait fait.

Dehors, les rues commençaient à se remplir de passants qui se rendaient à leur travail ou à l'école. Les voitures klaxonnaient alors que la circulation se faisait plus dense, et les boutiques relevaient leurs grilles métalliques et ouvraient leurs portes. Les rayons du soleil se reflétaient sur le gratte-ciel en forme de voile qui, je pouvais le voir à présent, était recouvert de verre bleuté et était surmonté par un observatoire. Chaque manifestation de vie ajoutait à la beauté de la ville. On ne faisait pas attention à nous, et je n'avais plus peur de personne.

Nous avons appelé Sabah. «Je vais venir vous chercher à Souleimaniyé», a-t-il proposé, mais nous avons refusé, Nasser et moi. «Ce n'est pas la peine, lui ai-je dit. Nous allons te rejoindre.»

Nasser a d'abord voulu que j'aille seule à Erbil. «Tu n'as plus besoin de moi», a-t-il prétendu, mais j'ai protesté jusqu'à ce qu'il accepte de m'accompagner. J'avais retrouvé mon obstination naturelle et n'étais pas encore prête à le quitter. «Nous irons à Erbil ensemble, ai-je annoncé à Sabah. Je veux que tu rencontres l'homme qui m'a aidée à m'enfuir.»

Le garage de Souleimaniyé était animé ce matin-là et nous avons eu du mal à trouver un taxi pour nous conduire à Erbil. Quatre chauffeurs avaient déjà refusé, sans nous donner de raison. Nous avons supposé que c'était parce que nous venions de Mossoul et que Nasser était arabe. L'un après l'autre, les chauffeurs nous demandaient nos cartes d'identité et les examinaient, puis levaient les yeux vers nous avant de reprendre l'examen de nos cartes, et ainsi de suite. «Vous voulez aller à Erbil?» nous interrogeaient-ils, et nous hochions la tête. «Pour quoi faire? insistaient-ils.

— Pour voir de la famille.» Mais ils soupiraient et nous rendaient nos cartes. «Désolé, disaient-ils. Je suis déjà pris. Essayez de trouver quelqu'un d'autre.»

«Ils ont peur parce que nous venons de Mossoul, a observé Nasser.

— Qui pourrait leur en vouloir ? Ils ont peur de Daech.

— Tu ne veux toujours pas parler kurde ? » J'ai secoué la tête en signe de dénégation. Je n'étais pas encore prête à révéler ma véritable identité. La situation n'était pas désespérée à ce point.

Nous sommes restés assis là à attendre sous un soleil qui devenait de plus en plus chaud, commençant à nous demander si nous trouverions un jour un chauffeur pour nous conduire à Erbil. L'un d'eux a fini par accepter, mais, comme nous étions ses premiers passagers, il fallait attendre qu'il ait rempli son véhicule. « Allez vous asseoir là-bas », nous a-t-il dit en désignant un trottoir où une petite foule s'était déjà rassemblée dans les taches d'ombre, attendant que leurs taxis soient prêts.

Tandis que le garage se remplissait, j'examinais les gens. Personne ne nous regardait. Je n'étais plus vraiment inquiète, mais je n'éprouvais pas non plus le sentiment de soulagement auquel je m'étais attendue. Je ne pouvais penser qu'à une chose : comment vivrais-je quand je serais enfin arrivée à Zakho ? Tant de membres de ma famille étaient morts ou disparus. En plus, je ne rentrais pas chez moi, mais vers toutes les absences laissées par ceux que j'avais perdus. J'étais à la fois heureuse et vide, et j'étais contente de pouvoir bavarder avec Nasser.

« Et si Daech arrivait dans ce garage, là, maintenant ? lui ai-je demandé. À ton avis, que se passerait-il ?

— Tout le monde aurait peur », a-t-il répondu. J'imaginais un combattant tout de noir vêtu, brandissant un pistolet mitrailleur au milieu de cette foule distraite, occupée.

« Mais, à ton avis, à qui s'en prendrait-il en premier ? Qui aurait le plus de valeur à ses yeux ? Moi, la sabiyya évadée ? Ou bien toi, un sunnite qui a quitté Mossoul et m'a aidée à m'enfuir ? »

Nasser a ri. «C'est une drôle de devinette que tu me poses là, a-t-il remarqué.

— Mais moi, je connais la réponse. Il nous abattrait tous les deux. Nous serions morts, toi et moi.» Et nous avons ri, l'espace d'un instant seulement.

7

Officiellement, le Kurdistan est une entité territoriale formée de plusieurs gouvernorats. Jusqu'à une date récente, il n'y en avait que trois – ceux de Dahouk, d'Erbil et de Souleimaniyé –, mais, en 2014, le Gouvernement régional du Kurdistan en a créé un nouveau, celui de Halabja, principale cible de la campagne d'Anfal.

En dépit des grands discours sur un Kurdistan indépendant et de tout le cas que l'on peut faire de l'identité kurde, les provinces présentent un aspect très différent les unes des autres et elles sont profondément divisées. Les grands partis politiques – le PDK de Barzani, l'UPK (Union patriotique du Kurdistan) de Talabani, le nouveau parti Gorran et une coalition de trois partis islamistes – se partagent les loyautés régionales. La division entre le PDK et l'UPK est particulièrement sensible. Au milieu des années 1990, des habitants et des peshmergas affiliés aux deux partis se sont affrontés dans une guerre civile. Les Kurdes n'aiment pas en parler, parce qu'il faut absolument qu'ils s'unissent s'ils veulent avoir une chance de pouvoir affirmer leur indépendance par rapport à l'Irak, mais cette terrible guerre a laissé des cicatrices durables. Certains espéraient que la lutte contre l'EIIL souderait les Kurdes, et pourtant, quand on traverse la région, on a toujours l'impression de passer d'un pays à un autre. Les deux partis ont leurs propres peshmergas et leurs propres forces de sécurité et de renseignement, l'*asayish*.

Souleimaniyé, à la frontière de l'Iran, est le fief de l'UPK et de la famille Talabani. Cette ville passe pour être plus libérale qu'Erbil, en territoire dominé par le PDK. Les régions de l'UPK sont influencées par l'Iran alors que celles du PDK ont conclu une alliance avec la Turquie. La politique kurde est très complexe. Après ma libération, quand je me suis lancée dans le travail humanitaire, j'ai commencé à comprendre comment un drame comme celui du Sinjar avait pu se produire.

Le premier checkpoint sur la route d'Erbil était occupé par des peshmergas et des membres de l'asayish fidèles à l'UPK. Après avoir examiné nos cartes d'identité, ils ont demandé au chauffeur de se ranger sur le côté et d'attendre.

Nous partagions notre taxi avec un jeune homme et une jeune femme, qui formaient peut-être un couple. La fille a sur-sauté en nous entendant parler arabe ensemble, Nasser et moi. «Vous parlez aussi kurde?» m'a-t-elle demandé, et, quand elle a constaté que oui, elle a paru rassérénée. Je m'étais assise avec eux à l'arrière et Nasser avait pris place devant. Les deux autres passagers étaient du Kurdistan et n'ignoraient pas qu'on nous avait enjoint de nous ranger sur le côté parce que Nasser et moi avions des cartes d'identité étrangères à la région. La fille a poussé un soupir d'impatience lorsque le policier a demandé au chauffeur d'attendre. Elle tapotait sa carte d'identité dans sa paume et regardait par la fenêtre, cherchant à comprendre ce qui pouvait bien prendre autant de temps. Je lui ai jeté un regard noir.

Le peshmerga nous a désignés, Nasser et moi. «Venez avec moi, vous deux, a-t-il dit. Vous pouvez y aller», a-t-il ajouté en s'adressant au chauffeur, et nous avons attrapé nos affaires avant que le taxi ne redémarre. Tandis que nous suivions le soldat vers les bureaux, une nouvelle bouffée d'angoisse m'a saisie. Je ne m'attendais pas à rencontrer autant d'ennuis à l'intérieur du Kurdistan. De toute évidence, aussi longtemps que je m'obstinerais à me faire passer pour Sousan de Kirkouk, notre voyage au Kurdistan ne serait pas facile. Nous risquions de nous faire expulser si l'on nous soupçonnait d'être des sympathisants de l'État islamique ou si l'on doutait simplement de la véracité de nos relations à Erbil.

Dans le bureau, le soldat a commencé à nous interroger : « Qui êtes-vous ? Pourquoi allez-vous à Erbil alors qu'une de vos cartes d'identité indique Mossoul et l'autre Kirkouk ? » Il était particulièrement soupçonneux à l'égard de Nasser, qui avait l'âge d'être un combattant de l'État islamique.

Nous étions à bout de forces. Je ne voulais qu'une chose : arriver à Erbil et retrouver Sabah. J'ai compris que ce ne serait possible que si je cessais de mentir et avouais qui j'étais réellement. « Ça suffit, ai-je dit à Nasser. Je vais tout leur raconter. »

Je me suis alors adressée au soldat en kurde.

« Je m'appelle Nadia. Je suis une Yézidie de Kocho. Ma carte d'identité est un faux. Je me la suis procurée à Mossoul, où j'étais prisonnière de Daech. » J'ai désigné Nasser : « Cet homme m'a aidée à m'enfuir. »

Le soldat était abasourdi. Il nous a dévisagés alternativement, avant de dire : « Il va falloir que vous alliez raconter votre histoire à l'asayish. Suivez-moi. »

Il a passé un coup de fil avant de nous conduire dans un bâtiment voisin qui servait de quartier général à l'asayish. Un groupe de policiers nous attendait dans une grande salle de réunion. Des chaises avaient été disposées pour Nasser et moi au bout d'une longue table, et une caméra vidéo, posée sur la table, était tournée vers ces deux sièges. Quand Nasser a vu la caméra, il a immédiatement secoué la tête : « Non, m'a-t-il dit en arabe. Il n'est pas question que je sois filmé. Personne ne doit pouvoir me reconnaître. »

Je me suis tournée vers les policiers. « Nasser a pris un risque considérable en m'accompagnant jusqu'ici, et toute sa famille est restée à Mossoul. Si quelqu'un l'identifie, il risque de le payer cher, et ses proches aussi. Et puis, d'ailleurs, pourquoi voulez-vous filmer ça ? À qui voulez-vous le montrer ? » Je n'avais pas envie non plus que l'asayish de l'UPK filme notre entretien – je n'étais pas prête à raconter à n'importe qui ce que j'avais vécu à Mossoul.

« C'est seulement pour nos archives et, de toute façon, le visage de Nasser sera flouté, ont-ils répondu. Nous jurons sur le Coran que personne ne verra cette vidéo, à part nos supérieurs et nous. »

Quand nous avons compris qu'ils ne nous laisseraient pas repartir tant que nous ne leur aurions pas raconté notre histoire, nous avons accepté. « Vous nous jurez que personne ne sera en mesure d'identifier Nasser et que seuls les peshmergas et l'asayish verront cette vidéo ? ai-je insisté. – Bien sûr, bien sûr », ont-ils répondu, et nous avons commencé. L'entretien a duré des heures.

Un officier de police posait les questions. « Vous êtes une Yézidie de Kocho ?

— Oui. Je suis une jeune Yézidie de Kocho dans le Sinjar. Nous étions au village au moment où les peshmergas sont partis. Daech a écrit sur notre école : "Ce village appartient à Dawalat al-Islamiya." » J'ai expliqué que nous avions été obligés d'entrer dans l'école, et que les femmes et les filles avaient ensuite été conduites à Solagh, puis à Mossoul.

« Combien de temps avez-vous passé à Mossoul ? m'a-t-il demandé.

— Je ne sais pas exactement. Nous étions détenues dans des pièces obscures et il était difficile de savoir combien de temps nous restions à tel ou tel endroit. » L'asayish savait ce qui s'était passé dans le Sinjar. Elle savait que les hommes yézidis avaient été tués et les filles emmenées à Mossoul avant d'être réparties à travers tout l'Irak. Mais les policiers voulaient connaître tous les détails de mon histoire – et surtout comment, exactement, s'était déroulée ma captivité et comment Nasser m'avait aidée à m'enfuir. Celui-ci m'a chuchoté, en arabe, de répondre prudemment sur ces deux sujets. Quand l'entretien a porté sur sa famille, il m'a conseillé : « Ne dis pas que, quand tu es venue chez nous dans la soirée, nous étions au jardin. Dis-leur qu'il était minuit. Autrement, ils vont penser que, comme nous nous prélassions tranquillement dans notre jardin, nous sommes avec Daech. » Je lui ai dit de ne pas s'inquiéter.

Quand la question du viol a été abordée, bien que les policiers de l'UPK aient été avides de détails, j'ai refusé d'admettre sa réalité. Ma famille m'aimait, bien sûr, mais, avant de la retrouver, je ne pouvais pas savoir comment elle, et la communauté yézidie dans son ensemble, réagirait à mon retour si l'on savait que je n'étais plus vierge. Je me suis rappelé que Hajji Salman me chuchotait, juste après m'avoir violée, que si je m'échappais, mes proches me tueraient aussitôt qu'ils me verraient. « Tu es perdue, me disait-il. Personne ne voudra t'épouser, personne ne t'aimera. Ta famille ne voudra plus de toi. » Nasser lui-même s'inquiétait à l'idée de me rendre aux miens et se demandait comment ils réagiraient lorsqu'ils apprendraient que j'avais été violée. « Nadia, ils nous filment – je ne leur fais pas confiance, m'a-t-il chuchoté dans les bureaux de l'UPK. Tu ferais mieux d'attendre de voir quel accueil te réservera ta famille. Elle pourrait te tuer si elle apprend ce qui s'est passé. » Il est affreusement douloureux de douter ainsi de ceux qui vous ont élevée, mais les Yézidis sont conservateurs, ils ne tolèrent pas les relations sexuelles avant le mariage et personne n'aurait pu imaginer que ce sort serait infligé à un aussi grand nombre de filles yézidies à la fois. Une telle situation mettrait à l'épreuve n'importe quelle communauté, si aimante et si forte soit-elle.

Un des policiers nous a servi un peu d'eau et nous a donné à manger. J'étais impatiente de repartir. «Nous devons retrouver ma famille à Zakho, ai-je remarqué. Il est déjà tard.

— C'est une affaire extrêmement importante, ont-ils rétorqué. Les responsables de l'UPK voudront connaître les circonstances dans lesquelles vous avez été prise et vous vous êtes échappée.» Ils s'intéressaient tout particulièrement à notre abandon par les peshmergas du PDK. Je leur ai parlé de cet épisode, et aussi des combattants qui venaient au marché aux esclaves et choisissaient d'abord les plus jolies filles, mais quand il a été question de ma captivité, j'ai menti.

«Qui vous a prise? m'a demandé l'interrogateur.

— Un énorme type m'a choisie et a dit: "Tu seras à moi", ai-je répondu toute tremblante au souvenir de Salwan. J'ai refusé. Je suis restée au centre jusqu'au jour où j'ai remarqué qu'il n'y avait pas de gardes. J'en ai profité pour me sauver.»

Nasser a alors pris la parole.

«Il devait être minuit et demi ou une heure du matin quand nous avons entendu frapper à la porte», a-t-il poursuivi. Il se tenait un peu voûté sur son siège et, dans son T-shirt rayé, il avait l'air plus jeune qu'il n'était. «Nous avons eu terriblement peur que ce ne soit Daech et qu'ils n'aient des armes.» Il m'a décrite, pauvre jeune fille terrifiée, et a raconté qu'ils m'avaient fait faire une carte d'identité et qu'il avait prétendu être mon mari pour me faire sortir de Mossoul.

Les peshmergas de l'UPK et l'asayish ont été agréablement surpris par l'attitude de Nasser. Ils l'ont remercié et l'ont traité en héros, lui demandant de décrire la vie sous le régime de l'EIIL et déclarant: «Nos peshmergas combattront les terroristes jusqu'à ce qu'ils aient tous quitté l'Irak.» Ils étaient fiers que le Kurdistan soit un refuge sûr pour ceux qui fuyaient Mossoul et nous ont rappelé avec une satisfaction évidente que ce n'étaient pas les forces fidèles à l'UPK qui avaient abandonné le Sinjar.

«Il y a des milliers de filles comme Nadia à Mossoul, leur a dit Nasser. Nadia était l'une d'elles et je l'ai conduite ici.» Il était presque quatre heures de l'après-midi quand l'interrogatoire a pris fin.

«Où avez-vous l'intention d'aller, maintenant? m'a demandé l'officier.

— Au camp, à côté de Dahouk, ai-je dit. Mais, d'abord, je dois retrouver mon neveu à Erbil.

— Vous connaissez des gens à Dahouk? Nous ne voulons pas que vous soyez en danger.»

Je lui ai donné le numéro de Walid, mon demi-frère qui avait rejoint les peshmergas après le massacre avec plusieurs autres hommes yézidis impatients de se battre et ayant grand besoin d'un salaire. J'aurais cru qu'ils feraient confiance à un soldat comme eux, mais ce que j'ai dit n'a fait qu'accroître la méfiance de l'officier de l'UPK. «Walid est un peshmerga du PDK? m'a-t-il demandé après avoir raccroché. Dans ce cas, tu ne devrais pas le rejoindre. Tu sais bien qu'ils ne vous ont pas protégés.»

Je n'ai rien dit. Déjà, sans connaître grand-chose à la politique kurde, je sentais qu'il ne serait pas judicieux de prendre parti. «Vous auriez dû parler plus longuement de leur abandon quand nous vous avons interrogée, a repris l'officier. Il faut que le monde entier sache que les peshmergas du PDK vous ont laissés mourir. Si vous restez ici, je pourrai vous aider. Et puis, d'abord, avez-vous assez d'argent pour rentrer chez vous?»

Nous avons discuté un moment, l'officier s'obstinant à prétendre que je serais plus en sécurité en territoire contrôlé par l'UPK tandis que je répliquais qu'il fallait que je parte. Finalement, il a compris qu'il ne me convaincrait pas. «Je veux rejoindre ma famille, PDK ou non, ai-je dit. Cela fait des semaines que je ne l'ai pas vue.

— Très bien, a-t-il fini par soupirer en tendant un papier à Nasser. Gardez ça sur vous pendant le reste du trajet. Ne présentez pas vos cartes d'identité aux checkpoints, montrez ce document. On vous laissera passer.»

Ils ont fait venir un taxi pour nous conduire jusqu'à Erbil, ils l'ont payé d'avance et nous ont remerciés de leur avoir consacré autant de temps. Nous n'avons rien dit en montant en voiture, mais j'ai bien vu que Nasser était aussi soulagé que moi de quitter le checkpoint.

Ensuite, à chaque contrôle, nous avons présenté le papier qu'on lui avait donné et on nous a immédiatement laissés passer. Je me suis affalée sur la banquette, espérant pouvoir dormir un peu avant de retrouver Sabah à Erbil. Dans cette région, le paysage était plus verdoyant qu'avant, les fermes et les pâturages bien entretenus parce qu'ils n'avaient pas été abandonnés. De petits villages agricoles, semblables à Kocho avec leurs maisons de brique crue et leurs tracteurs, ont cédé la place à des bourgades, puis à des villes, dont certaines abritaient des édifices et des mosquées magnifiques, plus grands que tout ce qu'on pouvait trouver dans le Sinjar. Je me sentais en sécurité dans le taxi. Même l'air, quand j'ai baissé ma vitre, m'a paru plus frais, plus revigorant.

Le téléphone de Nasser n'a pas tardé à vibrer. «C'est Sabah, m'a-t-il chuchoté avant de pousser un juron. Il a vu notre interview aux informations kurdes. Ils l'ont tout de même passée.»

Nasser m'a tendu le téléphone. Mon neveu était furieux. «Pourquoi avez-vous donné cette interview? m'a-t-il demandé. Tu aurais dû attendre.

— Ils nous ont promis de ne pas la diffuser. Ils nous l'avaient juré. » J'étais malade de colère, folle d'inquiétude à l'idée d'avoir mis Nasser et sa famille en danger. Je redoutais que, en cet instant précis, des combattants de l'EIIL ne soient en train de frapper à la porte de Hisham et à celle de Mina, prêts à exercer des représailles contre eux. Nasser connaissait de nombreux combattants de l'État islamique, et ils le connaissaient aussi. Bien que ses traits aient été floutés (l'asayish de l'UPK avait au moins tenu cette promesse), ils réussiraient certainement à l'identifier. Je n'arrivais pas à croire que mon histoire, si intime et que, jusqu'à présent, seules quelques personnes de confiance connaissaient, ait été racontée à la télévision. J'étais morte de peur.

« C'est la vie de la famille de Nasser et de la nôtre ! a poursuivi Sabah. Pourquoi ont-ils fait une chose pareille ? »

J'étais pétrifiée sur mon siège, au bord des larmes. Je ne savais pas quoi dire. Cette vidéo était à mes yeux la pire trahison qu'on ait pu commettre envers Nasser, et j'en voulais terriblement à l'asayish de l'UPK qui n'avait pas hésité à la montrer au journal télévisé, sans doute pour mieux affirmer sa supériorité sur le PDK, qui, affirmait-elle avec insistance, avait abandonné les Yézidis. « J'aurais préféré mourir à Mossoul plutôt qu'être ici », lui ai-je dit, et j'étais sincère. L'UPK s'était servie de nous. Elle voulait que le monde entier sache que le PDK avait laissé tomber les Yézidis, et ne se préoccupait pas le moins du monde de mon intimité ni du bien-être de Nasser et de sa famille restée à Mossoul. L'EIIL m'avait traitée comme un objet à Mossoul, et j'avais le sentiment que l'UPK en avait fait autant, exploitant ce qui m'était arrivé à des fins de propagande.

Cette vidéo m'a longtemps obsédée. Mes frères étaient furieux que j'aie montré mon visage en public et que j'aie permis d'identifier notre famille. Quant à Nasser, il était inquiet pour sa sécurité. «Tu imagines ce que ça va être pour nous de devoir appeler Hisham et de lui annoncer que son fils est mort pour t'avoir aidée?» m'a demandé Hezni. Ils m'en voulaient aussi d'avoir critiqué les peshmergas du PDK devant la caméra. Après tout, les camps de réfugiés yézidis se trouvaient en territoire contrôlé par le PDK. Nous dépendions à nouveau d'eux. Je commençais à comprendre que, particulièrement dans un pays comme l'Irak, mon histoire, que je considérais toujours comme une tragédie personnelle, pouvait aisément devenir un outil politique que d'autres utiliseraient à leurs fins. Je devrais peser soigneusement tous mes mots, car ils n'ont pas le même sens pour tous, et ce que vous racontez peut facilement se transformer en arme qui se retourne contre vous.

Les documents de l'UPK ont perdu leur efficacité peu avant Erbil. Nous nous trouvions devant un grand checkpoint, décoré de portraits de Massoud Barzani, où les files de voitures étaient séparées par des murs anti-souffle en béton pour éviter les attentats suicides. Nous n'avons pas été étonnés qu'un peshmerga nous fasse sortir du taxi. Nous l'avons suivi dans le bureau de son supérieur, une petite pièce toute simple. Le commandant était assis au fond, derrière un bureau de bois. Il n'y avait ni caméra ni observateurs, mais j'ai pris la précaution d'appeler Sabah, qui nous avait bombardés de textos, se demandant pourquoi nous mettions aussi longtemps, pour lui indiquer où se trouvait le checkpoint. Nous ne savions pas combien de temps l'interrogatoire allait durer.

Le commandant nous a posé les mêmes questions que les agents de sécurité de l'UPK, et j'ai répondu à toutes, en passant encore sous silence le viol et les détails concernant la famille de Nasser. J'ai veillé, cette fois, à ne pas critiquer les peshmergas du PDK. L'officier a noté tout ce que je disais et, à la fin, il s'est levé en souriant.

« Ce que tu as fait ne sera pas oublié, a-t-il dit à Nasser en l'embrassant sur les deux joues. Ce que tu as fait est agréable à Allah. »

Nasser est resté impassible. « Je n'ai pas fait cela tout seul. Tous les membres de ma famille ont risqué leur vie pour nous faire passer au Kurdistan. Quiconque possède un minimum de bonté humaine en aurait fait autant. »

Ils m'ont confisqué ma fausse carte d'identité de Mossoul, mais Nasser a conservé la sienne. Puis la porte s'est ouverte et Sabah est entré.

Il y avait beaucoup de combattants dans ma famille : mon père et toutes les histoires héroïques qu'il avait laissées derrière lui à sa mort ; Jalo, qui s'était battu aux côtés des Américains à Tal Afar ; Saeed, si impatient de prouver sa bravoure depuis qu'il était tout petit, se hissant hors de la fosse commune, les jambes et le bras criblés de balles. Sabah, en revanche, était étudiant. Il n'avait que deux ans de plus que moi et travaillait dans un hôtel d'Erbil afin de gagner suffisamment d'argent pour pouvoir s'inscrire un jour à l'université, obtenir un bon emploi et avoir une vie plus facile que s'il avait été fermier ou berger. C'était ainsi qu'il envisageait l'avenir avant l'arrivée de l'EIIL dans le Sinjar.

Le génocide avait changé tout le monde. Hezni vouait désormais sa vie à aider les passeurs à libérer des sabaya. Saeed, hanté par la tragédie à laquelle il avait survécu de justesse, était obsédé par les combats. Saoud passait son temps dans la monotonie du camp de réfugiés, cherchant à surmonter la culpabilité du survivant. Quant à Malik, le pauvre Malik qui n'était qu'un petit garçon quand le génocide avait commencé, il était devenu terroriste, sacrifiant à l'EIIL toute sa vie, jusqu'à son amour pour sa propre mère.

Sabah, qui n'avait jamais voulu être soldat ni policier, avait quitté l'hôtel d'Erbil et son école pour aller se battre sur le mont Sinjar. Il avait toujours été timide et peu enclin à exprimer ses sentiments, mais ce caractère s'associait à présent à une forme de virilité que je ne lui avais pas connue auparavant.

Quand je me suis jetée dans ses bras au checkpoint, en larmes, il m'a demandé de me calmer. « Il y a des policiers ici, Nadia. Nous ne devons pas pleurer en leur présence. Tu as vécu des choses terribles, mais tu es en sécurité, désormais. Il ne faut pas pleurer. » Il avait vieilli de plusieurs années en l'espace de quelques semaines. Comme nous tous, sans doute.

J'ai essayé de me ressaisir. « Qui est Nasser ? » a demandé Sabah, et je le lui ai désigné. Ils se sont serré la main. « Allons à l'hôtel, a suggéré Sabah. Il y a d'autres Yézidis là-bas. Nasser, tu resteras avec moi, et toi, Nadia, tu pourras rejoindre les femmes dans une autre pièce. »

Nous avons parcouru en voiture la courte distance entre le checkpoint et le centre-ville. Erbil présente la forme d'un vaste cercle inégal, les routes et les maisons se déployant en éventail depuis une ancienne citadelle dont certains archéologues disent qu'il s'agit du plus ancien lieu d'habitation humaine continue du monde. Ses hauts murs couleur sable, visibles de presque tous les points de la ville, contrastent avec le reste d'Erbil, nouveau et moderne. Les rues sont remplies de SUV blancs, qui filent à toute allure sans tenir vraiment compte des règles de circulation ; des centres commerciaux et des hôtels bordent les rues, et il y a des immeubles en construction partout. Au moment de notre arrivée, un grand nombre de ces chantiers avaient été transformés en camps de fortune pendant que le gouvernement régional kurde cherchait des solutions pour faire face à la masse considérable de réfugiés irakiens et syriens qui affluaient dans la région.

Nous nous sommes arrêtés devant l'hôtel, un petit bâtiment quelconque meublé de quelques divans foncés. Les fenêtres étaient masquées par des voilages, et les sols recouverts de carreaux gris brillants. Quelques hommes yézidis étaient assis dans le hall, et ils m'ont dit bonjour, mais j'avais sommeil et Sabah m'a montré la pièce où je pouvais m'installer. J'y ai trouvé une famille, une vieille femme avec son fils qui travaillait aussi à l'hôtel, et son épouse. Assis devant une petite table, ils mangeaient de la soupe, du riz et des légumes servis par le restaurant. Quand la femme m'a vue, elle m'a fait signe. «Viens t'asseoir, a-t-elle dit. Mange avec nous.»

Elle avait à peu près l'âge de ma mère et, comme elle, portait une ample robe blanche et un foulard blanc. Quand je l'ai vue, toute la force d'âme que j'avais essayé de mobiliser depuis que j'avais quitté la maison de l'État islamique à Mossoul m'a abandonnée. J'ai perdu la tête. Je me suis mise à hurler en tremblant de tous mes membres. Je ne tenais presque plus debout. Je pleurais sur ma mère, dont j'ignorais encore le sort. Je pleurais sur mes frères que j'avais vu conduire à la mort, et sur ceux qui avaient survécu et étaient condamnés à passer le restant de leurs jours à tenter de ressouder notre famille en miettes. Je pleurais sur Kathrine, sur Walaa et sur mes sœurs encore en captivité. Je pleurais parce que je m'en étais sortie et ne pensais pas mériter cette chance. En était-ce vraiment une? Je n'en étais pas sûre.

La femme s'est approchée de moi et m'a serrée dans ses bras. Son corps était doux comme celui de ma mère. Quand j'ai été un peu plus calme, j'ai remarqué qu'elle pleurait aussi, tout comme son fils et sa bru. «Sois patiente, m'a-t-elle dit. Espérons que tous ceux que tu aimes reviendront. Ne sois pas aussi dure avec toi.»

Je me suis assise à table avec eux. J'avais l'impression que mon corps n'avait plus aucune substance, que je risquais de me dissoudre à tout moment. Parce qu'ils insistaient, j'ai mangé un peu de soupe. La femme avait l'air très âgée, plus vieille que son âge, et avait perdu presque tous ses cheveux. Son crâne, d'un rose délicat parsemé de taches brunes, transparaissait sous les rares cheveux blancs qui lui restaient. Elle venait de Tel Ezeir, et sa vie au cours des dernières années n'avait été

qu'une interminable tragédie. «Trois de mes fils, tous célibataires, sont morts en 2007 dans les bombardements, m'a-
t-elle confié. À leur mort, je me suis juré de ne plus prendre
de bain avant d'avoir vu leurs corps. Je me lave le visage et
les mains. Mais je n'ai plus pris de bain. Je ne veux pas être
propre tant que je ne pourrai pas laver leurs corps afin qu'ils
soient inhumés.»

Elle a remarqué que j'étais épuisée. «Va dormir, ma fille.» Je
me suis allongée dans son lit et j'ai fermé les yeux, mais je n'ai
pas pu trouver le sommeil. Ses trois fils, leurs corps disparus,
et ma mère m'obsédaient. «J'ai laissé ma mère à Solagh, lui
ai-je dit. Je ne sais pas ce qui lui est arrivé.» J'ai recommencé
à pleurer. Toute la nuit, dans le même lit, nous avons pleuré
ensemble et le matin, après avoir enfilé la robe de Kathrine, je
l'ai embrassée sur les deux joues.

«Je pensais qu'une mère ne pouvait rien vivre de pire que
ce qui est arrivé à mes fils, m'a-t-elle dit. Je ne cessais de souhaiter qu'ils soient encore en vie. Mais, à présent, je suis soulagée qu'ils n'aient pas eu à voir ce qui nous est arrivé dans
le Sinjar.» Elle a remonté son foulard sur ce qui lui restait de
cheveux. «Si Dieu le veut, tu retrouveras ta mère un jour. Aie
confiance en Dieu. Nous, les Yézidis, nous n'avons rien ni
personne, hormis Dieu.»

En bas, dans le hall de l'hôtel, j'ai aperçu un garçon qu'il
m'a semblé reconnaître et je me suis approchée de lui. «Est-ce
que tu ne serais pas le frère de Hamdiya?» lui ai-je demandé.
Hamdiya était une de mes amies de Kocho et il lui ressemblait
comme deux gouttes d'eau. «Si, en effet, m'a-t-il répondu.
Sais-tu ce qu'elle est devenue?»

La dernière fois que j'avais vu Hamdiya, c'était à Mossoul,
au marché d'où j'avais été emmenée par Hajji Salman. Au
moment où nous étions parties, Rojian et moi, personne ne

l'avait encore choisie, mais ce n'était certainement qu'une question de temps. Quand je lui ai raconté cela, nous nous sommes accrochés l'un à l'autre et avons pleuré. «Avec un peu de chance, elle sera bientôt en sécurité, elle aussi», ai-je dit. Je commençais à comprendre que, pour beaucoup de Yézidis du Kurdistan, j'allais être la messagère des mauvaises nouvelles.

«Elle n'a même pas passé un coup de fil, a-t-il remarqué.

— Il n'est pas facile d'appeler. Ils ne nous laissent pas avoir de téléphones et ne veulent pas que nous prenions contact avec qui que ce soit. Je n'ai pas pu joindre Hezni avant de m'être évadée.»

Sabah est arrivé dans le hall et m'a annoncé qu'il était temps de partir pour Zakho. «Nasser est là, m'a-t-il dit en désignant une porte entrouverte donnant sur le couloir. Va lui dire au revoir.»

J'ai poussé la porte. Nasser se tenait au milieu de la pièce et j'ai fondu en larmes dès que je l'ai vu. J'avais de la peine pour lui. Pendant les quelques jours que j'avais passés avec sa famille, j'avais eu l'impression d'être une étrangère faisant irruption dans la vie d'autrui. Mes espoirs d'avenir commençaient et s'achevaient avec mon évasion ; mais, à présent, j'étais à Erbil et j'avais retrouvé mon neveu et d'autres Yézidis. Nasser, en revanche, allait devoir refaire le dangereux trajet que nous venions de parcourir, et regagner l'État islamique. C'était à mon tour d'avoir peur pour lui.

Nasser s'est mis à pleurer, lui aussi. Depuis le seuil, Sabah nous observait. «Sabah, peux-tu me laisser parler à Nadia deux minutes? a demandé Nasser. Ensuite, il faudra que j'y aille.» Sabah a hoché la tête et s'est éloigné.

Nasser s'est tourné vers moi, l'air grave. «Nadia, tu as retrouvé Sabah et tu vas maintenant rejoindre le reste de ta famille. Il est inutile que je t'accompagne. Mais j'ai une question à te poser : te sens-tu parfaitement en sécurité? Si tu éprouves la moindre crainte qu'il ne t'arrive quelque chose ou qu'ils ne te maltraitent parce que tu as été une sabiyya, je resterai avec toi.

— Non, Nasser. Tu as vu comment Sabah m'a traitée. Ça va aller. » En réalité, je n'en étais pas convaincue, mais je tenais à ce que Nasser suive sa propre voie. Je m'en voulais encore terriblement d'avoir laissé l'UPK tourner cette vidéo et ne savais pas de combien de temps il disposait avant qu'on ne l'identifie. « Ne crois rien de ce que Daech a dit des Yézidis, ai-je ajouté. Je pleure à cause de toi et de ce que tu as fait pour moi. Tu m'as sauvé la vie.

— C'était mon devoir. C'est tout. »

Nous sommes sortis de la pièce ensemble. Je ne trouvais pas les mots pour lui exprimer toute ma gratitude. Pendant les deux derniers jours, nous avions partagé tous les instants de peur et de tristesse, tous les regards inquiets et toutes les questions terrifiantes. Quand j'avais été malade, il m'avait soutenue et, à chaque checkpoint, son calme m'avait permis de ne pas m'effondrer de terreur. Je n'oublierai jamais ce que sa famille et lui ont fait pour moi.

J'ignore pourquoi il a fait preuve d'une telle bonté, et pourquoi tant d'autres à Mossoul ont fait preuve d'une telle cruauté. Il me semble que si l'on est quelqu'un de bien, au fond de soi, on peut naître et grandir au sein même de l'État islamique et rester bon, de même qu'on peut être forcé de se convertir à une religion à laquelle on ne croit pas et rester yézidi. Ça se passe à l'intérieur de vous. « Sois prudent, lui ai-je dit. Fais attention à toi et, dans toute la mesure du possible, évite tout contact avec ces criminels. Tiens, voici le numéro de Hezni. » Je lui ai tendu un morceau de papier avec le numéro de portable, en même temps que de l'argent pour le taxi que sa famille avait payé. « Tu peux appeler Hezni n'importe quand. Je n'oublierai jamais ce que tu as fait pour moi. Tu m'as sauvé la vie. »

— Je te souhaite tout le bonheur du monde, Nadia. Puisses-tu mener une belle vie dès aujourd'hui et à jamais. Ma famille essaiera d'en aider d'autres comme toi. S'il y a des filles à Mossoul qui veulent s'échapper, qu'elles nous appellent et nous ferons tout ce que nous pourrons pour elles. Et peut-être qu'un jour, quand elles auront toutes été libérées et que Daech aura quitté l'Irak, nous nous retrouverons pour en parler. » Puis Nasser a ri tout bas. « Comment ça va, Nadia ?

— Il fait chaud, ai-je répondu avec un petit sourire.

— N'oublie jamais, a repris Nasser, taquin. Il fait très chaud, Nasser, il fait très chaud. »

Le sourire s'est alors effacé de son visage et il a ajouté : « Que Dieu soit avec toi, Nadia.

— Que Dieu soit avec toi, Nasser. »

Alors qu'il se retournait pour se diriger vers la sortie, j'ai prié Tawusi Melek pour que sa famille et lui soient bientôt réunis en lieu sûr. Le temps que je finisse ma prière, il avait disparu.

près que Nasser a quitté Erbil, j'ai cherché à savoir ce qu'ils devenaient, sa famille et lui. J'étais malade de honte en songeant à la vidéo de l'UPK et priais qu'elle ne les ait pas mis en danger. Ce n'était qu'un jeune homme d'un quartier pauvre, mais nous craignions, Hezni et moi, qu'il ne puisse éviter bien longtemps d'avoir les terroristes sur le dos. L'EIIL enfonçait ses racines dans Mossoul depuis des années, exploitant le mécontentement des sunnites et l'instabilité du pays. Certains avaient espéré que les terroristes seraient comme les baasistes et leur rendraient le pouvoir dont ils avaient joui par le passé. Même s'ils avaient été déçus par l'EIIL, au moment où Nasser est revenu du Kurdistan, beaucoup de jeunes garçons étaient devenus des soldats et, pis encore, d'authentiques croyants. Les fils de Mina avaient-ils pu éviter d'être envoyés sur le champ de bataille ? Je l'ignore encore aujourd'hui.

Hezni se rongeait à l'idée qu'il leur arrive quelque chose. « Ils t'ont aidée, disait-il. S'ils en subissent les conséquences, comment pourrons-nous le supporter ? » Il prenait ses responsabilités de chef de famille très au sérieux. Bien sûr, il ne pouvait rien faire depuis Zakho ni, par la suite, depuis le camp de réfugiés. Hezni a discuté au téléphone deux ou trois fois avec

Hisham et Nasser, jusqu'à ce que, un après-midi, une voix lui réponde que ce numéro n'était pas attribué. Par la suite, Hezni n'a plus pu obtenir que des informations de seconde main sur Nasser et sa famille. Un jour, nous avons appris que l'EIIL avait effectivement découvert que Nasser m'avait aidée, et que Basheer et Hisham avaient été arrêtés. Heureusement, ils avaient réussi à convaincre les combattants que Nasser avait agi seul.

Sa famille était encore à Mossoul en 2017 quand les forces irakiennes ont entrepris de libérer la ville et il est devenu encore plus difficile d'avoir de leurs nouvelles. Hezni a appris par des sources extérieures qu'un des frères de Nasser avait été tué en 2017 lorsque l'EIIL et les forces irakiennes s'étaient battus pour prendre le contrôle de la route entre Mossoul et Wadi Hajar, mais nous ignorons les circonstances exactes de sa mort. La famille vivait à l'est de Mossoul, la première partie de la ville à avoir été libérée cette année-là. Elle a aussi bien pu prendre la fuite que mourir dans les combats. J'ai entendu dire que l'EIIL avait utilisé les habitants comme boucliers humains à l'arrivée des forces irakiennes et avait obligé des civils à rejoindre ses combattants dans les bâtiments que les Américains s'apprê-taient à bombarder. Ceux qui ont fui Mossoul ont affirmé que c'était l'enfer. Nous n'avons pu que prier pour eux.

Avant d'aller chez ma tante où Hezni avait vécu depuis l'arri-vée de l'EIIL dans le Sinjar, nous nous sommes arrêtés à l'hôpi-tal de Dahouk, où Saeed et Khaled se remettaient encore de leurs blessures. L'aménagement du camp de réfugiés n'était pas encore terminé et les Yézidis qui avaient fui au Kurdistan ira-kien dormaient où ils pouvaient. Dans les faubourgs de la ville, des familles yézidies occupaient des immeubles en construc-tion, plantant sur les dalles de béton les tentes distribuées par des organisations humanitaires. Certains murs extérieurs de ces grands immeubles étaient encore inachevés et, en passant devant, je me suis fait du souci pour la sécurité des familles qui y vivaient. Il est arrivé, en effet, que de jeunes enfants tombent des étages supérieurs. Mais ils n'avaient pas d'autre endroit où aller. L'ensemble des habitants du Sinjar avait été parqué dans ces bâtiments nus, et ils ne possédaient rien à eux. Quand les organisations humanitaires distribuaient de la nourriture, les gens se précipitaient et se bousculaient pour essayer d'obtenir un sac de ravitaillement. Des mères couraient aussi vite qu'elles pouvaient en quête d'une simple boîte de lait.

Hezni, Saoud, Wali et ma tante m'attendaient à l'hôpital. Quand nous nous sommes vus, nous sommes tombés dans les bras les uns des autres, en larmes, posant question sur question jusqu'à ce que l'émotion retombe un peu et que nous puissions écouter ce que les autres disaient. Je leur ai raconté brièvement ce qui m'était arrivé, sans mentionner le viol. Ma tante a gémi et a entonné la mélopée funèbre que les familles en deuil ont coutume de chanter en faisant le tour du corps du défunt, se frappant la poitrine violemment pour exprimer leur peine, parfois pendant des heures d'affilée, jusqu'à ce que les voix s'éraillent, que les jambes et la poitrine s'engourdissent. Ma tante n'a pas marché en psalmodiant, mais sa voix était suffisamment forte pour remplir toute la pièce, et peut-être même tout Dahouk.

Hezni était plus calme. Mon frère, habituellement très sentimental, qui pleurait dès qu'un membre de la famille était malade et aurait pu être le héros d'un recueil de poèmes d'amour du temps où il faisait la cour à Jilan, était désormais hanté par le mystère de sa propre survie. « Je ne sais pas pourquoi Dieu m'a épargné, disait-il. Mais je sais que je dois profiter de cette vie pour faire le bien. » Dès que j'ai aperçu son large visage hâlé, amical, et sa petite moustache, j'ai fondu en larmes. « Ne pleure pas, m'a dit Hezni en me serrant contre lui. C'est notre destin. »

Je me suis approchée du lit d'hôpital où était allongé Saeed. Ses blessures le faisaient souffrir, mais moins que le souvenir du massacre et le remords d'avoir survécu alors que tant d'autres étaient morts. Même ceux que l'EIIL n'avait pas réussi à tuer avaient perdu la vie – toute une génération de Yézidis égarés, comme mon frère et moi, parcourant le monde en n'ayant plus rien dans le cœur que le souvenir de leur famille, plus rien dans l'esprit que la volonté de traduire l'EIIL en justice. Saeed avait rejoint la division yézidie des peshmergas et mourait d'envie d'aller se battre.

« Où est ma mère ? ai-je crié en l'enlaçant.

— Personne n'en sait rien, Nadia. Mais, dès que possible, nous tirerons Solagh des griffes de Daech et nous la sauverons. »

Les blessures de Khaled étaient plus graves que celles de Saeed, alors que mon demi-frère avait reçu moins de balles que lui. Deux d'entre elles lui avaient fracassé le coude, et il aurait fallu pouvoir l'opérer pour lui mettre une prothèse artificielle, ce qui n'était pas dans les moyens de l'hôpital de Dahouk. Aujourd'hui encore, son bras pend, raide, contre son corps, aussi inerte qu'une branche morte.

Quand je suis arrivée à Zakho, Hezni habitait toujours à côté de chez notre tante, dans la maison en construction où il s'était réfugié après avoir fui la montagne. Ma tante et mon oncle avaient commencé à bâtir sur leur terrain cette petite bâtisse pour leur fils et son épouse, mais ils n'étaient pas riches et les travaux avançaient lentement, en fonction des économies qu'ils parvenaient à faire. La guerre avec l'EIIL avait entièrement interrompu le chantier et, à mon arrivée, la maison se limitait à deux chambres de béton nu, dont les fenêtres n'avaient pas encore été vitrées, tandis que des brèches dans les poutres entre les dalles de béton laissaient passer le vent et la poussière. Je n'y avais jamais mis les pieds sans ma mère, et son absence était aussi douloureuse que si j'avais été amputée d'un membre.

Je me suis installée dans cette maison en chantier avec mes frères Saeed, Hezni et Saoud ainsi que mes demi-frères Walid, Khaled et Nawaf. Nous avons essayé, tant bien que mal, d'en faire un foyer. Quand l'organisation humanitaire a distribué des bâches, nous les avons utilisées pour étanchéifier les fenêtres ; quand elle a distribué de la nourriture, nous l'avons soigneusement partagée en rations et avons stocké ce que nous pouvions dans la petite pièce qui nous servait de cuisine. Hezni a tiré des rallonges depuis la maison principale jusqu'à nos chambres et a accroché des ampoules aux plafonds pour nous éclairer. Nous avons acheté du mastic pour boucher les trous dans les murs. Si nous parlions constamment de la guerre, nous gardions généralement un silence prudent sur les détails qui auraient pu nous bouleverser réciproquement.

Saeed et Nawaf étaient les deux seuls hommes célibataires, et leur solitude était moins tangible que celle de mes frères mariés. Hezni n'avait pas encore eu de nouvelles de Jilan ; tout ce que nous savions, c'est qu'elle était à Hamdaniya avec Nisreen. Nous n'avions aucune nouvelle non plus de Shireen, la femme de Saoud, pas plus que des épouses de mes demi-frères. Je leur ai raconté ce que je savais à propos de l'EIIL et ce que j'avais vu à Mossoul et à Hamdaniya, mais je suis restée très vague sur ce que j'avais subi pendant ma captivité. Je ne voulais pas ajouter à la souffrance de mes frères en confirmant leurs pires cauchemars sur le sort que l'EIIL réservait aux jeunes Yézidies. Je n'ai posé aucune question sur le massacre de Kocho, ne souhaitant pas rappeler à Saeed et Khaled ce qu'ils avaient vécu. Personne n'avait envie d'aggraver le désespoir des autres.

Bien qu'habitée par des rescapés, cette maison était un lieu de tristesse. Mes frères, autrefois si pleins de vie, étaient comme des enveloppes vides, ne restant éveillés dans la journée que parce qu'il était impossible de passer son temps à dormir. Comme j'étais la seule femme, j'étais censée m'occuper du ménage et de la cuisine, mais il y avait bien des choses que je ne savais pas faire. Chez nous, mes grandes sœurs et mes belles-sœurs plus âgées se chargeaient de la plupart des corvées pendant que je faisais mes devoirs, et je me sentais inutile et stupide à farfouiller dans notre cuisine de fortune et à faire la lessive tant bien que mal. Mes frères étaient gentils avec moi ; ils savaient que, chez nous, je n'avais pas été habituée à accomplir des tâches ménagères, alors ils m'aidaient. Je n'en avais pas moins conscience que je ne pourrais pas compter éternellement sur eux et devrais bientôt me débrouiller toute seule. Ma tante savait que j'étais incapable de faire du pain, alors elle en faisait un peu plus qu'il ne lui en fallait pour pouvoir nous en donner, mais j'étais également censée apprendre à me passer de son secours. L'école n'était plus qu'un lointain souvenir.

J'avais échappé à l'EIIL et j'avais retrouvé ma famille, mais j'avais encore l'impression que ma vie, telle que j'en garderais le souvenir et en admettant que j'aie la chance d'atteindre un âge avancé, se résumerait à une longue série de malheurs. Le premier avait été d'être capturée par l'EIIL, le suivant était d'être condamnée à mener une vie de misère absolue, sans rien, sans aucun lieu où je me sente chez moi, dépendante des autres pour subsister, sans terre ni moutons, sans école et avec une fraction seulement de ma grande famille, attendant d'abord que le camp soit construit, puis que les tentes de ces camps soient remplacées par des préfabriqués aménagés. Attendant, enfin, la libération de Kocho – qui risquait, me disais-je, de ne jamais arriver –, attendant que mes sœurs soient délivrées et que ma mère soit sauvée à Solagh. Je pleurais tous les jours. Parfois je pleurais avec ma tante ou mes frères, parfois je pleurais seule dans mon lit. Dans mes rêves, je retombais toujours aux mains de l'EIIL et étais obligée de m'évader encore et encore.

Nous avons appris à tirer le maximum de ce que nous distribuaient les organisations humanitaires. Une fois par semaine, de gros camions arrivaient, chargés de sacs de riz, de lentilles et de pâtes, ainsi que d'huile alimentaire et de boîtes de tomates. Nous n'avions ni garde-manger ni réfrigérateur, et quelquefois la nourriture que nous mettions de côté se gâtait ou attirait les souris, nous obligeant à jeter des sacs entiers de sucre ou de boulgour. Un jour, pourtant, nous avons trouvé un vieux baril de pétrole que nous avons soigneusement nettoyé et dont nous nous sommes servis pour stocker des denrées alimentaires. Jeter de la nourriture était un crève-cœur ; sans argent pour en acheter, nous étions condamnés à nous contenter de portions réduites jusqu'à l'arrivée du prochain camion à Zakho. Quand le temps a fraîchi, ma tante m'a donné des vêtements chauds, mais je n'avais pas de sous-vêtements, pas de soutien-gorge ni de chaussettes, et ne voulais pas quémander. Je me suis donc débrouillée avec ce que j'avais.

Le téléphone de Hezni sonnait souvent, et il sortait toujours pour prendre les appels, se tenant à l'écart. Je mourais d'envie de savoir ce qu'il apprenait, mais il ne me disait pas grand-chose, sans doute pour ne pas m'inquiéter. Un jour, il a reçu un appel d'Adkee et est sorti dans le jardin pour lui parler. Quand il est rentré, il avait les yeux rouges, comme s'il avait pleuré. « Elle est en Syrie », nous a-t-il annoncé. Adkee avait réussi à rester avec notre neveu qu'elle avait fait passer pour son fils à Solagh, mais elle craignait que l'EIIL ne découvre un jour ou l'autre qu'elle avait menti et ne lui prenne le garçon. « J'essaie de trouver un passeur en Syrie, a-t-il ajouté, mais il est encore plus difficile de faire sortir des filles de là qu'en Irak, et Adkee ne veut en aucun cas partir toute seule. » Pour aggraver les choses, les réseaux de passeurs syriens se mettaient en place indépendamment des réseaux irakiens, ce qui compliquait encore la tâche de Hezni.

Ma tante a été la première à qui j'ai raconté toute mon histoire, viol compris. Elle a pleuré et m'a serrée contre elle. C'était un soulagement de pouvoir en parler, et j'ai cessé de redouter que les Yézidis ne me rejettent ou ne me reprochent ce qui s'était passé. L'EIIL avait tué ou enlevé tant des nôtres que les survivants, quoi qui ait pu leur arriver, ne pouvaient que se serrer les coudes et essayer de recoller les morceaux. Il n'empêche que la plupart des sabaya évadées restaient muettes sur la période qu'elles avaient passée avec l'EIIL, comme je l'avais été dans un premier temps, et je comprenais parfaitement leurs raisons. C'était leur tragédie et elles avaient le droit de ne vouloir en parler à personne.

Rojian a été la première, après moi, à réussir à s'échapper. Elle a surgi chez ma tante à deux heures du matin, encore vêtue de l'abaya que l'EIIL l'avait obligée à revêtir. Avant que j'aie eu le temps de lui poser la moindre question, elle a demandé : « Qu'est-il arrivé à tous les autres ? », et Hezni a dû lui dire tout ce qu'il savait. Cela a été un moment extrêmement dur. Quelle terrible épreuve que de voir le visage de Rojian se crisper de douleur en apprenant le sort de notre village et de notre famille ! Nous étions certains que les hommes étaient morts, nous ignorions ce qui était arrivé aux femmes plus âgées, et la plupart des filles emmenées comme sabaya étaient toujours entre les mains de l'EIIL. Rojian s'est enfoncée ensuite si profondément dans son chagrin que je n'étais pas loin de craindre qu'elle ne porte immédiatement atteinte à sa vie, là, chez ma tante, comme Hezni avait cherché à le faire un mois plus tôt, en apprenant le massacre de Kocho. Mais elle a fini par surmonter sa peine, comme nous l'avions tous fait, et, le matin qui a suivi son arrivée, nous sommes allés nous installer dans le camp de réfugiés.

10

Une étroite route de terre menait au camp. Elle m'a rappelé celle de Kocho avant qu'elle soit goudronnée et, quand nous sommes arrivés ce matin-là, j'ai essayé d'imaginer que, en réalité, je rentrais à la maison. Malheureusement, toutes les ressemblances ne faisaient que souligner que ma vie d'autrefois était bien loin, et elles ajoutaient encore à ma tristesse.

De loin, on apercevait les centaines de conteneurs blancs du camp disposés sur les collines basses du nord de l'Irak comme des briques sur un mur, séparés par des sentiers de terre généralement gorgés d'eau de pluie ou de celle des douches et des cuisines de fortune. Des palissades entouraient le camp – pour notre propre sécurité, nous a-t-on dit –, mais des enfants avaient déjà aménagé des passages là où le grillage touchait le sol pour pouvoir plus commodément gagner les champs qui s'étendaient à l'extérieur et jouer au football. À l'entrée du camp, plusieurs conteneurs plus spacieux servaient de bureaux destinés aux travailleurs humanitaires et gouvernementaux, ainsi que de clinique et de salle de classe.

Nous sommes arrivés en décembre, alors qu'il commençait à faire froid dans le nord de l'Irak, et, si la maison en chantier de Zakho nous assurait une meilleure protection contre l'hiver, j'aspirais à avoir un coin où je puisse enfin me sentir chez moi. Les conteneurs étaient relativement vastes et nous en avions plusieurs situés les uns à côté des autres : le premier nous servait de chambre, un autre de salon et un autre encore de cuisine.

Le camp était mal adapté au climat du nord de l'Irak. L'hiver venu, les passages entre les caravanes étaient collants de boue et nous avions beaucoup du mal à ne pas en mettre partout à l'intérieur. L'alimentation en eau n'était assurée qu'une heure par jour, et nous avions un unique radiateur que nous nous partagions pour essayer de chauffer les conteneurs d'habitation. Sans chauffage, l'air froid se condensait sur les murs et dégoulinait dans nos lits, nous condamnant à dormir la tête posée sur des oreillers humides et à nous réveiller dans une âcre odeur de moisissure.

Je partageais un conteneur avec mes frères, et nous avons rapidement établi une routine. Dans l'ensemble du camp, les gens s'efforçaient de recréer les vies dont ils avaient été dépouillés. Il est réconfortant d'accomplir les mêmes gestes que ceux que l'on faisait autrefois chez soi, même si le cœur n'y est pas. À Dahouk, au camp, les activités étaient les mêmes que dans le Sinjar. Les femmes faisaient la cuisine et le ménage jusqu'à l'obsession ; elles semblaient penser que, si elles se donnaient suffisamment de mal, elles seraient transportées comme par magie dans leurs anciens villages, que les hommes allongés dans les fosses communes se réveilleraient et que tout recommencerait comme avant. Tous les jours, quand les balais à franges étaient rangés dans un coin et que le pain était cuit, l'absence de foyer, l'absence de mari susceptible de rentrer à la maison les écrasaient de plus belle, et elles pleuraient, poussant de bruyants gémissements qui ébranlaient les murs de notre conteneur. Nos maisons de Kocho étaient toujours pleines de voix, de cris d'enfants qui jouaient ; en comparaison, le camp était terriblement silencieux. Même les chamailleries des membres de notre famille nous manquaient : ces querelles résonnaient dans nos têtes comme la plus mélodieuse des musiques. Nous n'avions aucun moyen de trouver du travail, ni d'aller à l'école, de sorte que pleurer les morts et les absents devenait notre métier.

Pour les hommes, la vie au camp était encore plus dure. Il n'y avait pas d'emplois sur place et ils n'avaient pas de voiture pour aller en chercher en ville. Leurs femmes, leurs sœurs, leurs mères étaient en captivité, leurs frères et leurs pères étaient morts. Avant que mes frères ne rejoignent les peshmergas ou la police, nous ne disposions d'aucune autre ressource financière que ce que versaient aux rescapés le gouvernement irakien et quelques ONG, dont la principale était Yazda, l'association pour la défense des droits des Yézidis créée juste après le massacre de Kocho. Yazda, dirigée par un groupe de Yézidis établis dans le monde entier et qui avaient renoncé à tout ce qui faisait leur vie passée pour aider les victimes du génocide (une association à laquelle je consacrerais bientôt ma propre existence), devenait rapidement la seule source d'espoir pour tous les Yézidis, où qu'ils fussent.

Nous nous précipitions toujours vers les camions de nourriture dès qu'il y avait une distribution, mais il nous arrivait de les manquer. Un jour, ils s'arrêtaient d'un côté du camp, et le lendemain de l'autre. Certains aliments avaient l'air périmés, et nous nous plaignions de la mauvaise odeur du riz quand nous le faisions cuire.

Quand l'été est arrivé, j'ai décidé de prendre les choses en main. Je suis allée travailler dans un champ voisin, où le fermier, un Kurde, employait des réfugiés pour faire la récolte des melons. « Si vous travaillez toute la journée, nous vous donnerons à manger », avait-il promis, en plus d'un modeste salaire. Alors je suis restée presque jusqu'au coucher du soleil, à détacher les lourds melons de leurs tiges. Mais, quand il nous a servi notre repas, j'ai failli avoir un haut-le-cœur. Nos assiettes contenaient le riz rance et puant du camp, sans accompagnement. J'ai failli pleurer en constatant que le fermier se permettait de nous traiter aussi mal – qu'il pensait que, comme nous étions très pauvres et vivions dans les camps, il pouvait nous donner n'importe quoi à manger et que nous lui en saurions gré.

Nous sommes des êtres humains ! ai-je failli lui crier. *Nous avons eu une maison à nous, nous étions heureux. Nous ne sommes plus rien.* Mais je me suis tue et j'ai mangé ce que je pouvais de cette nourriture infecte.

De retour au champ, cependant, j'ai senti la colère monter en moi. *Je finirai ma journée*, ai-je pensé. *Mais il n'est pas question que je revienne travailler demain pour ce type.* Certains de ceux qui étaient près de moi ont commencé à parler de l'EIIL. Les réfugiés qui avaient fui leurs villages avant l'arrivée des terroristes éprouvaient une grande curiosité à l'égard de ceux d'entre nous qui s'étaient fait capturer et ils ne cessaient de nous poser des questions sur ce qu'était la vie sous Daech, comme s'il s'agissait du scénario d'un film d'action.

Le fermier est arrivé derrière nous. «Qui d'entre vous a échappé à Daech ?» a-t-il demandé, et les autres ont tendu le doigt vers moi. Je me suis arrêtée de travailler. Je m'attendais à ce qu'il dise qu'il était désolé de nous avoir aussi mal traités, que, s'il avait su qu'il y avait au camp des rescapés de l'EIIL, il aurait été plus correct avec nous. En fait, il voulait seulement chanter les louanges des peshmergas. «Oh, Daech n'en a plus pour longtemps, a-t-il dit. Vous savez comment sont les peshmergas. Ils ont fait un boulot du tonnerre, et ils ont perdu beaucoup d'hommes pour libérer une grande partie de l'Irak.

— Savez-vous combien de gens nous avons perdus, nous ? n'ai-je pu m'empêcher de rétorquer. Des milliers de membres de notre peuple sont morts. Ils ont perdu la vie parce que les peshmergas ont préféré se retirer. » Le fermier s'est tu et s'est éloigné, puis un jeune Yézidi s'est tourné vers moi, contrarié : « Je t'en prie, ne dis pas des choses pareilles. Travaille et tais-toi. » À la fin de la journée, quand je suis allée annoncer au responsable yézidi que je ne voulais plus travailler pour ce fermier, il m'a jeté un regard noir. « Il nous a dit à tous que ce n'était plus la peine de revenir », m'a-t-il lancé.

J'ai été bourrelée de remords en apprenant que tout le monde avait perdu son travail à cause de mon intervention. Mais cet épisode s'est rapidement transformé en histoire comique qui a circulé dans tout le camp. Après mon départ, alors que j'avais commencé à raconter au monde entier ce qui m'était arrivé, un de mes amis s'est rendu au camp et s'est plaint à certains de mes compagnons de ma complaisance à l'égard des peshmergas. « Nadia devrait dire à tout le monde ce qu'ils nous ont fait ! » s'est-il écrié, et une Yézidie a éclaté de rire. « Elle l'a dit, crois-moi, et on s'est tous fait virer à cause d'elle ! »

Dimal a rejoint le camp le 1er janvier 2015 à quatre heures du matin. Elle me taquine encore aujourd'hui parce que je dormais à son arrivée – « Je ne peux pas croire que tu aies réussi à t'endormir pendant que je me sauvais à toutes jambes ! » me lance-t-elle –, mais je me contente de la serrer dans mes bras. « Je suis restée debout jusqu'à quatre heures ! Tu étais en retard », lui dis-je. J'étais effectivement restée éveillée aussi tard que possible, mais le sommeil m'avait vaincue et, quand j'ai repris conscience, ma grande sœur était debout, au pied de mon lit. Elle avait couru pendant des heures le long de la frontière avec la Turquie et la Syrie, et les barbelés lui avaient mis les jambes en sang. C'était un moindre mal, évidemment : elle aurait pu se faire prendre et être abattue par un membre de la police des frontières, ou bien poser le pied sur une mine.

En retrouvant Dimal, j'ai eu l'impression qu'une profonde blessure venait de cicatriser. Nous n'étions pas heureuses pour autant. Nous nous sommes cramponnées l'une à l'autre et avons pleuré jusqu'à dix heures du matin, puis elle a accueilli tous ceux qui sont venus pleurer avec elle. Nous n'avons plus pu nous parler jusqu'au lendemain matin. L'instant le plus pénible a été celui où nous nous sommes réveillées l'une à côté de l'autre sur nos matelas et où j'ai entendu Dimal demander, d'une voix éraillée de larmes : « Nadia, où est le reste de la famille ? »

Le même mois, un peu plus tard, Adkee a réussi à s'échapper elle aussi. Nous étions fous d'inquiétude – nous avions eu si peu de nouvelles d'elle. Quelques semaines auparavant, une femme s'était enfuie de Syrie et était arrivée jusqu'au camp. Elle nous avait dit avoir vu Adkee en Syrie. Avides de détails, nous l'avions suppliée de nous raconter tout ce qu'elle savait. « Ils ont cru qu'Adkee était une mère, nous a-t-elle expliqué, ce qui leur interdisait de la toucher pour le moment. » Adkee n'avait qu'une idée en tête : sauver notre neveu Miran. « Elle m'a dit que, si je lui promettais de m'occuper de Miran, elle aurait au moins la liberté de se tuer, nous a rapporté cette femme. Je lui ai conseillé d'être patiente, que nous finirions bien par sortir de là, mais elle était complètement désemparée. »

Après avoir entendu cela, nous avons craint le pire pour Adkee. Nous avons commencé à prendre son deuil, le deuil de ma sœur si courageuse, qui s'était querellée avec les hommes de notre famille parce qu'ils prétendaient qu'elle ne pouvait pas apprendre à conduire, le deuil aussi de notre adorable neveu. Et puis, un beau jour, Adkee a téléphoné à Hezni. « Ils sont à Afrin ! » nous a annoncé mon frère, ivre de joie. Afrin est une ville de Syrie sous domination kurde, qui n'était pas tombée aux mains de l'EIIL. J'ai aussitôt pensé que, puisque les Kurdes de Syrie avaient aidé les Yézidis à quitter la montagne, ils aideraient certainement ma sœur.

Adkee et Miran s'étaient échappés de Rakka et avaient été recueillis par un berger arabe et sa famille. Ils étaient restés chez eux un mois et deux jours, le temps de trouver le moyen le plus sûr de les faire sortir du territoire de l'État islamique. La fille du berger était fiancée avec un habitant d'Afrin et la famille a attendu le jour du mariage, qui leur donnerait un excellent prétexte pour se rendre tous dans le Nord. Hezni nous a avoué plus tard qu'il savait depuis un certain temps qu'Adkee s'était réfugiée chez ce berger, mais qu'il n'avait pas voulu nous le dire pour ne pas nous donner de faux espoirs.

Deux jours après ce premier appel, Adkee est arrivée au camp, accompagnée de Miran. Cette fois, j'ai veillé jusqu'à six heures du matin avec Dimal. Nous redoutions le moment où nous devrions annoncer à Adkee ce qui était arrivé à tous les autres – ceux dont nous savions qu'ils étaient morts, et les disparus –, mais nous n'avons pas eu à le faire. Je ne sais comment, Adkee avait déjà tout compris, et elle a bientôt vécu avec nous dans notre petit monde mélancolique.

C'est par pur miracle que mes sœurs ont réussi à s'échapper. Au cours des trois années qui ont suivi l'arrivée de l'EIIL dans le Sinjar, les Yézidies ont trouvé les moyens les plus extraordinaires de s'enfuir. Certaines ont été aidées par des habitants compatissants, comme moi. Dans d'autres cas, des membres de la famille ou le gouvernement ont versé des sommes, parfois considérables, à des passeurs ou directement à un membre de l'EIIL, à qui ils ont racheté la fille. Pour faire sortir chaque Yézidie, Hezni a dû verser près de cinq mille dollars, et une somme encore plus importante – l'équivalent, selon lui, du « prix d'une voiture neuve » – est allée au chef de l'opération, qui mobilisait ses relations dans l'Irak sunnite et kurde pour coordonner les opérations de sauvetage. L'argent était réparti entre les nombreux intermédiaires – chauffeurs, passeurs, faussaires – indispensables à la libération d'une seule fille.

Chaque récit d'évasion est une épopée. Une fille de Kocho avait été conduite à Rakka, la capitale de l'EIIL en Syrie, où elle était détenue avec beaucoup d'autres femmes dans une salle des mariages où elles attendaient d'être distribuées aux combattants. Désespérée, elle a essayé de mettre le feu à une bouteille de propane avec un briquet et d'incendier la salle, mais elle s'est fait prendre avant d'avoir pu passer à l'action. Elle s'est alors obligée à vomir et, quand un combattant de l'État islamique lui a dit de sortir, elle a filé avec d'autres filles dans les champs plongés dans l'obscurité. Un fermier qui passait les a dénoncées, mais elle a eu de la chance. Quelques semaines plus tard, la femme de celui qui l'avait achetée l'a aidée à organiser son évasion depuis la Syrie. L'épouse est morte peu après d'une crise d'appendicite ; apparemment, aucun chirurgien de l'EIIL n'a pu la sauver.

Jilan est restée en captivité pendant plus de deux ans avant que Hezni ne parvienne à la faire sortir en montant le plan le plus risqué et le plus compliqué dont j'aie entendu parler jusqu'à présent. L'épouse du ravisseur de Jilan en avait assez de voir son mari abuser de jeunes Yézidies et elle a appelé Hezni pour lui proposer son aide. Son époux, un membre éminent de l'État islamique, était une cible de choix pour la coalition anti-EIIL qui luttait contre le califat. « Il va falloir que votre mari soit tué, l'a avertie Hezni, c'est le seul moyen possible. » Elle a donné son accord.

Hezni a mis cette femme en contact avec un commandant turc qui collaborait avec les Américains pour frapper des cibles de l'État islamique. « Prévenez-le quand votre mari sortira de chez vous », lui a demandé Hezni, et, le lendemain, la voiture du combattant a été touchée par une frappe aérienne. Lorsque Hezni lui a annoncé que son époux était mort, la femme ne l'a pas cru tout de suite. « Pourquoi est-ce que personne n'en parle, alors ? » Elle avait peur que son mari n'en ait réchappé et n'apprenne ce qu'elle avait fait. Elle voulait absolument voir son corps. « Il est trop abîmé, lui a dit Hezni. La voiture a littéralement fondu. »

Les femmes devaient attendre d'autres instructions et ne disposeraient que d'un étroit créneau pour mettre Jilan en sécurité. Au bout de deux ou trois jours, la mort du combattant a été confirmée, et d'autres membres de l'État islamique sont venus chercher Jilan pour la conduire chez un nouveau propriétaire. Quand ils ont frappé à la porte, l'épouse est venue leur ouvrir. « Notre sabiyya était dans la voiture avec mon mari, leur a-t-elle déclaré en essayant d'empêcher sa voix de trembler. Elle est morte en même temps que lui. » Satisfaits, les combattants sont repartis et, dès qu'ils ont été hors de vue, Jilan et la femme ont été conduites clandestinement jusqu'à un avant-poste de l'armée irakienne, avant de passer au Kurdistan. Quelques heures après leur départ, leur maison a été bombardée, elle aussi. « Aux yeux de Daech, elles sont mortes toutes les deux », m'a dit Hezni.

D'autres n'ont pas eu la même chance. J'ai appris qu'on avait découvert une fosse commune à Solagh en décembre 2015, quelques mois après mon départ du camp de réfugiés et mon installation en Allemagne, où j'étais allée avec Dimal dans le cadre d'un programme d'assistance aux victimes yézidies de l'asservissement de l'EIIL, mis en place par le gouvernement allemand. Un matin de bonne heure, j'ai consulté mon téléphone. Des messages d'Adkee et de Hezni se sont affichés à l'écran. Ils m'appelaient régulièrement pour me donner les dernières informations sur les membres de la famille qui étaient encore là-bas, et notamment sur Saeed, dont les vœux avaient été exaucés et qui se battait dans le Sinjar avec une unité nouvellement formée des peshmergas du PDK. « Saeed est tout près de Solagh, m'a dit Adkee quand je l'ai rappelée. Nous n'allons pas tarder à savoir ce qui s'y est passé. »

Ce jour-là, nous étions censées aller prendre un cours d'allemand, Dimal et moi, mais nous n'avons pas bougé. Nous sommes restées toute la journée dans notre appartement, attendant des nouvelles. J'ai pris contact avec un journaliste kurde qui couvrait les combats autour de Solagh et, entre ses appels et ceux de Saeed et Adkee, mon téléphone n'a guère cessé de sonner de la journée. Et, le reste du temps, nous priions, Dimal et moi, pour qu'on retrouve notre mère vivante.

Le journaliste m'a rappelée dans l'après-midi. Sa voix était sombre et j'ai immédiatement compris que les nouvelles étaient mauvaises. « Nous avons trouvé une fosse commune, m'a-t-il dit. Elle est proche de l'Institut et, à première vue, elle contient environ quatre-vingts corps – des femmes. » Je l'ai écouté et j'ai reposé le téléphone. Je ne pouvais pas supporter d'être celle qui l'annoncerait à Dimal ou qui appellerait Adkee ou Hezni pour leur apprendre que notre mère, qui avait survécu à tant d'épreuves pendant de si longues années, était morte. Mes mains tremblaient. Puis le téléphone de Dimal a vibré ; c'était un message de notre famille. Tout le monde était en larmes.

J'étais pétrifiée. J'ai tout de même appelé Saeed, qui s'est mis à pleurer dès qu'il a entendu ma voix. « Tout ce que j'ai fait ici n'a servi à rien, sanglotait-il. Ça fait un an que je me bats et nous n'avons rien trouvé, rien ni personne. » J'ai supplié Hezni de m'autoriser à revenir au camp pour les funérailles, mais il a refusé. « Nous n'avons pas son corps, m'a-t-il expliqué. L'armée est toujours à Solagh. Même si tu venais, on ne te laisserait pas approcher de la fosse. Ta sécurité ne serait pas assurée. » J'avais déjà commencé mon travail humanitaire et recevais quotidiennement des menaces de l'EIIL.

Une fois la mort de ma mère confirmée, j'ai espéré de toutes mes forces que Kathrine, ma nièce et ma meilleure amie, une

jeune fille si gentille, que tout le monde aimait, réussirait à
s'enfuir et que nous nous retrouverions bientôt. J'avais besoin
de l'avoir près de moi si j'étais condamnée à passer le reste de
ma vie sans ma mère. Hezni, qui aimait la fille de son frère
comme la sienne, s'était battu pendant des mois pour trouver un moyen de mettre Kathrine en sécurité, mais il avait
échoué. Elle-même avait cherché à s'évader à plusieurs reprises
– de Hamdaniya et de Mossoul – et, chaque fois, elle s'était
fait reprendre. Hezni gardait sur son téléphone un message
vocal qu'elle lui avait laissé. Kathrine y supplie mon frère :
« Cette fois, je t'en prie, sauve-moi. Ne les laisse pas me garder
– sauve-moi, cette fois ! » Hezni l'écoutait et pleurait, jurant
d'essayer encore.

En 2015, la situation a un peu progressé. Hezni a reçu un
appel téléphonique d'un éboueur de Hawija, une ville située
aux environs de Kirkouk qui avait été un fief de l'État islamique depuis le tout début de la guerre. « Je ramassais les
ordures d'une maison appartenant au docteur Islam, a-t-il
raconté à mon frère. Une certaine Kathrine est sortie. Elle m'a
demandé de vous appeler pour vous dire qu'elle est en vie. »
L'éboueur avait peur que l'EIIL n'apprenne qu'il avait passé
cet appel et il a prié Hezni de ne pas chercher à le contacter.
« Je ne retournerai pas à cette maison », a-t-il ajouté.

S'enfuir de Hawija risquait d'être très difficile. La ville abrite
au moins cent mille Arabes sunnites et le docteur Islam, oto-
rhino-laryngologiste, occupait à présent un rang élevé dans la
hiérarchie de l'EI. Mais Hezni disposait d'un contact dans
cette ville et, grâce à l'application de messagerie Telegram,
celui-ci a pu joindre Kathrine. Il lui a dit de se rendre à un
hôpital dont il lui a donné l'adresse. « Il y a une pharmacie
juste à côté, a-t-il précisé. Je serai à l'intérieur. J'aurai un clas-
seur jaune à la main. Quand vous me verrez, ne me parlez pas,
retournez à la maison où vous êtes détenue. Je vous suivrai

pour savoir où elle se trouve. » Kathrine a accepté. Elle était à quelques pas de l'hôpital quand le bâtiment a été touché par une frappe aérienne et elle a eu si peur qu'elle est repartie immédiatement, sans avoir rencontré le contact.

Hezni a ensuite cherché à passer par des Arabes qui ne soutenaient pas l'EIIL et étaient enfermés à Hawija. Ils avaient une maison dans un village voisin où ils pouvaient se rendre sans devoir s'arrêter aux grands checkpoints et ils ont accepté d'y cacher Kathrine. Grâce à eux, Hezni a pu lui transmettre des messages et en recevoir. Elle lui a appris que, après le bombardement de l'hôpital, ils étaient allés s'installer dans une autre maison de la ville. Elle l'a décrite au nouveau contact, qui s'est rendu dans le quartier avec sa femme et a frappé à toutes les portes, sous prétexte de chercher une maison à louer dans le voisinage. Quand il a frappé à la porte de celle où Kathrine était détenue, une autre sabiyya leur a ouvert. C'était Almas, une fillette de Kocho âgée de neuf ans. Derrière elle, il a aperçu ma nièce et Lamia, la sœur de mon amie Walaa. Elles étaient toutes les trois captives du docteur Islam. « Demain matin, s'il n'y a pas de combattant dans la maison, suspendez une couverture à la fenêtre, a chuchoté le contact à Kathrine. Après neuf heures et demie, si je vois la couverture, je saurai que nous pouvons intervenir sans risque. » Kathrine était terrifiée, mais elle a accepté.

Ce matin-là, le contact de Hezni est passé lentement devant la maison. Une couverture pendait à la fenêtre. Il est descendu de voiture et a frappé à la porte. Les trois sabaya yézidies – Kathrine, Lamia et Almas – ont couru jusqu'à son véhicule. Aussitôt que les filles ont été en sécurité dans le village voisin, l'homme a appelé Hezni, qui lui a viré de l'argent.

Trois jours plus tard, Hezni a trouvé des passeurs qui, moyennant dix mille dollars, se sont dits disposés à conduire en lieu sûr les trois filles et la famille arabe qui les avait aidées.

357

Mais, comme ils n'avaient pas les papiers nécessaires, ils seraient obligés de franchir la frontière kurde de nuit. « Nous les accompagnerons jusqu'au fleuve, ont dit les passeurs à Hezni. Puis quelqu'un d'autre vous les amènera. » À minuit, le premier passeur a appelé Hezni pour l'informer qu'il avait opéré le transfert. Ma famille s'est préparée à accueillir Kathrine au camp.

Toute la nuit, Hezni a attendu à côté de son téléphone l'appel qui lui annoncerait que Kathrine avait réussi à passer en territoire kurde. Il était fou d'impatience. Mais le téléphone n'a pas sonné. Le lendemain en revanche, vers une heure et demie de l'après-midi, un Kurde a appelé pour demander si Kathrine, Lamia et Almas étaient de notre famille. « Où sont-elles ? a demandé Hezni.

— Lamia est grièvement blessée », a dit l'homme. Elles avaient marché sur un EEI qui avait explosé sous elles. Lamia avait presque tout le corps couvert de brûlures au troisième degré. « Que les âmes des deux autres soient bénies, elles sont mortes », a-t-il ajouté. Hezni a lâché son téléphone. Il avait l'impression qu'on lui avait tiré dessus.

J'avais déjà quitté l'Irak. Hezni m'avait appelée au moment où elles étaient arrivées chez le premier passeur pour m'annoncer que Kathrine était saine et sauve. J'étais folle de joie à l'idée de revoir ma nièce, mais, cette nuit-là, j'ai fait un affreux cauchemar. J'ai rêvé que je voyais mon cousin Sulaiman debout à côté d'un des groupes électrogènes qui alimentaient Kocho en électricité. Dans ce rêve, je marchais avec mon frère Massoud et ma mère, et, quand nous nous sommes approchés de Sulaiman, nous avons constaté qu'il était mort et que des animaux étaient en train de dévorer son corps. Je me suis réveillée, en nage, pressentant un drame, et j'ai appelé Hezni dans la matinée. « Que s'est-il passé ? » ai-je demandé, et il m'a tout raconté.

Cette fois, Hezni a accepté que je rentre en Irak pour les funérailles. Nous nous sommes posées à l'aéroport d'Erbil à quatre heures du matin et sommes d'abord allées rendre visite à Lamia à l'hôpital. Son visage était si gravement brûlé qu'elle ne pouvait pas parler. Puis nous sommes allées à Kirkouk voir la famille arabe qui avait aidé Kathrine et les autres à s'évader. Nous voulions retrouver le corps de Kathrine pour pouvoir l'enterrer décemment, selon la tradition yézidie, mais la famille n'a pas pu nous aider. « Quand elles ont marché sur la bombe, Almas et elle sont mortes sur le coup, nous ont-ils dit. Nous avons transporté Lamia à l'hôpital, mais nous n'avons pas pu récupérer les autres corps. Ils sont aux mains de l'EIIL, maintenant. »

Hezni était inconsolable. Il avait l'impression d'avoir trahi sa nièce. Il lui arrive encore de se torturer en écoutant son message suppliant : « *Sauve-moi, cette fois !* » Quand je l'entends, j'imagine le visage plein d'espoir de Kathrine et je vois aussi le visage de Hezni couvert de larmes.

Nous sommes allés au camp de réfugiés. À première vue, il n'avait pas changé depuis le jour où je m'y étais installée avec mes frères, presque deux ans auparavant, mais les habitants avaient réalisé quelques aménagements pour que les conteneurs ressemblent un peu plus à des maisons : ils avaient suspendu des bâches pour créer des espaces extérieurs ombragés et décoré leurs intérieurs avec des photos de famille. Certains avaient trouvé des emplois et il y avait plus de voitures rangées entre les conteneurs.

Quand nous nous sommes approchés, j'ai vu Adkee, mes demi-sœurs et mes tantes debout, dehors, côte à côte. Elles s'arrachaient les cheveux et levaient les bras au ciel, priant et sanglotant. Asmar, la mère de Kathrine, avait tellement pleuré que le médecin avait craint qu'elle ne perde la vue. J'ai entendu leur mélopée funèbre avant même de franchir les grilles du camp et, quand nous sommes arrivés devant le conteneur de ma famille, je me suis jointe à elles, marchant en rond avec mes sœurs, me frappant la poitrine et gémissant. J'avais l'impression que toutes les plaies de ma captivité et de mon évasion se rouvraient. Je ne parvenais pas à me persuader que je ne reverrais plus jamais Kathrine ni ma mère vivantes. C'est à cet instant que j'ai su avec certitude que ma famille était vraiment détruite.

11

Les Yézidis croient que, lorsque Tawusi Melek est descendu sur terre pour établir une relation entre les humains et Dieu, il a choisi une belle vallée du nord de l'Irak qui s'appelle la vallée de Lalish. Nous nous y rendons aussi souvent que possible pour prier et renouveler notre lien avec Dieu et son Ange. Lalish est un lieu reculé et paisible ; pour y aller, il faut suivre une route étroite qui serpente à travers une vallée verdoyante, au-delà des toits coniques de petites sépultures et de temples, et gravir une colline jusqu'au village. À l'occasion des grandes fêtes religieuses, comme le Nouvel An, la route grouille de Yézidis venus faire le pèlerinage, et le centre du village est incroyablement animé. Aux autres moments de l'année, tout est calme ; seule une poignée de Yézidis prient dans les temples faiblement éclairés.

Lalish doit toujours être impeccable. Les visiteurs sont invités à retirer leurs chaussures et à marcher pieds nus, même dans les rues, et, tous les jours, des bénévoles participent à l'entretien des temples et de leurs domaines. Ils balaient les cours et taillent les arbres sacrés, ils lavent les allées et, plusieurs fois par jour, ils parcourent les temples de pierre plongés dans la pénombre pour allumer des lampes alimentées par de l'huile parfumée extraite des fruits des oliviers de Lalish.

Avant d'entrer, nous embrassons les chambranles des portes des temples, veillant à ne pas poser le pied sur le seuil, que nous embrassons également, et, à l'intérieur, nous faisons des nœuds dans des rubans de soie colorée, chaque nœud représentant un vœu et une prière. Lors des grandes cérémonies religieuses, le Baba Cheikh se rend à Lalish pour accueillir les pèlerins dans le temple principal, il prie avec eux et les bénit. Ce temple sert de sépulture au Cheikh Adi, qui a répandu la foi yézidie au XIIᵉ siècle et qui est l'une des figures les plus sacrées de notre religion. La Source Blanche traverse Lalish. Nos baptêmes se célèbrent à l'extérieur, là où elle se déverse dans des citernes de marbre. À l'intérieur des grottes sombres et humides qui s'ouvrent sous la sépulture du Cheikh Adi, où la condensation ruisselle le long des murs grossiers, nous nous aspergeons d'eau en priant à l'endroit même où la source se divise.

La meilleure période pour s'y rendre est le mois d'avril, aux alentours du Nouvel An yézidi, au moment du changement de saison, quand les nouvelles pluies remplissent la Source Blanche sacrée. En avril, les pierres sont juste assez fraîches sous nos pieds pour nous inciter à continuer d'avancer, et l'eau suffisamment froide pour nous réveiller. La vallée est majestueuse, verdoyante, comme ressuscitée.

Lalish est à quatre heures de route de Kocho et ce voyage – l'essence, la nourriture, le retard qu'il entraîne dans le travail des champs, sans parler des animaux que de nombreuses familles sacrifiaient – était trop onéreux pour que nous le fassions fréquemment. Cela ne m'empêchait pas d'en rêver souvent. Notre maison était pleine de photos de Lalish, et la télévision diffusait des programmes sur cette vallée et sur les saints cheikhs qui y vivaient, elle montrait les pèlerins qui dansaient ensemble. Contrairement à Kocho, Lalish a de l'eau en abondance, ce qui permet d'arroser les arbres et les fleurs qui agrémentent la vallée. Les temples en vieilles pierres sont décorés de symboles empruntés à nos histoires. Et, surtout, c'est à Lalish que Tawusi Melek a pris contact pour la première fois avec le monde, accordant aux hommes un but et un lien avec Dieu. Bien que nous puissions prier n'importe où, c'est dans les temples de Lalish que la prière a le plus de sens.

Quand j'avais seize ans, je suis allée me faire baptiser à Lalish. J'avais attendu ce jour avec impatience et, au cours des semaines précédentes, j'avais bien écouté tout ce que disait ma mère. Elle nous invitait à nous montrer respectueux à l'égard des autres pèlerins et de tout ce qui se trouvait dans la vallée, nous rappelant que nous ne devions jamais porter de chaussures ni laisser le moindre désordre. « Ne crachez pas, ne jurez pas, ne vous conduisez pas mal, nous exhortait-elle. Ne marchez pas sur le seuil des temples. Il faut l'embrasser. »

Même Saeed, le coquin, lui prêtait une oreille attentive. « C'est là que tu seras baptisée », m'a-t-elle expliqué en me montrant la photo d'une citerne de pierre creusée dans le sol où s'écoulait un filet d'eau fraîche venu de la Source Blanche, qui dessinait des rubans dans la rue principale. « Et c'est ici que tu prieras pour ta famille. » Je n'avais jamais eu l'impression d'être en faute parce que je n'étais pas encore baptisée à seize ans ; cela ne voulait pas dire que je n'étais pas encore une « vraie » Yézidie. Comme nous étions pauvres, Dieu ne nous reprocherait pas d'avoir dû différer ce voyage. Mais j'étais ravie qu'il ait enfin lieu.

J'ai été baptisée dans la Source Blanche en même temps que plusieurs de mes frères et sœurs. Une femme, une des gardiennes de Lalish, a plongé un petit bol d'aluminium dans la source et a versé cette eau fraîche sur ma tête, puis elle m'a laissée m'asperger le visage et la tête tout en priant. La femme m'a ensuite enveloppé la tête dans un linge blanc, et j'ai déposé un peu d'argent, une offrande, sur une pierre, juste à côté du bassin. Kathrine a été baptisée en même temps que moi. « Je ne te décevrai pas, ai-je murmuré à Dieu. Je ne reculerai pas. J'irai de l'avant et je resterai sur cette voie. »

Quand l'EIIL est arrivé dans le Sinjar, nous nous sommes tous demandé avec inquiétude ce qu'allait devenir Lalish. Nous avions peur que les combattants ne détruisent nos temples, comme ils l'avaient fait si souvent. Des Yézidis qui fuyaient l'EIIL se sont réfugiés dans la ville sainte, sous la protection des serviteurs des temples et des prières du Baba Cheikh et du Baba Chawish. Les Yézidis qui s'étaient enfuis de chez eux pour se rendre dans la vallée sainte avaient les nerfs à vif, ils étaient mentalement anéantis et physiquement épuisés par les massacres. Ils étaient convaincus que l'EIIL allait attaquer les temples d'un moment à l'autre.

Un jour, un de ces Yézidis en fuite, un jeune père, était assis dans l'entrée de la cour du temple avec son fils. Il n'avait pas dormi de la nuit : il ne pouvait penser qu'à ceux qui étaient morts et aux femmes qui avaient été enlevées. Le poids de ces souvenirs était accablant. Il a sorti son pistolet de sa ceinture et, avant que quiconque ait pu l'en empêcher, il s'est tué, juste là, dans l'entrée du temple, à côté de son fils. Entendant le coup de feu et persuadés que l'EIIL arrivait, les Yézidis qui se trouvaient sur place ont pris la fuite vers le Kurdistan. Seuls les serviteurs et le Baba Chawish sont restés pour laver le mort, l'inhumer et attendre la suite des événements. Ils étaient prêts à mourir. « Que me reste-t-il si ce lieu est détruit ? » a demandé le Baba Chawish. Mais les terroristes n'ont jamais mis les pieds dans la vallée. Dieu l'a protégée.

Après les massacres, alors que, une à une, les femmes réussissaient à échapper aux griffes de l'État islamique, nous nous sommes demandé à quoi ressemblerait notre prochain pèlerinage à Lalish. Nous avions besoin des temples et du réconfort qu'ils offraient, mais, dans un premier temps, nul ne savait quel accueil les saints hommes réserveraient aux sabaya évadées. Nous nous étions converties à l'islam et la plupart d'entre nous avaient perdu leur virginité. Que l'un et l'autre nous aient été imposés contre notre volonté ne comptait peut-être pas. Nous étions suffisamment adultes pour savoir que c'étaient des péchés susceptibles de nous faire exclure de la société yézidie.

Nous n'aurions pas dû sous-estimer nos chefs religieux. À la fin du mois d'août, alors que le choc des massacres était encore récent, ils se sont réunis pour réfléchir à ce problème et sont rapidement parvenus à une décision. Les anciennes sabaya, ont-ils déclaré, pourraient reprendre place dans la société sans être jugées pour ce qui leur était arrivé. Nous ne devions pas être considérées comme musulmanes, car cette religion nous avait été imposée, et, comme nous avions été violées, nous n'étions pas des femmes perdues, mais des victimes. Le Baba Cheikh a rencontré personnellement des fugitives rescapées, il leur a prodigué des conseils et leur a réaffirmé qu'elles étaient toujours des Yézidies. Puis, en septembre, nos chefs ont rédigé une note officielle expliquant à tous les Yézidis que nous n'étions pas responsables de ce qui nous était arrivé et que les vrais fidèles devaient accueillir à bras ouverts les sabaya de retour. Je n'ai jamais éprouvé autant d'amour pour ma communauté qu'en cet instant de compassion.

Pourtant, rien de ce qu'a dit ou fait le Baba Cheikh n'a pu nous donner l'impression que nous étions redevenues tout à fait normales. Nous étions toutes brisées. Les femmes cherchaient désespérément à se purifier. De nombreuses sabaya ont subi une opération de «revirginisation», se faisant reconstituer l'hymen dans l'espoir d'effacer le souvenir et les traces du viol. Au camp de réfugiés, deux médecins qui s'occupaient des rescapés nous ont proposé cette opération, nous disant d'un ton désinvolte : «Venez vous faire soigner», comme s'il s'agissait d'un simple contrôle. «Ça ne prendra que vingt minutes», précisaient-ils.

Par curiosité, j'ai suivi d'autres filles à la clinique. «Une intervention très simple vous rendra votre virginité», promettaient les médecins. Certaines femmes que je connaissais ont décidé de se prêter à cette opération, mais j'ai refusé. Comment une «intervention très simple» aurait-elle pu effacer tous les viols que m'avait fait subir Hajji Salman, tous ceux qu'il avait autorisé ses gardes à m'infliger pour me punir d'avoir cherché à m'enfuir? Ce n'était pas une partie de mon corps, ni même mon corps tout entier, qui avait le plus souffert de ces agressions, et aucune opération chirurgicale ne pourrait réparer ce tort. Je comprenais pourtant que d'autres le fassent. Nous avions terriblement besoin de n'importe quelle forme de réconfort, et si cela pouvait les aider à imaginer un avenir normal, où elles auraient un mari et une famille, je ne pouvais que me réjouir pour elles.

Pour ma part, j'avais beaucoup de mal à envisager mon propre avenir. À Kocho, quand j'étais petite, je vivais dans un univers exigu, tout entier rempli d'amour. Je n'avais à me soucier que de ma famille, et tout semblait indiquer que notre situation s'améliorait. Mais à présent, même si nous survivions toutes, nous, les filles, et si nous nous donnions beaucoup de mal pour nous en sortir, où étaient les garçons yézidis susceptibles de nous épouser? Ils gisaient dans les fosses communes du Sinjar. Toute notre société avait été quasiment détruite, et les jeunes Yézidies étaient condamnées à mener des existences bien différentes de celles que nous imaginions enfants. Nous n'aspirions plus au bonheur, nous cherchions simplement à survivre et, dans toute la mesure du possible, à faire quelque chose d'utile des vies que le hasard nous avait permis de conserver.

Cela faisait quelques mois que j'étais dans le camp de réfugiés quand j'ai été abordée par des activistes, dont l'une m'a

demandé mon abaya. «Je rassemble des preuves du génocide, m'a-t-elle expliqué. J'ai l'intention d'ouvrir un musée,
un jour.» Une autre, après avoir entendu mon histoire, m'a
demandé si j'accepterais d'aller au Royaume-Uni raconter ce
qui m'était arrivé à des responsables de son association. J'ai
accepté, sans savoir à quel point ce voyage allait transformer
ma vie.

Les derniers mois que j'ai passés au camp ont été consacrés à
la préparation de notre départ pour l'Allemagne. Nous étions
décidées à émigrer, Dimal et moi, mais Adkee a refusé de nous
accompagner. «Je ne quitterai jamais l'Irak», nous a-t-elle dit.
Elle avait toujours été obstinée, et je l'enviais. L'Allemagne,
c'était une promesse de sécurité, une possibilité d'étudier, l'occasion de commencer une vie nouvelle. Mais l'Irak resterait
toujours notre patrie.

Nous avions dû remplir des tonnes de papiers pour pouvoir partir et étions même allées à Bagdad pour nous faire
faire des passeports. C'était la première fois que je mettais les
pieds dans la capitale de l'Irak, la première fois aussi que je
prenais l'avion. J'y suis restée douze jours, passant de bureau
en bureau – pour donner mes empreintes digitales, me faire
photographier, me faire vacciner contre toutes sortes de mala-
dies bizarres. J'avais l'impression que ça n'en finirait jamais,
mais, un beau jour de septembre, on nous a annoncé que nous
allions bientôt partir.

On nous a conduites à Erbil et on nous a donné de l'argent
pour nous acheter des vêtements. Nous avons pleuré, Dimal et
moi, en prenant congé de tout le monde au camp, et surtout
d'Adkee. J'ai pensé à Hezni qui, tant d'années auparavant,
avait voulu aller en Allemagne, pensant que, s'il gagnait de
l'argent – beaucoup d'argent, comme on peut en gagner en
Europe –, la famille de Jilan accepterait qu'ils se marient. Il
s'était fait expulser, alors que moi, j'avais un billet d'avion payé

par le gouvernement. Et pourtant, ce départ a été un terrible déchirement.

Avant de nous rendre en Allemagne, nous sommes allées à Lalish. Plusieurs dizaines d'anciennes sabaya se pressaient dans les rues du village sacré, pleurant et priant, vêtues de noir comme si elles étaient en deuil. Dimal et moi avons embrassé le chambranle de la porte du temple du Cheikh Adi et fait des nœuds dans la soie colorée, une prière par nœud – priant pour le retour de ceux qui étaient encore vivants, pour le bonheur dans l'au-delà de ceux qui, comme notre mère, étaient morts, pour que Kocho soit libéré et pour que l'EIIL ait à répondre de ses crimes. Nous nous sommes aspergé le visage avec l'eau fraîche de la Source Blanche et avons prié Tawusi Melek avec plus de ferveur que jamais.

Un climat de sérénité régnait à Lalish ce jour-là et, pendant que nous y étions, le Baba Chawish est venu rencontrer notre groupe. Le saint homme est grand et mince, il porte une longue barbe et ses yeux pleins de bonté et de perspicacité encouragent les gens à s'ouvrir en sa présence. Tandis qu'il était assis en tailleur dans la cour de la sépulture du Cheikh Adi, sa longue robe blanche voltigeait dans la brise et l'épaisse fumée du tabac vert dont il avait bourré sa pipe de bois flottait au-dessus de la foule de femmes venues le saluer.

Nous nous sommes agenouillées devant lui, il a posé un baiser sur nos têtes et nous a interrogées. « Que vous est-il arrivé ? » Nous lui avons raconté que nous avions été capturées par l'EIIL, mais que nous nous étions échappées et que nous nous apprêtions à partir pour l'Allemagne. « C'est bien », a-t-il dit d'une voix douce et triste. Il souffrait de voir autant de Yézidis quitter leur patrie irakienne. La communauté s'amenuisait sous ses yeux, mais il était conscient que nous devions aller de l'avant.

Il nous a posé d'autres questions. « D'où êtes-vous ? Combien de temps avez-vous passé avec l'EIIL ? Comment était la vie dans le camp?» Et puis, pour finir, alors que sa pipe était presque vide et que le soleil était bas dans le ciel, il s'est tourné vers nous et nous a demandé, très simplement: «Qui avez-vous perdu?»

Alors il s'est assis et a écouté attentivement chacune des femmes, même celles qui avaient été trop timides pour prendre la parole jusque-là, énumérer les noms des membres de leur famille et de leurs amis, de leurs voisins, d'enfants et de parents, des morts et des disparus. Cette litanie a paru se prolonger pendant des heures, tandis que l'air fraîchissait et que les pierres des murs du temple s'assombrissaient sous le jour déclinant, des noms yézidis s'étirant en une mélopée infinie, s'élevant vers le ciel, où Dieu pourrait les entendre, et, quand mon tour est venu, j'ai dit: « Jalo, Pise, Massoud, Khairy et Elias, mes frères. Malik et Hani, mes neveux. Mona, Jilan et Smaher, les épouses de mes frères. Kathrine et Nisreen, mes nièces. Hajji, mon demi-frère. Toutes celles qui ont été prises et se sont évadées. Mon père, qui n'était plus de ce monde pour nous protéger. Ma mère Shami, où qu'elle soit. »

Épilogue

En novembre 2015, un an et trois mois après l'arrivée de l'EIIL à Kocho, j'ai quitté l'Allemagne pour la Suisse, où je devais prendre la parole à un Forum des Nations Unies sur les questions relatives aux minorités. C'était la première fois que j'avais à raconter mon histoire devant un vaste public. J'avais passé presque toute la nuit précédente en compagnie de Nisreen, l'activiste qui avait organisé ce voyage, à réfléchir à ce que j'allais dire. Je voulais parler de tout – des enfants morts de déshydratation en fuyant l'EIIL, des familles encore livrées à elles-mêmes dans la montagne, des milliers de femmes et d'enfants toujours captifs et de ce que mes frères avaient vu sur le lieu du massacre. Je n'étais qu'une victime yézidie parmi plusieurs centaines de milliers. Ma communauté était dispersée, ses membres menaient une existence de réfugiés en Irak et ailleurs, et Kocho était toujours occupé par l'EIIL. Il y avait tant de choses à révéler au monde sur le sort des Yézidis.

La première partie du voyage s'est faite en train, à travers les sombres forêts allemandes. Les arbres défilaient dans un brouillard devant ma vitre. Cette forêt, si différente des vallées et des champs du Sinjar, m'angoissait, et j'étais bien contente de passer devant sans m'arrêter et sans avoir à me promener au milieu des arbres. Néanmoins, le paysage était beau et je commençais à aimer ma nouvelle patrie. Les Allemands nous avaient accueillis dans leur pays, on m'avait dit que des citoyens ordinaires étaient venus attendre les trains et les avions qui transportaient des Syriens et des Irakiens en fuite pour leur souhaiter la bienvenue. En Allemagne, nous espérions pouvoir nous faire une place dans la société et ne pas devoir nous contenter de vivre sur ses marges. La situation des Yézidis était plus difficile dans d'autres pays. Certains réfugiés étaient arrivés dans des lieux où, de toute évidence, on ne voulait pas d'eux, quelles qu'aient pu être les horreurs qu'ils fuyaient. D'autres Yézidis restaient pris au piège en Irak, attendant désespérément une occasion de partir, et cette attente était une autre forme de torture. Certains pays avaient décidé de n'accueillir aucun réfugié, ce qui me mettait en colère. Comment pouvait-on refuser à des innocents un lieu où ils pourraient vivre en sécurité ? Voilà ce que je voulais déclarer à l'ONU ce jour-là.

Je souhaitais aussi dire qu'il restait beaucoup à faire. Il fallait établir une zone de sécurité pour les minorités religieuses en Irak, poursuivre l'EIIL en justice – depuis ses responsables jusqu'aux citoyens qui avaient soutenu ses atrocités – pour génocide et crimes contre l'humanité, et libérer l'intégralité du Sinjar. Les femmes et les filles qui avaient échappé à l'EIIL avaient besoin d'aide pour rejoindre et rebâtir la société, et les mauvais traitements qu'elles avaient subis devaient être ajoutés à la liste des crimes de guerre de l'État islamique. Le yézidisme devait être enseigné dans les écoles, depuis l'Irak jusqu'aux États-Unis, pour que chacun comprenne qu'il est essentiel de préserver une religion très ancienne et de protéger ses fidèles, si réduite que soit cette communauté. Les Yézidis, aux côtés d'autres minorités religieuses et ethniques, ont contribué à faire jadis de l'Irak un grand pays.

Malheureusement, on ne m'avait accordé que trois minutes de temps de parole, et Nisreen m'a conseillé de me concentrer sur l'essentiel. « Raconte-leur ce qui t'est arrivé », m'avait-elle dit en sirotant du thé dans mon appartement. Cette idée me terrifiait. Je savais que, pour que mon histoire puisse exercer une certaine influence, je devais être aussi honnête que je supporterais de l'être. Je devrais parler à mon public de Hajji Salman, de tous les viols qu'il m'avait fait subir, de la nuit terrifiante que j'avais passée au checkpoint de Mossoul et de tous les sévices dont j'avais été témoin. La décision de faire preuve d'une entière franchise a été l'une des plus difficiles que j'aie jamais prises, la plus importante aussi.

Je tremblais en prononçant mon discours. Aussi calmement que possible, j'ai raconté comment Kocho avait été pris et comment les filles comme moi avaient été emmenées pour devenir des sabaya. Je leur ai dit que j'avais été violée et battue à mainte et mainte reprise, et comment j'avais fini par m'échapper. Je leur ai parlé de mes frères tués. Ils m'ont écoutée en silence et, ensuite, une femme turque s'est dirigée vers moi. Elle était en larmes. « Mon frère Ali s'est fait tuer, m'a-t-elle dit. Toute notre famille est sous le choc. Je ne sais pas comment on peut supporter de perdre six frères à la fois.

— C'est affreusement dur, lui ai-je répondu. Mais il y a des familles dont les pertes ont été encore plus lourdes que les nôtres. »

À mon retour en Allemagne, j'ai déclaré à Nisreen que, chaque fois qu'ils auraient besoin de moi, j'irais où ils me le demanderaient, et ferais tout mon possible pour les aider. Je n'imaginais pas que c'était le début d'une nouvelle vie. J'ai conscience aujourd'hui d'être née au cœur des crimes perpétrés contre moi.

Au début, la vie nouvelle que nous menions en Allemagne nous a paru bien insignifiante par rapport à l'existence de ceux qui subissaient la guerre en Irak. Nous nous sommes installées, Dimal et moi, dans un petit appartement de trois pièces avec deux de nos cousines, le décorant des photos de ceux que nous avions perdus ou laissés derrière nous. La nuit, je dormais sous de grands portraits en couleurs de ma mère et de Kathrine. Nous portions des colliers faits avec les lettres des noms des morts et, chaque jour, nous nous réunissions pour les pleurer et pour prier Tawusi Melek, lui demandant de faire en sorte que les disparus rentrent sains et saufs. Chaque nuit, je rêvais de Kocho et, chaque matin, au réveil, je me rappelais que le Kocho que j'avais connu n'existait plus. C'est une étrange impression de vide. La nostalgie d'un lieu perdu vous donne le sentiment d'avoir disparu, vous aussi. J'ai traversé beaucoup de beaux pays au cours de mes voyages d'activiste, mais il n'en est pas un au monde où j'aie davantage envie de vivre que l'Irak.

Nous suivions des cours d'allemand et sommes allées à l'hôpital pour un contrôle médical. Certaines d'entre nous ont accepté les séances de psychothérapie qu'on nous a proposées et qui étaient très difficiles à supporter. Nous faisions la cuisine et les tâches ménagères apprises dans notre enfance, le ménage, le pain, cette fois dans un petit four métallique portatif que Dimal avait installé au salon. Mais, en l'absence des activités incessantes de la ferme comme la traite des moutons ou les travaux des champs, et de la vie sociale animée d'un petit village étroitement soudé, nous avions trop de temps libre. Au début de mon séjour en Allemagne, je n'arrêtais pas de supplier Hezni de me permettre de revenir, mais il m'expliquait qu'il fallait tenir bon. Je devais m'accrocher, me disait-il, et je finirais par faire ma vie dans ce nouveau pays. J'avais pourtant du mal à le croire.

Heureusement, je n'ai pas tardé à faire la connaissance de Murad Ismael. En compagnie d'un groupe de Yézidis établis aux quatre coins du monde – qui compte dans ses rangs Hadi

Pir, Ahmed Khudida, Abid Shamdeen et Haider Elias, l'ancien interprète de l'armée américaine qui était resté au téléphone avec mon frère Jalo presque jusqu'à l'instant de sa mort –, Murad avait participé à la fondation de Yazda, un mouvement qui œuvre inlassablement pour la cause des Yézidis. La première fois que je l'ai rencontré, je n'avais pas encore les idées très claires sur ma nouvelle vie. Je voulais aider les autres et me sentir utile, mais je ne savais pas comment. Quand Murad m'a parlé de Yazda et du travail qu'ils effectuaient – aider notamment à la libération des femmes et des filles emmenées en esclavage par l'EIIL, puis plaider leur cause –, j'ai commencé à envisager mon avenir plus clairement.

Dès que ces Yézidis avaient appris l'arrivée de l'EIIL dans le Sinjar, ils avaient renoncé à leur vie d'autrefois pour essayer de nous aider, en Irak. Murad faisait des études de géophysique à Houston quand le génocide avait commencé ; d'autres étaient professeurs ou travailleurs sociaux. Ils avaient tout laissé tomber pour nous secourir. Murad m'a parlé de deux semaines sans sommeil dans une petite chambre d'hôtel près de Washington. Avec un groupe dont faisaient partie Haider et Hadi, il avait consacré tous ses instants à répondre à des appels de Yézidis d'Irak, cherchant à les aider à se mettre en lieu sûr. Ils réussissaient souvent. Parfois ils échouaient. Ils avaient essayé de sauver Kocho, m'a-t-il dit. Ils avaient appelé tous les gens auxquels ils pouvaient penser à Erbil et à Bagdad. Ils avaient avancé des suggestions grâce à ce qu'ils avaient appris du temps où ils travaillaient avec l'armée américaine (Murad et Hadi avaient, eux aussi, été interprètes sous l'occupation), ils avaient suivi la piste de l'EIIL sur toutes les routes, dans tous les villages. Quand ils avaient dû renoncer à nous sauver, ils avaient juré de faire tout leur possible pour aider les survivants à obtenir justice. Ils portaient leur chagrin sur leurs corps – Haider a tout le temps mal au dos et l'épuisement a ridé prématurément le visage de Murad –, mais, malgré tout, je voulais être comme eux. Après avoir fait la connaissance de Murad, j'ai commencé à devenir celle que je suis aujourd'hui. Bien que notre peine soit sans fin, notre vie en Allemagne a commencé à prendre un sens.

Quand j'étais prisonnière de l'EIIL, je me sentais impuissante. Si j'avais eu un minimum de force au moment où ma mère m'a été arrachée, je l'aurais protégée. Si j'avais pu empêcher les terroristes de me vendre ou de me violer, je l'aurais fait. Quand je songe à mon évasion – la porte non verrouillée, le jardin paisible, Nasser et sa famille dans un quartier bourré de sympathisants de l'État islamique –, je tremble à l'idée que tout aurait pu terriblement mal tourner. Je pense que si Dieu m'a aidée à m'enfuir et si j'ai rencontré les activistes de Yazda, c'est pour une bonne raison, et je ne considère pas ma liberté comme un dû. Les terroristes ne croyaient pas que les Yézidies réussiraient à s'enfuir ni que nous aurions le courage de déclarer à la face du monde tout ce qu'ils nous ont fait. Nous les défions en refusant que leurs crimes restent impunis. Chaque fois que je raconte mon histoire, j'ai l'impression de retirer un peu de pouvoir aux terroristes.

Depuis ce premier voyage à Genève, j'ai raconté mon histoire à des milliers de gens – des policiers et des diplomates, des réalisateurs et des journalistes, d'innombrables personnes ordinaires qui se sont intéressées à l'Irak après l'invasion de l'EIIL. J'ai supplié des dirigeants sunnites de dénoncer plus énergiquement l'EIIL en public ; ils auraient sûrement le pouvoir de mettre fin à la violence. J'ai travaillé avec tous les membres de Yazda pour aider les rescapées comme moi, obligées de vivre au quotidien avec ce que nous avons subi, et pour convaincre le monde de reconnaître comme un génocide ce qui a été infligé aux Yézidis et de faire juger l'EIIL pour ce crime.

D'autres Yézidis en ont fait autant, avec la même mission : alléger nos souffrances, maintenir en vie ce qui reste de notre communauté. Nos histoires, si pénibles qu'elles soient à entendre, ont exercé une certaine influence. Au cours des dernières années, le Canada a décidé d'accueillir de plus nombreux réfugiés yézidis ; l'ONU a officiellement reconnu comme un génocide ce que l'EIIL a infligé aux Yézidis ; plusieurs gouvernements ont commencé à envisager de créer une zone de sécurité pour les minorités religieuses en Irak ; et, surtout, nous avons des juristes décidés à nous aider. La justice est tout ce qui reste aujourd'hui aux Yézidis, et chaque Yézidi participe à ce combat.

En Irak, Adkee, Hezni, Saoud et Saeed se battent chacun à sa manière. Ils sont restés au camp – Adkee a refusé de partir en Allemagne avec les autres femmes – et, quand je m'entretiens avec eux, leur absence m'est si douloureuse que je tiens à peine debout. Chaque jour est une lutte pour les Yézidis des camps et, pourtant, ils font tout ce qu'ils peuvent pour aider l'ensemble de notre communauté. Ils manifestent contre l'EIIL et adressent des requêtes aux Kurdes et à Bagdad pour qu'ils en fassent davantage. Quand on découvre une fosse commune ou qu'une fille trouve la mort en cherchant à s'échapper, les réfugiés du camp sont les premiers à porter le poids de la nouvelle et ce sont eux qui organisent les funérailles. Chaque conteneur d'habitation est rempli de gens qui prient pour le retour de ceux qu'ils aiment.

Chaque réfugié yézidi essaie de surmonter le traumatisme mental et physique qu'il a vécu et s'évertue à préserver la cohésion de notre communauté. Des gens qui, il y a quelques années encore, étaient cultivateurs, étudiants, commerçants ou femmes au foyer sont devenus des spécialistes de la religion yézidie qui s'efforcent de répandre le savoir sur cette foi, des professeurs qui enseignent dans les petits conteneurs du camp aménagés en salles de classe, ou des défenseurs des droits de l'homme, comme moi. Notre seule ambition est de maintenir notre culture et notre religion en vie, et de faire juger l'EIIL pour les crimes commis contre nous. Je suis fière de tout ce que notre communauté a fait pour riposter. J'ai toujours été fière d'être yézidie.

J'ai beau avoir la chance de vivre en sécurité en Allemagne, je ne peux m'empêcher d'envier ceux qui sont restés en Irak. Mes frères et sœurs sont plus près de chez nous, ils mangent la nourriture irakienne qui me manque tellement et ne vivent pas à côté d'étrangers, mais de gens qu'ils connaissent. S'ils vont en ville, ils peuvent parler kurde avec les marchands et les chauffeurs de minibus. Quand les peshmergas nous permettront de retourner à Solagh, ils pourront se recueillir sur la tombe de ma mère. Nous nous téléphonons, nous nous laissons des messages toute la journée. Hezni me raconte ce qu'il fait pour aider des filles à s'évader, et Adkee me parle de la vie au camp. La plupart de leurs histoires sont amères et tristes, mais il arrive à ma sœur, qui a toujours été si amusante, de me faire rire au point que j'en tombe de mon divan. J'ai le mal de l'Irak.

À la fin du mois de mai 2017, un appel du camp m'a appris que Kocho avait été libéré de l'EIIL. Saeed avait fait partie des membres de l'unité yézidie des Hashd al-Shaabi, un groupe de milices armées irakiennes, qui y était entrée, et j'ai été heureuse pour lui que son vœu ait été exaucé et qu'il soit devenu un combattant. Kocho n'était pourtant pas encore sûr; des combattants de l'État islamique s'y battaient toujours et ceux qui étaient partis avaient déposé des engins explosifs avant de prendre la fuite. Je n'en étais pas moins déterminée à revenir. Hezni m'a donné son accord, et j'ai pris l'avion depuis l'Allemagne pour Erbil, avant de rejoindre le camp.

Je ne savais pas ce que j'éprouverais en revoyant Kocho, l'endroit où nous avions été séparés et où mes frères avaient été tués. J'étais accompagnée de plusieurs membres de ma famille, parmi lesquels Dimal et Murad (les gens de Yazda faisaient désormais partie de ma famille), et, lorsque nous avons pu y aller sans risque, nous avons effectué le trajet en groupe, en faisant un détour pour éviter les combats. Le village était désert. Les fenêtres de l'école avaient été brisées et, à l'intérieur, nous avons aperçu les restes d'un cadavre. Ma maison avait été pillée – on avait même arraché le bois du toit – et tout ce qui restait avait été brûlé. L'album de photos de mariées n'était qu'un tas de cendres. Nous avons pleuré au point de ne plus pouvoir tenir debout. Et pourtant, malgré les destructions, dès l'instant où j'ai franchi la porte d'entrée, j'ai eu conscience d'être chez moi. L'espace d'un instant, j'ai été transportée à l'époque qui avait précédé l'arrivée de l'EIIL et, quand les autres m'ont annoncé qu'il était temps de partir, je les ai suppliés de me permettre de rester une heure encore. Je me suis juré que, quoi qu'il advienne, quand le mois de décembre arrivera et que le moment sera venu pour les Yézidis de jeûner afin de se rapprocher de Dieu et de Tawusi Melek qui nous ont donné la vie à tous, je serai à Kocho.

Un peu moins d'un an après avoir prononcé ce premier discours à Genève, je suis allée à New York – avec plusieurs membres de Yazda, dont Abid, Murad, Ahmed, Haider, Hadi et Maher Ghanem –, où les Nations Unies m'ont nommée Ambassadrice de bonne volonté pour la dignité des victimes du trafic d'êtres humains. J'étais censée, une fois de plus, parler de ce qui m'était arrivé devant un vaste auditoire. On ne s'habitue jamais à raconter son histoire. On la revit chaque fois. Quand je parle du checkpoint où les hommes m'ont violée, de la brûlure du fouet de Hajji Salman malgré la couverture sous laquelle je m'étais blottie ou du ciel de Mossoul qui s'assombrissait pendant que je sillonnais le quartier à la recherche d'une main secourable, je replonge dans la terreur de ces instants.

D'autres Yézidis sont entraînés dans ces souvenirs, eux aussi. Il arrive même à des membres de Yazda qui ont entendu mon récit d'innombrables fois de pleurer quand je le répète ; cette histoire est également devenue la leur.

Mais je me suis habituée à prononcer des discours, et les salles bondées ne m'intimident plus. Mon histoire, relatée honnêtement et prosaïquement, est l'arme la plus efficace dont je dispose pour lutter contre le terrorisme, et j'ai bien l'intention de m'en servir jusqu'à ce que ces criminels soient traduits en justice. Il y a encore tant à faire. Les dirigeants mondiaux, et plus particulièrement les responsables religieux musulmans, doivent absolument intervenir et protéger les opprimés.

J'ai prononcé mon petit discours. Quand j'ai eu fini de raconter ce qui m'était arrivé, j'ai continué à parler. Je leur ai dit que mon éducation ne m'avait pas appris à parler en public. Je leur ai dit que tous les Yézidis voulaient que l'EIIL soit poursuivi pour génocide, et qu'il était en leur pouvoir de contribuer à protéger les êtres vulnérables, dans le monde entier. Je leur ai dit que je voulais regarder ceux qui m'avaient violée droit dans les yeux et les voir jugés. Et plus que tout, leur ai-je dit, je veux être la dernière fille au monde à avoir à raconter une histoire pareille.

Table des matières

Fayard s'engage pour l'environnement en réduisant l'empreinte carbone de ses livres. Celle de cet exemplaire est de :
1,4 kg éq. CO$_2$
Rendez-vous sur
www.fayard-durable.fr

PAPIER À BASE DE FIBRES CERTIFIÉES

Composition réalisée par Belle Page

Achevé d'imprimer en Italie par Grafica Veneta
89-3811-0/01